【編　者】
鈴木 靖民（すずき やすたみ）

國學院大學名誉教授。日本古代史、東北アジア古代史。
〔主な著作〕
『倭国史の展開と東アジア』（岩波書店、2012 年）
『古代日本の東アジア交流史』（勉誠出版、2016 年）
『古代の日本と東アジア　人とモノの交流史』（勉誠出版、2020 年）

佐藤 長門（さとう ながと）

國學院大學文学部教授。日本古代史。
〔主な著作〕
『日本古代王権の構造と展開』（吉川弘文館、2009 年）
『蘇我大臣家―倭王権を支えた雄族―』（山川出版社、2016 年）
『古代東アジアの仏教交流』（編、勉誠出版、2018 年）

翻刻《ほんこく》・影印《えいいん》　天平諸国正税帳《てんぴょうしょこくしょうぜいちょう》〔翻刻編《ほんこくへん》〕

2024 年 11 月 1 日　初版第一刷発行　二冊組 定価（本体 15,000 円＋税）

編　者　鈴　木　靖　民
　　　　佐　藤　長　門
発行所　株式会社　八 木 書 店 出 版 部
代表　八　木　乾　二
〒 101-0052 東京都千代田区神田小川町 3-8
電話 03-3291-2969（編集） -6300（FAX）
発売元　株式会社　八　木　書　店
〒 101-0052 東京都千代田区神田小川町 3-8
電話 03-3291-2961（営業） -6300（FAX）
https://catalogue.books-yagi.co.jp/
E-mail pub@books-yagi.co.jp

印　刷　精 興 社
製　本　牧製本印刷
用　紙　中性紙使用

ISBN978-4-8406-2279-0〔翻刻編〕

執筆者紹介

【編者】略歴は左頁を参照

鈴木 靖民（すずき やすたみ）

佐藤 長門（さとう ながと）

荒井 秀規（あらい ひでき）

明治大学兼任講師・駒澤大学大学院非常勤講師。日本古代史。

〔主な著作〕

『覚醒する〈関東〉』（吉川弘文館、2017 年）

『古代日本と渡来系移民』（共編著、高志書院、2021 年）

榎 英 一（えのき えいいち）

元愛知文教大学教授。日本古代史。

〔主な著作〕

『律令交通の制度と実態―正税帳を中心に―』（塙書房、2020 年）

「古事記の素材―「国記」再論―」（犬飼隆・和田明美編『語り継ぐ古代の文字文化』青簡舎、2015 年）

早川 万年（はやかわ まんねん）

元岐阜大学教授。日本古代史。

〔主な著作〕

『美濃国戸籍の総合的研究』（共編著、東京堂出版、2003 年）

『壬申の乱を読み解く』（吉川弘文館、2009 年）

山﨑 雅稔（やまさき まさとし）

國學院大學准教授。日本古代史。

〔主な著作〕

「日本における加耶史研究」（韓国古代史研究会編『加耶史研究の現況と展望』周留城出版社、2018 年）

「九世紀の海外交通―円仁を中心に―」（木村茂光・湯浅治久編『旅と移動―人流と物流の諸相―』竹林舎、2018 年）

索　　引

一、本索引は、人名･官職名･地名･公文書日付･年号･件名の各索引からなる。
一、索引語の所在は、翻刻編･影印編のどちらでも使えるように、帳番号(01～27)と行数で示した。
一、人名・官職名・地名・件名索引は五十音順に、公文書日付・年号索引は編年順に配列した。年月未詳の官符省符等は推定年の末に類載した。
一、軍団名･宮名は、地名･件名索引の両方に掲載した。
一、神戸･県･寺社名は、件名索引に掲載した。
一、件名索引のうち、頻出する語やその略称は、省略したものもある。

人　　名

【あ】

敢石部角足　[09]47･65
赤染麻呂　[20]36･162
県犬養宿祢大萬侶　[17]0
県犬甘宿祢黒麻呂　[15]105
朝明史老人　[20]81
阿須波臣真虫　[11]68
阿曇三雄　[17]70
安曇宿祢広道　[23]2･21･25
――――虫麻呂　[23]2･21･25
阿刀造佐美麻呂　[11]0･142, [12]0
阿倍朝臣牛養　[20]58
――――子嶋　[20]16
海直大食　[11]88, [12]136
海直忍立　[15]91
海部直大伴　[16]8
海部諸石　[17]57

【い】

五百木部〔名欠〕　[27]16
伊福部大麻呂　[07]170
廬原君足礒　[08]8, [09]114
伊賀朝臣果安　[05]13
伊吉連大魚　[07]28, 176
生江臣金弓　[11]67
―――積多　[11]51･154
出雲臣君麻呂　[20]38
磯部飯足　[09]49
――直萬得　[17]124
伊奈利臣牛麻呂　[09]74
――――千麻呂　[09]55

【う】

於忌寸人主　[07]27
台忌寸国依　[15]83
有度君〔名欠〕　[09]260
有度部黒背　[09]32, 40
漆嶋大名　[20]42

【え】

江沼臣入鹿　[11]120
―――大海　[11]119
―――武良士　[12]148
榎本直虫麻呂　[23]0
榎本連音足　[20]3

【お】

大石村主広道　[15]84
大市首国勝　[12]44
大私直真継　[17]99
大私造上麻呂　[11]138

大蔵伊美吉石村　11 146
大蔵忌寸子虫　07 29
凡直広田　24 7
——宅麻呂　24 30
凡海部我妖　20 88
大隅直坂麻呂　20 25
大津連船人　15 121
大伴首大山　24 7
大伴宿祢池主　09 13
————犬甘(犬養ヵ)　18 18
————邑治麻呂　11 145
————国人　20 70
————山守　09 188
大伴部大君　17 124
———足床　27 17
———福足　27 18
大鳥連大麻呂　04 31・216
大宅朝臣大国　02 284
大宅首佐波　18 6
大湯坐部小国　09 43, 58
置始連稲足　24 34
長田王　02 243
他田弓張　07 153
他田舎人広庭　09 75
————益国　09 78
忍海部広庭　15 80
忍海連宮成　20 10
越智直東人　24 20
———広国　24 20
弟国若麻呂　12 39
小野朝臣(牛養)　09 11
————(老)　20 29
小長谷連常人　20 188
小長谷部国足　09 45
————足国　09 64
————練麻呂　09 2
————麻佐　09 21
————善麻呂　09 50
小治田朝臣諸人　20 66
雄山田連綿麻呂　20 46
尾張宿祢人足　06 20
尾張連〔名欠〕　07 148
——石弓　06 22
——田主　07 119

【か】

加士伎県主都麻理　27 113
膳長屋　11 118
語部有嶋　06 24
金刺舎人祖父萬侶　08 87
上道臣千代　20 182
韓柔受郎　27 62
韓国君佐美　05 15
苅間連養徳　20 6
河内連入鹿　20 27
川原田宿祢〔名欠〕　08 91
—————忍国　08 1, 09 0・112
川邊朝臣白足　20 56
川邊臣足人　09 77

【き】

紀朝臣(男人)　20 83
———必登　24 32
岸田朝臣継手　08 3, 09 30・38
黄文連伊加麻呂(伊加萬侶)　04 106・117・154・167・172・181・276・286・304・310・314・317

【く】

𡶌部今子　09 116
——友敷　09 86
——保智萬呂　16 8
——若槌　09 67
𡶌部君〔名欠〕　26 4
———大国　26 3
𡶌部宿祢古麻呂　20 54
𡶌部連吉嶋　26 2
国前臣龍麿　26 101
国造族〔名欠〕　07 151
久米朝臣湯守　08 92, 09 110
呉原忌寸百足　27 0
黒秦　09 89
桑氏連老　15 93
桑原史千山　09 187

【け】

賢了　09 23

【こ】

巨勢朝臣足人　09 182・187
――――長野　15 112
許曽倍朝臣津嶋　02 285

【さ】

佐伯宿祢毛人　07 28・175
坂本連宿奈麻呂　11 52・155
坂上忌寸人麻呂　15 0
坂合部宿祢（葛木麻呂）　11 145, 12 36
螺江比良夫　12 90
薩麻君宇志々　27 109
―――国益　20 25
―――須加　27 115
―――鷹白　27 112
―――福志麻呂　27 107
佐婆臣安麻呂　05 16
佐味君浪麻呂　11 49・152, 12 107

【し】

志比安都　20 40
椎田連嶋麻呂　04 176
城上連真立　02 284
宍人部身麻呂　09 85
下毛野朝臣（石代）　09 189
―――――帯足　08 89・92
白氏子虫　20 29
甚目□多希麿　07 149

【す】

次田赤染造上麻呂　20 62

【そ】

曽県主麻多　27 111
宗蔵　09 25
薗田首八嶋　18 11
尊泰　20 85

【た】

当麻部国勝　09 36
高橋朝臣国足　09 27
高安主村三事　18 10
財造住田　11 121
田口朝臣御負　09 183
――――家主　02 243
――――養年冨　18 15
建部神嶋　27 114
建部君豊足　20 32
多治比真人伯　19 63
―――――多夫勢　07 172
―――――倓世　07 175
丹比宿祢足熊　04 81・258
丹比真人家主　15 103
丹比新家連石麻呂（石萬侶）　07 0・174
田中朝臣浄足　18 13
――――三上　18 1
田邊史県麻呂　20 12
―――東人　20 64
―――首名　04 79
田部宿祢家主　03 0
玉作部五百背　20 273
民忌寸黒人　18 17
民使古麻呂　17 126
民連石前　06 21
丹波直足嶋　15 87

【ち】

税部古麻呂　09 62
珍県主深麻呂　04 176
―――倭麻呂　04 142・154・167・172・182・183

【つ】

笠志史君足　09 183
角鹿直綱手　11 21, 12 90
常臣子赤麻呂　09 52
常勝首名　21 0
都濃朝臣光弁　02 285
津史真麻　25 0

都保臣古良比　20 77

【な】

中臣朝臣（名代）　24 34
中臣連尓伎比等　15 76
中臣東連益人　20 14
中臣葛連干稲　15 76
中臣高良比連新羅　12 49
中臣酒人宿祢古麻呂（古麿）　02 0・283
中嶋連東人　07 150
奈貴首百足　04 98・145・157・160・271・289・292
奈気私造石嶋　09 19
夏身金村　05 13
楢原造東人　20 35

【に】

新田部弓　18 22
丹生直伊可豆智　11 53・156
贄首石前　24 30
贄土師連忍勝　18 8
錦部主村石勝　18 5
錦部連定麻呂　20 18・175

【ぬ】

額田部〔名欠〕　07 117
額田部直広麻呂　20 73

【は】

土師宿祢〔名欠〕　11 146
————佐美麻呂　09 199
————比良夫　04 101
————広浜　04 80・106・117
————山麻呂　20 60
間人宿祢玉浦　20 23
丈部直広成　09 7
丈部忌寸千城　20 48
丈部牛麻呂　09 57・68
——大嶋　08 5
——多麻呂　09 71
——小山　09 34
——塩麻呂　09 66
秦忌寸稲栗　09 187
秦前忌寸大魚　06 0
秦子虫　20 52
秦達布連広嶋　08 0
秦連国麻呂　20 0
爪工連〔名欠〕　07 118
服部在馬　17 57
半布臣石麻呂　09 72
———虫麻呂　09 73
———嶋守　08 8, 09 114・116
———足嶋　09 69
———子石足　09 56
———広麻呂　08 5
林連（上麻呂）　11 144
——毛人　10 97
——加麻呂　09 190
——佐比物　10 0
——安人　09 181・184

【ひ】

檜前村主稲麻呂　15 79
桧前舎人〔名欠〕　09 234
檜前舎人連馬養　20 75
日根造〔名欠〕　04 312
———五百足　04 257・276・286・304・310
———玉纏　04 256・273・279・281・307
肥君〔名欠〕　27 15
——広龍　27 110
肥人部広麻呂　09 48
広瀬臣光　10 97

【ふ】

葛井連人根　05 17
藤原房前（故左大臣）　20 239
文忌寸鷹養　24 33
———奈保麻呂　09 9
日置造石足　09 29
———三立　20 68

【ほ】

法義　20 79

穂積朝臣老人　18 24
品治部君大隅　15 88
品遅部広耳　12 136

【ま】

前君乎佐　27 108
茨田連光　19 0・62

【み】

三国真人〔名欠〕　11 87
御手代直男綱　07 29
路真人野中　09 17
―――宮守　09 190
道君〔名欠〕　11 136
――五百嶋　11 137
――安麻呂　11 139
御使連乙麻呂　04 109・137・273・279・281・295・307
壬生直信陀理　08 86
生部牛麻呂　09 61
――宮立　26 102
三宅連〔名欠〕　06 23

【む・め】

牟々礼君大町　20 5
村国連広田　04 226
明喩　09 42

【も】

物部荒人　24 30
――石山　09 46・63
――於伎　20 50
――安臣　18 20
汶旦才智　19 60

【や】

矢口朝臣黒麻呂　09 185
八戸史広足　18 3
楊胡史真身　26 0
矢田部猪手　09 51・60
矢原連与佐弥　11 50・153
山君大父　11 69
山背連靺鞨　20 84
山田史方見　20 44
―――広人　09 15

【ゆ・よ】

弓削宿祢興志　19 63
横田臣大宅　09 54・70

【わ】

若湯坐宿祢小月　07 27・176
別君豊麻呂　04 257
丸子部大国　09 4
丸部臣人麻呂　11 140
和尓部臣若麻呂　07 169
丸連群麻呂　04 229

【姓欠】

多豆加　18 20
麻呂　09 84
正月　07 152

官職名

【あ】

按察使　06 2, 09 188, 11 145
阿多郡〔薩摩国〕
———少領　27 112
———主政　27 113
———主帳　27 114・115
安倍団ヵ〔駿河国〕
———軍毅　09 123
———少毅　09 32
安倍団少毅〔駿河国〕　09 40・123
海部郡〔隠岐国〕
———郡司　16 8, 17 70
———少領　16 8, 17 70
———主帳　16 8
海部郡〔尾張国〕主帳　07 117-119
淡路国
———国司長官　23 36
———史生　23 0・36

【い】

伊賀国
———守　05 17
———目　05 16
———史生　05 14
壱伎嶋
———掾　20 23
———史生　20 50
医師
——〔薩摩国〕　27 45・47-53
——〔但馬国〕　15 130・140
伊豆国
———目　10 0
———史生　10 97
和泉郡〔和泉監〕
———郡司　04 183
———少領　04 142・154・167・172・182・183
———主帳　04 176
出水郡〔薩摩国〕
———大領　27 15
———少領　27 16
———主政　27 17
———主帳　27 18
和泉監
———正　04 43・45・48・51・53・55・59・61・63・65・67・69・71・79・98・106・108・116・136・141・145・154・157・160・167・172・181・230・234・236・240・242・244・246・249・251・253・271・273・276・279・281・286・289・292・294・303・307・310・314・317
———佑　04 81・101・258
———令史　04 45・48・57・65・67・176・220・234・236・238・246・249
———史生　04 45・48・65・67・227・232・234・236・246・249
出雲国掾　15 105
因幡国
———守　15 103
———史生　15 84
———大毅　15 80
———少毅　15 88
伊予国
———守　24 34
———介　24 31
———掾　24 34
———目　24 33

【う】

有度郡〔駿河国〕
———郡司　09 260
———少領　09 260
宇和郡〔伊与国〕
———郡司　24 30
———少領　24 30
———主帳　24 30

【え】

駅使　⑮69・74・78・81, ⑳13, 136, ㉗55
　造神宮——　⑳105
越前国
　——守　⑪145
　——介　⑪146
　——掾　⑪145
　——大目　⑪146, ⑫49
　——史生　⑩0・142, ⑫0
　——郡司　⑫15
　——軍毅　⑫15
江沼郡〔越前国〕
　——郡司　⑪118, ⑫148
　——大領　⑫148
　——主政　⑪118・119
　——主帳　⑪120・121

【お】

大炊寮　⑦10
大鳥郡〔和泉監〕主政　④80・106・117
大隅国
　——守　⑳70
　——掾　⑳60
　——史生　⑳68
大住団〔相模国〕少毅　⑨36
大野郡〔越前国〕
　——郡司　⑪67
　——大領　⑪67
　——少領　⑪68
　——主帳　⑪69
大祓使　④226
隠岐国
　——国司　⑰1
　——目　⑰0
　——史生　⑰126
越智郡〔伊予国〕
　——郡司　㉔20
　——大領　㉔20
　——主政　㉔20
尾張国
　——国司　⑦1

　——守　⑦172・175
　——介　⑦27・176
　——掾　⑦28・175
　——大目　⑦28・176
　——少目　⑥0, ⑦29
　——史生　⑦0・26・29・174
役道郡〔隠岐国〕
　——郡司　⑰124
　——大領　⑰124
　——少領　⑰124
音博士〔大宰府〕　⑳84

【か】

加賀郡〔越前国〕
　——郡司　⑪136
　——大領　⑪136
　——主政　⑪137・138
　——主帳　⑪139・140
学生〔薩摩国〕　㉗36
春部郡〔尾張国〕
　——郡司　⑥20
　——大領　⑥20
　——少領　⑥21
　——主政　⑥22
　——主帳　⑥23・24
上道郡〔備前国〕主帳　⑱22

【き】

紀伊国司　㉒1
擬少毅　⑳3〔安芸国佐伯団〕
刑部少解部　⑳6

【く】

球珠郡〔豊後国〕
　——領　㉖101
　——主帳　㉖102
国画工〔陸奥国〕　⑨19
桑村郡カ〔伊予国〕
　——郡司　㉔7
　——大領　㉔7
　——主帳　㉔7
軍毅　⑨123〔駿河国安倍団ヵ〕, ⑫15〔越

前国〕, [15]46〔但馬国〕
郡散事　[09]2・21〔甲斐国山梨郡〕, [09]4〔相模国餘綾郡〕, [09]43・58〔遠江国磐田郡〕, [09]52・67〔駿河国安倍郡〕, [09]66〔遠江国佐益郡〕, [09]75〔駿河国有度郡〕
郡不明〔駿河国〕
———郡司　[09]123
———主帳　[09]123

【け】

気多郡〔但馬国〕主帳　[15]93
遣新羅使　[26]204
検税使　[21]55・63
遣唐使(大唐使)　[24]34, [27]75
検船使　[12]39

【こ】

皇后宮職　[06]31, [09]151
講師　[10]28
国師　[09]23・42, [20]85
骨送使　[20]29・83

【さ】

佐伯団〔安芸国〕擬少毅　[20]3
坂井郡〔越前国〕
———郡司　[11]87, [12]136
———大領　[11]87
———少領　[11]88, [12]136
———主政　[12]136
左京職　[01]1
左大臣　[20]239
雑掌　[03]33, [07]103, [15]117
朝集———　[08]5・8, [09]114・116, [15]114, [20]160, [23]65
薩摩郡カ〔薩摩国〕
———大領　[27]107
———少領　[27]108
———主政　[27]109
———主帳　[27]110・111
薩摩国
———国司　[27]36・40・41・43・62・64・74・82
———守　[27]45・46・47・53
———目　[20]62, [27]0・44・47・48・51-54
———史生　[20]46, [27]44-46・53・54・62
———医師　[27]45・47-53
———少毅　[27]41
———学生　[27]36
左弁官史生(左弁史生)　[09]9

【し】

侍医　[02]284
志太郡〔駿河国〕
———郡司　[09]234
———少領　[09]234
鋳銭司〔長門国〕　[18]19
———判官　[18]11
———主典　[18]6
———民領　[18]8・9
———史生　[18]3
主稲〔中宮職〕　[18]4
巡察使　[09]109, [20]136
少毅　[09]32〔駿河国安倍団ヵ〕, [09]36〔相模国大住団〕, [09]40・123〔駿河国安倍団〕, [15]87〔丹後国〕・88〔因幡国〕, [27]41〔薩摩国〕
正税帳使　[09]198

【す】

周防国
———国司　[20]90・98・101・105・108・113・116・119・123・126・129・133・136・140
———守　[19]63, [20]90・129・133・136・140
———掾　[19]63, [20]90・98・99・101・102・105・108・113・116・119・120・123・126
———目　[19]0・62, [20]90・91・96・105・106・109・110・113・114・116・117・123・124・126・127・129・130・133・134・136・137・140・141
———史生　[19]60, [20]0・36・90・92・96・98・99・101・102・105・106・109・110・113・

114・119・120・129・130・133・134・136・137・140・141・162
周吉郡〔隠岐国〕
———郡司　17 99
———大領　17 99
駿河郡〔駿河国〕
———郡司　08 86
———少領　08 86
———主政　08 87
駿河国
———国司　09 90・96・98・100・102-108・110・112・123・182・183・185・187・189
———守　08 89・92, 09 90・91・102・104・182・183・185・187・189
———掾　08 92, 09 90-92・96-99・103・107・110・183・187・190
———目　08 1・91, 09 0・90-92・98-100・104・105・112・181・184・187・190・199
———史生　08 0・3, 09 29・30・38・90-93・95-99・104・106・108・109・123

【せ】

摂津国大属　03 0

【そ】

造難波宮司　15 23・171
送渤海郡使人使　11 128
造薬師寺司　09 25
捉稲使〔中宮職〕　15 106, 109

【た】

大毅　09 34〔相摸国餘綾団〕, 15 80〔因幡国〕
但馬国
———国司　15 46・119・122
———守　15 121・131・134・140・149・152
———目　15 0・124・126・129-131・133・134・136・137・139・140・143・145・146・148・149・151・152
———史生　15 124-127・129-131・133・134・136・137・139・140・143・145・146・148・149・151・152
———医師　15 130・140
———軍毅　15 46
太政官　15 85
大宰府（太宰府）　18 21, 20 31・34・53・79・87
———大弐　20 29・83
———大典　20 35
———少典　20 81
———大監　20 16
———少監　18 1
———少判事　20 18・175
———史生　20 14・38・56・75・188
———音博士　20 84
丹後国
———目　15 83
———史生　15 79
———少毅　15 87

【ち】

筑後国
———介　20 53
———掾　20 10
———目　25 0
筑前国
———掾　20 32・77
———史生　20 48・64
知多郡カ〔尾張国〕
———郡司　07 169
———少領　07 169
———主帳　07 170
智夫郡〔隠岐国〕
———郡司　17 57
———大領　17 57
———主帳　17 57
中宮職　09 148・168, 15 109
———主稲　18 4
朝使　04 221
朝集雑掌　08 5・8, 09 114・116, 15 114, 20 160, 23 65

朝集使　07 176, 08 91, 11 146

【つ】

対馬嶋史生　20 29・42
敦賀郡〔越前国〕
———郡司　11 21, 12 90
———少領　11 21, 12 90
———主帳　12 90

【て】

伝使　15 69・95・101, 20 8・10・12・16・20・22・23・25・27・29・36・40・42・44・46・50・52・56・58・60・62・66・68・70・77・79・81・85, 26 53・150・201, 27 58
船——　15 38・48・64・75
部領——　20 6

【と】

春宮坊少属　09 13
遠江国
———少掾　09 27
———史生　09 29
豊浦郡〔長門国〕擬大領　20 73
豊浦団〔長門国〕五十長　20 88

【な】

中島郡〔尾張国〕主帳　07 151-153
長門国
———少目　21 0
———史生　20 58
名張郡〔伊賀国〕
———郡司　05 13
———領　05 13
———主帳　05 13

【に】

丹生郡〔越前国〕
———郡司　11 49・152, 12 107
———大領　12 107
———少領　11 49, 152
———主政　11 50・51・153・154
———主帳　11 52・53・155・156

【の】

能登国史生　12 44

【は】

播磨国
———介　18 14
———大掾　18 16
———少掾　18 18

【ひ】

肥後国史生　20 44
備前国介　18 12
日田郡〔豊後国〕
———大領　26 2
———少領　26 3
———主帳　26 4
左大舎人　20 25
備中国掾　18 24
日根郡〔和泉監〕郡司　04 312
———大領　04 256・273・279・281・307
———少領　04 257
———主帳　04 257
———擬主帳　04 276・286・304・310・312
兵部省大丞　09 17

【ふ】

豊前国
———目　20 52
———史生　20 40
部領使　09 4・9・19・21・27・29・30・34・38, 20 3・14・18・31・34・53・73・88・175・182・188
豊後国
———守　20 66, 26 0・34・36・38-40・44・45・49・51・130・132・134-136・140・141・147・148・182・184・187-190・193・194・198・199
———掾　20 12, 26 34-37・130-133・182-185
———目　20 27, 26 32・33・128・129・

180·181
───史生　㉖32·33·36-39·42·46·
47·128·129·132-135·138·139·142·
144·145·180·181·184·185·187·188·
191·192·195·196

【へ】

幣帛使　④227·229
覓珠玉使　⑨13

【み】

右大舎人　⑳25
民部省　④15·23·31·33·35·37·40·128·
200·208·212·214·216·218·296, ⑥30·
40, ⑦19, ⑪94·104, ⑮15·17·41·161,
⑳241, ㉑24·82·109, ㉒29, ㉕12

【や】

大倭国
───守　②284
───介　②285
───大掾　②284
───少掾　②285
───大目　②0·283

【よ】

与謝郡（与射郡）〔丹後国〕大領　⑮91
餘綾団〔相摸国〕大毅　⑨34

地　名

【あ】

安芸国　⑳3
朝来郡〔但馬国〕　⑮35·164
足羽郡〔越前国〕　⑪54, ⑫22·34·47·55·
57·60·108
厚狭郡〔長門国〕　㉑108
安倍郡〔駿河国〕　⑨52·67·261
安倍団〔駿河国〕　⑨32·40
海部郡〔尾張国〕　⑥43
海部郡〔隠岐国〕　⑰58
安房国　⑨80
阿波国　㉓64
淡路国　㉓0

【い】

壱伎嶋　⑳23·50
伊豆国　⑨79, ⑩0
出石郡〔但馬国〕　⑮36·165
和泉監　④0
和泉宮　④51
出雲国　⑮105
伊都郡〔紀伊国〕　㉒44
茨木郡〔常陸国〕　⑨86

【う】

因幡国　⑮80·83·87·93·103
磐田郡〔遠江国〕　⑨43·58
印波郡〔下総国〕　⑨7

宇陀郡〔大倭国〕　②196
宇智郡〔大倭国〕　②6
有度郡〔駿河国〕　⑨75

【え】

越前国　⑪0, ⑫0
江沼郡〔越前国〕　⑪89, ⑫22·27·34·47·
58·61·69·73·137

【お】

大分郡〔豊後国〕　㉖214
大嶋郡〔周防国〕　⑳278
大隅　⑳25·60·68·70
大住団〔相摸国〕　⑨36
大野郡〔越前国〕　⑫20·38·51·57·61·69
大野郡〔豊後国〕　㉖155
隠伎国　⑰0·1
役道郡〔隠岐国〕　⑰100
尾張国　⑥0, ⑦0·1

【か】

甲斐国　[09]21・79
加賀郡〔越前国〕　[11]38・122, [12] 24・34・47・58・62・74・95・149
春部郡〔尾張国〕　[06]45・47
上総国　[09]15・80
葛下郡〔大倭国〕　[02]48
上野国　[07]67
上道郡〔備前国〕　[18]22
香山〔大倭国〕　[02]4・7
河邊郡〔薩摩国〕　[27]116

【き】

紀伊国　[22]0・1

【く】

球珠郡〔豊後国〕　[26]5
国埼郡〔豊後国〕　[26]67・215

【け】

気多郡〔因幡国〕　[15]93

【さ】

坂井郡〔越前国〕　[11]70, [12]22・34・47・55・73
相摸国　[09]4・34・79・83・89
薩麻国　[20]25・46・62, [27]0
佐益郡〔遠江国〕　[09]66
佐伯団〔周防国〕　[20]3
佐波郡〔周防国〕　[19]26, [20]5

【し】

城上郡〔大倭国〕　[02]194・210-212
城下郡〔大倭国〕　[02]142
志太郡〔駿河国〕　[09]201
志摩国　[06]49
嶋宮〔大倭国〕　[15]15
下総国　[09]7・17・23・80
下野国　[09]11・25

【す】

周防国　[19]0, [20]0・5・22・36
周吉郡〔隠岐国〕　[16]9, [17]71
駿河国　[08]0, [09]0

【せ】

摂津職　[09]34・87
摂津国　[03] 0

【そ】

添上郡〔大倭国〕　[02]117・235

【た】

高城郡〔薩摩国〕　[27]119
田方郡〔伊豆国〕　[10]110
高市郡〔大倭国〕　[02]193・198
多褹嶋　[25]2・4
耽羅（耽羅嶋）　[20]72・170
丹後国　[15]79・83・87・91

【ち】

筑後国　[20]10・53, [25]0
筑前国　[20]32・48・64・77
智夫郡〔隠岐国〕　[17]31

【つ】

筑紫　[20]85
筑紫大津　[25]9
対馬嶋　[20]29・42
敦賀郡〔越前国〕　[11]13, [12]20・29・31・42・47・72・75

【て】

出羽国　[12]26

【と】

遠江国　[09]27・43・58
十市郡〔大倭国〕　[02]100・197・259
豊浦郡〔長門国〕　[20]73, [21]89
豊浦団〔長門国〕　[20]88

【な】

直入郡〔豊後国〕　26 103
中嶋郡〔尾張国〕　07 113・120
長門国　18 6, 20 20・58・73・88, 21 0
那須湯〔下野国〕　09 11

【に】

丹生郡〔越前国〕　11 22, 12 16・22・31・42・47・60・72・91・156
西成郡〔摂津国〕　03 13

【の】

能登国　12 44・53

【は】

葉栗郡〔尾張国〕　06 44, 07 154
速見郡〔豊後国〕　26 70
播磨国　18 14

【ひ】

肥後国　20 44
備前国　18 12
備前児島　25 9
常陸国　09 23・81
備中国　18 24
日根郡〔和泉国〕　04 184
広瀬郡（広湍郡）〔大倭国〕　02 45・48・61

【ふ】

豊前国　20 40・52
豊後国　20 12・27・66, 26 0

【へ】

平群郡〔大倭国〕　02 26

【ま】

益頭郡〔駿河国〕　09 235

【み】

御浦郡〔相摸国〕　09 83
美作国　18 4

【む】

陸奥国　07 65, 09 19・34・87

【や】

養父郡〔但馬国〕　15 35・165
山田郡〔尾張国〕　06 25
山梨郡〔甲斐国〕　09 2・21
山邊郡〔大倭国〕　02 116・184

【よ】

与謝郡（与射郡）〔丹後国〕　15 91
餘綾郡〔相摸国〕　09 4
餘綾団〔相摸国〕　09 34

【わ】

若狭国　12 52

公文書日付

天平元年
6月7日(民部)省符(給稲田口家主) [02]243
6月10日(民部)省符(給稲長田王) [02]243
12月9日太政官符(受戒寺供養料) [02]252
天平2年
8月28日民部省符(加添軽税銭) [22]29
12月20日大倭国司解(大税帳) [02]283
……民部省符(送皇后宮職封戸租) [06]30
……民部省符(送斎宮) [06]40
……民部省符(給下等兵士) [11]94
……民部省符(買絁糸) [11]104
天平3年
2月7日伊賀国司解(大税帳) [05]16
2月26日越前国司解(大税帳) [11]144
天平4年
7月5日太政官符(賑給) [13]11
天平5年
2月19日隠岐国司解(正税帳) [17]0
天平6年
正月13日太政官符(造鐏) [07]56
6月24日太政官符(造木贅椀) [07]63
8月25日民部省符(送斎宮寮米) [07]19
12月24日尾張国司解(正税帳) [07]174
……官符(交易馬簑) [07]45・104
天平7年
7月3日周防国司解(正税帳) [19]62
閏11月17日勅(賑給) [27]120
天平8年
8月6日伊予国司解(正税出挙帳) [24]33
天平9年
2月10日民部省符(進上島宮奴婢料米) [15]15
3月16日太政官符(書写大般若経) [10]45
4月21日民部省符(賑給) [04]15・200・296
4月28日太政官符(進上奴) [15]159
5月19日勅(賑給) [04]18・110・148・203・298, [15]3, [26]29・125・177
6月26日太政官符(賑給) [15]37
8月13日勅(免田租・免負稲) [04]7・78・128・194, ([26]73・168)
9月22日民部省符(交易進上調陶器) [04]40
9月28日勅(賑給) [04]21・112・150・206・300
10月5日民部省符(神戸租調) [04]37・128, [15]161, [21]24・82・109, [25]12
11月9日民部省符(造地黄煎所(料)米) [04]31・216
11月12日民部省符(進上官奴婢食料米) [04]35, [15]17
11月13日民部省符(進上官奴婢食料米) [04]214
11月13日民部省符(交易進上真莒) [04]218
11月28日太政官符(改造神社) [20]159
12月8日民部省符(年料読経布施料) [15]41
12月23日民部省符(進上県醸酒) [04]33・212
天平10年
正月13日勅(賑給) [20](101)・144, ([09]103)
正月20日勅(賑給) [23]29
2月18日駿河国司解(正税帳) [08]91
4月5日和泉監解(正税帳) [04]316
4月19日(大宰府) 牒(向京防人供給)

[20]176
5月8日(大宰府) 牒(向京防人供給) [20]183
6月12日(大宰府) 牒(向京防人供給) [20]189
7月11日太政官符(買白玉)　[25]29
11月14日民部省符(割寄故左大臣藤原家封穀)　[20]241
12月27日淡路国司解(正税帳)　[23]0
……勅(天平九年九月紀関連か・防人帰郷)　[25]9
天平11年
3月24日太政官符(講説最勝王経) [10]21
6月7日兵部省符(兵家稲免利稲) [10]58
9月14日兵部省符(兵家稲正税混合) [10]54

年　号

和銅5年　[08]81, [09]224
霊亀元年　[08]82, [09]182・226・258
霊亀2年　[02]261
養老2年　[02]1・49・120・168・214・262, [26]90・227
養老4年　[02]4, [08]83, [09]185・227, [27]10・25・93
養老6年　[04]98・145・157・160・271・289・292, [06]2
養老7年　[02]7
神亀元年　[02]14・64・102・145・187・238・268, [06]4, [10]97, [24]3
神亀2年　[02]41, [09]188・228・246, [24]29
神亀3年　[02]29・103・145・187・238
神亀4年　[02]106・149・191・241, [24]5
神亀5年　[02]106・149・191・241
神亀□年　[02]64
天平元年　[02]27・62・101・143・185・236, [06]26, [10]97, [11]14・23・55・71・90・123, [16]9, [22]2・43・45
天平2年　[02]283, [03]8, [04]77, [06]0, [11]141, [21]61, [22]0・1・29
天平3年　[03]9, [05]16, [11]0・144, [12]75・91・108・137・149, [17]2・31・58・71・100, [20]220
天平4年　[03]10, [04]76・79・130, [07]95, [13]11, [17]1・125, [20]221, [27]2・85・100
天平5年　[04]75・176, [07]2・121・155, [12]0, [17]0, [19]27, [20]220, [26]72・167・227
天平6年　[04]101, [07]0・1・19・56・63・171・174, [19]0・59, [20]221, [24]2・14・16, [26]73・90・168・227
天平7年　[03]14, [09]198, [14]6・14, [19]62, [21]55・63, [24]15・19・27・28, [27]117・120
□平□(7) 年　[24]8
天平8年　[03]0, [04]100・108・127・135・136・146・170・184・272-274・278・280・281・283・293・294・306-308, [20]218・276, [21]1・76・90, [24]33, [26]6・104, [27]0
天平9年　[01]2・8, [04]0・7・15・31・33・35・37・40・78・106・110・112・116・128・141・148・150・154・167・171・172・180・181・194・200・212・214・216・218・220・276・279・285・286・296・303・309・310・313, [08]0・88, [09]201・235・261, [10]45, [15]3・15・17・37・41・117・159・161, [20]159・264・279, [21]0・24・82・109, [25]12, [26]0
天平10年　[01]1, [04]101・137・316, [08]91, [09]0, [10]54・99・110, [20]0・144・176・183・189・241, [23]0・29, [25]0・14・23・29
天平11年　[10]0・21・54・58

件　名

【あ】

赤舂米(赤米)　[02]35・157・204・251, [07]10
赤土　[20]158・272
阿具良形(阿久良形)　[10]7・15・31・38
鏆餅(呉床餅)　[15]34, [23]50　→餅
絁　[09]148・149, [10]24, [11]104, [20]198
　調—　[15]162・164・165
　錦—　[08]26
　緋—　[08]28
小豆　[10]10・33, [23]55
　——餅　[10]7・30, [15]32, [23]44　→餅
穴師神戸(穴師神税, ————税)　[02]77, [04]127・173
油　[04]30
　胡麻—　[10]15・38, [23]57
尼　[15]153・155
味葛煎(甘葛煎)　[09]154, [27]66
飴　[10]17・40, [23]59
糧料(粥——, 粥料, 饘料)　[15]29・30・38・89, [23]40・41
綾　[07]33・79・81-86, [09]118
　—機　[12]63・64・68
　—生　[07]30・33
洗韋　[07]48, [09]132・142・147, [15]50
洗革　[07]76, [20]202
粟　[02]10, [08]75, [09]173・205・218・240・252・265・271, [11]75, [17]9・32・50・63・76・93・105・117, [22]5・34・37, [26]19・115・155・223, [27]6・9・21・24・89・92
　—穀倉　[22]39
　—借倉　[09]196・233
　—倉　[08]85, [09]195・259
粟鹿神戸　[15]35・164
禾穀(粟穀ヵ)　[26]217
鰒　[27]38

【い】

生根神戸　[02]92
往馬神戸　[02]57
池　[04]73・232・255
池神戸　[02]177
位子　[04]229
出石神戸　[15]36・165
出雲神社　[20]208
礒形　[07]86
板倉　[04]96・99・107・118・143・146・155・158・177・277・285・287, [24]1・3・11・12・24・25・27, [26]97・98
糸　[07]79・81-86, [08]23・25・26・28・30・31, [09]137・140・145, [10]25, [11]104, [12]64・66-68, [15]42・55・58-63・65, [20]196
　生—　[07]71・74・76
　紫—　[07]54
犬　[20]55, [25]26・28
煎塩鉄釜　[21]19・60・103
煎餅　[10]7・15・30・38, [15]33, [23]46　→餅
石村山口神戸　[02]134

【う】

牛　[15]158, [20]165
　—皮(—革, 官馬—皮)　[15]20, [20]166, [25]2
　乳—　[15]157, [20]164
　牧馬—　[20]123 →馬
　靬手—皮(靬手—革)　[09]145, [10]1
菟足神戸　[02]279
宇弖　[20]220-222
畝尾神戸　[02]138
采女　[09]7
馬　[07]66・67, [20]172, [20]222
　—皮　[08]36, [09]137・143, [10]2, [15]49・62・64, [20]204, [25]2
　—蓑　[07]36・45・104
　御—　[07]65, [12]26, [23]64
　上—　[04]26, [23]62
　死—皮　[12]3・79・96・125・141, [27]99
　死伝—皮　[04]171

中— [04]26, [23]63
伝不用— [09]167
父— [07]67
不用— [07]110, [12]2, [20]220
牧— [26]142
牧—牛 [20]123 →牛
漆 [07]58・59・64, [15]66, [20]200
糯米 [07]42・97, [12]56

【え】

荏(荏子) [07]38・99
穎(穎稲) 用語〔稲〕
—禾 [26]161・164
—倉(—稲倉) [02]13・54・124・173・219・267, [03]12, [06]17, [08]85, [09]233, [10]91, [11]11・20・48・66・85・117・135・151, [16]7, [17]28・55・69・98・123, [19]24・57, [20]261・262, [21]70・88, [22]40
—稲屋(—屋) [19]57, [20]261 →屋
—稲借屋 [09]196・233, [19]24 →借屋
—稲借倉 [09]196
—稲税屋 [08]85, [09]196・233・259 →屋
—稲納(—納) [02]44・165, [26]1
—稲納倉(納倉) [10]107 [26]100
—粟 [27]9・24・92
欠— [02]6
出挙—稲 →出挙
雑用— →雑用
底敷—稲 [04]97・145・156・160・270・289・291 →穀底敷稲
役 [20]152, [25]6・7・21
駅使 [15]69・74・78・81, [20]105・136, [27]55
駅伝馬 [20]126
疫病 [15]9・37・89, [21]30・73・115
役民料 [03]7・31
衛士 [09]83
柄宍 [23]72
円倉 [26]97

【お】

横刀 [09]134
——鞘 [07]70
太神戸 [02]129
大神神戸(大神神祝, 大神神田) [02]20・69
大麦 [04]23・208
屋 [04]95・126・134・165・168・170・179・268・308・311, [07]168, [10]108, [11]9・11・12・66・85・135, [12]13・14, [19]55, [20]258, [26]97・99
新造— [09]192, [11]9・133・149
他田神戸 [02]89
押坂神戸 [15]35・164
忍坂神戸 [02]88

【か】

寡 [03]19・20, [04]18・20・110・148・203・205・298, [13]11・12, [15]4, [17]38・67・82・110, [20]144・147・148, [23]29・30, [26]29・125・177, [27]120
鏡作神戸 [02]179
格倉 [11]9・46・116・133・149
水手 [25]11
菓子 [27]40
廝(—丁) [20]20, [23]72
下尽 [04]169・171・284, [24]2・4・6・13-16・26-28
滓 [07]129・130・132, [12]7・8・101・116・142・162, [22]36 →酒
潜女 [07]7
火頭 [09]83
釜(銅竈) [20]31
賀麻伎 [02]205
加末多知 [15]2・9
紙 [10]51
紙継料 [10]48
苧 [07]44・62, [20]201
皮 [07]111・136, [08]37・38
鰥 [03]19・20, [04]18・20・110・148・203・205・298, [13]11・12, [15]4, [17]38・67・82・110, [20]144・147, [23]29, [26]29・125・177
官 [09]161・163, [19]16・17・43・44, [20]237・238・240・242, [22]25
鐶 [07]61

軒　[07]77, [09]143, [10]1
還郷(還国, 国還, 還帰)　[15]168-170, [23]68・69, [25]2・4・9
元日拝朝(元日設宴, ――――庭)　[09]123, [15]44, [23]34, [27]41
官人　[04]221・223, [07]26, [15]122・128・132・135・138・142・144・147・150
官稲　用語〔官稲〕, [15]128・150, [20]108・140
神嘗酒料　[02]20・66・73・78・127・130・176・178・183・222・228・272・280
官納　[09]164, [19]18・45, [20]243
官馬牛皮　[25]2　→牛皮・馬皮
乾附子　[26]154
神戸　[02]14・24・43・55・57・59・69・75・77・80・84・88・89・92・96・114・125・129・132・134・136・138・140・164・174・177・179・182・209・210・220・224・227・229・232・233・254・257・268・274・279・282, [04]37・39・127, [10]99, [15]35・36・162・164・165, [20]233, [21]26・110
監開　[11]145
官物　[04]83

【き】

器仗　[08]19・23・36, [15]47
義倉　[03]12, [04]125, [17]28・69・98・123, [20]116, [26]98
――粟　[22]37
腊　[27]39
絹　[07]59
急戸　[04]15・200・296
給主　[19]16, [20]237
半――　[19]42, [20]240
窮乏　[20]149・150
供給　[15]153, [20]173・183・190, [27]75
教導　[04]45・65・246
玉
赤勾―　[25]34
紺―　[25]31
竹―　[25]36
白―　[25]29
縹―　[25]32
覓珠―　[09]13
勾縹―　[25]37
丸―　[25]35
緑―　[25]33
御履　[20]166
――皮(――牛皮)　[08]12, [15]20, [15]178

【く】

空借倉　[09]196・259
空税屋　[09]196・259　→屋
空倉(空, 空屋)　[04]94・118・125・126・161-164・169・267・268・277・282・284・305・311, [07]168, [09]196・233・259, [10]93, [11]12・20・48・66・86・117・135・151, [12]13・89・121・135・147, [16]7, [17]29・98・123, [20]262, [21]70・88　→屋
公廨(公二解)　[27]65
――田　[15]121
豉　[08]13
釘　[20]156
久志麻知神田　[02]113
口分田　[06]49
熊毛神社　[20]207
公文　[20]218
供養料(供養雑用料)　[02]252, [04]29, [07]21・23, [09]126, [10]4・5・27・29, [15]10・11・25・27, [23]37, [27]32・34
倉　[02]23・68・128・223, [04]134, [07]167, [16]7, [21]88, [24]13
倉下　[06]19, [07]168, [11]10・11・47・48・66・84・85・150・151, [20]260
栗子　[04]61・242
軍団糒　[22]42
郡稲　用語〔官稲〕, [02]158・211, [07]6・125, [12]75・91・108・137・149, [22]37
――倉　[17]28・55・69・98・123
――帳　[12]0

【け】

解　[01]1, [07]1, [17]1, [22]1
解〔書止〕　[02]282, [04]315, [05]15, [07]173,

[08]90, [11]143, [17]127, [19]61, [24]32
惇　[03]19・20, [04]18・20・111・148・203・205・298, [09]120, [13]11・13, [15]4, [17]38・67・82・110, [20]145・148・149, [23]29・30
挂甲　[07]69, [08]20・25・26・28・32・34・35, [20]191
軽税銭　[02]40・162・202・255, [22]29
計帳手実（手実）　[04]59・240, [09]98, [15]138, [20]113, [26]42・138・191, [27]47
欠　[02]4・7, [04]81・83・85・102・104・138・258, [11]35・63・107, [23]21・25
欠穎　[02]6
欠穀　[02]1・4・7・49・120・168・214・262, [08]81–83, [09]183・186・189・224・226–228・246・258, [21]61, [23]2
月料　[04]48・67・220・249, [20]208・209
下任　[18]1・12・14・16・18・23・25
検校（検）　[02]1・4・7・49・120・168・214・262, [04]61・83・242, [06]2, [08]81–83, [09]17・100・107・182・185・188・224・226–228・246・258, [14]6・14, [15]142・147, [20]98・123・126, [26]44, [26]140・142・193, [27]49・51
遣新羅使料　[26]204
検田　[20]119, [26]47・145・196
牽夫　[15]175

【こ】

耗（除―）　[01]8, [02]15・30・41・64・69・80・84・88・92・96・103・106・145・149・187・191・238・241・268・274, [04]84・103, [19]35
交易　[04]23・40・208・218, [07]43–45・48・49・53・102・104, [09]148・151, [20]166・168, [22]20・57・68
向京　[06]23, [07]148・151, [09]104・234・260, [12]28, [15]167・169・170, [20]20・22・31・34・53・72・79・83・87・173, [23]67–69
貢上　[25]6・20・21・23・26
校乗　[03]28
甲倉　[04]269・280・290, [24]16
交替　[23]2・21・25
高年　[03]19, [04]18・21・110・112・148・150・203・206・298・300, [09]103, [13]11, [15]3, [17]37・67・81・110, [20]144・210, [21]30・115, [23]28・29, [26]29・36・125・132・177・184
公納　[02]43・115・164・210・257
構木倉　[27]12・13・97・105
公用稲　[07]162, [22]37
―――倉　[17]28・56・69・98・123
古穎（――稲）　[04]177, [21]55, [22]7・15・53
穀
　粟―倉　[22]39
　―借屋　[09]233・259　→屋
　―倉　[02]13・54・124・173・219・267, [06]15・16, [09]259, [10]88, [11]11・20, [11]48・66・85・117・135・151, [16]7, [21]88, [22]38　→動用穀倉・不動穀倉
　―底敷稲　[21]10・54・96　→穎底敷―稲
　―納　[02]46・165
国司借貸　[26]64・163・211, [27]82
国司巡行（巡行）　[04]45・65・223・246, [09]42・90, [15]122・128・132・136・138・142・144・147・150, [20]90, [26]31・127・179, [27]43・65
国司年料　[27]74
国儲　[10]74・123
金漆　[15]57
古稲　[02]34・111・155・202・249, [06]42, [07]112・137, [11]34・62・106, [20]224, [24]4
粉米　[09]132
古糒　[06]6, [07]127・147・163　→糒
胡麻子　[07]39・98, [26]56
雇民　[04]25・210・236, [15]23・171
小麦　[02]113・157・204・251, [04]23・208, [22]20・57・68
米　[04]32・214・217, [15]16・18・21・28–34・46・77・79・80・83・84・87・88・91・94・102・103・105・107・130・131・134・137・140・146・149・152, [18]2・4・5・7・9・11・12・14・16・17・19・21・23・25, [23]34・36・39–42・44・46・48・50・52
胡禄　[07]75, [09]142, [20]191

金光明経　[04]27, [07]21, [09]125, [10]3, [12]17, [15]26, [23]37, [27]30

【さ】

佐為神戸　[02]96
斎宮　[06]40
斎宮寮米　[07]19
最勝王経(金光明最勝王経)　[04]27, [07]21・23・133, [09]125, [10]3・21, [12]17, [15]26, [23]37, [27]31
祭神(神祭)　[02]20・66・73・76・78・83・87・91・94・99・127・130・133・135・137・139・141・175・178・180・183・222・225・228・230・234・272・277・280, [04]132, [10]100
債稲身死百姓(身死…負稲, 債稲(穀) 身死…免稲(穀))　[02]110・153・200・247, [03]8・10, [07]88・107, [08]54・67, [09]156・216, [10]56, [11]30・58・78・100・126, [12]92・109・150, [13]14, [17]15・41・68・85・111, [19]38, [20]213, [21]36・39・121・124　→百姓・免穀・免稲
防人(旧――)　[09]27・29・30・32・79, [20]14・18・87・173・178・184, [25]9
酒
　県醸―　[03]6・30, [04]33・212　→醸
　旧―　[15]2
　古―(古)　[03]6・7, [12]100・115・160, [16]5・17, [20]230
　―糟　[04]73・255
　―米　[22]19・67
　薬―　[27]77
鞘　[07]70, [08]38, [09]136・137, [10]2, [20]204　→横刀・大刀
𨖼　[10]82-84
産業　[04]57・238, [15]135, [20]98
散花　[07]83
三宝　[07]23

【し】

匙　[10]97
塩　[08]15・50・63・80, [09]94・95・128・212・223・245・257・278, [10]14・37, [12]10・16・19・21・23・24・29・30・32・35・40・41・43・45・46・48・71・86・103・118・132・144・163, [15]1・12・72・99・116・127・155・156, [20]2・4・5・7・9・11・13・15・17・19・21・22・24・26・28・30・33・35・37・39・41・43・45・47・49・51・52・54・57・59・61・63・65・67・69・71・72・74・76・78・80・82・84・86・87・89・94・97・100・103・107・111・115・118・121・125・128・132・135・139・143・155・174・181・187・255・270, [21]22・106, [27]26・94
　―竈　[19]5, [20]256
　―倉鎰　[09]197　→鎰
地黄煎　[04]31・216
鹿洗韋(鹿洗皮, 鹿洗革)　[07]76・78, [09]132・142, [15]50
鹿韋　[07]73・78
鹿皮　[07]48, [15]58-63, [20]168・202, [27]68・70
食稲　[04]43・46・49・52・54・55・58・59・61・63・66・68・69・71・221・223・227・230・232・235・237・239・240・242・244・247・250・252・253, [08]2・4・6・9, [09]93・111・113・115・117・119・123, [15]114, [20]2・3・5・6・8・10・12・15・16・19・20・23・26・28・30・32・35・36・39・40・42・44・50・52・54-56・59・60・62・64・66・68・70・72・74・77・79・81・84・85・87・88・93・99・103・107・110・114・117・120・124・127・131・135・138・142・154・161・163・269, [25]3・5・11・16・25・27, [26]32・54・128・151・180・202, [27]37・42・44・56・59・64・66・69・71
食封(封)　[09]160, [19]13・42
　――租　[11]36・64・108
食法　[20]96, [27]65
食米　[15]16, [18]2・4・5・7・9　→米
志癸御県神戸　[02]84
食料　[02]21・67・73・206, [04]214, [09]127, [10]100, [11]128, [15]23, [20]180・186, [22]37
　――稲　[02]37, [07]7・27-30・34, [12]15・20・22・24・28・32・35・37・39・42・45・48・

50・53, [15]119
——米　[04]35, [07]17, [15]22
寺家　[25]12
地子（——稲, ——穀）　[02]38・159・207・212, [22]37
自存不能之徒（不能自存, 不能自存者）　[03]20, [09]120, [17]38・67・82・110, [20]145
市替　[20]171
疾病人〔病疾人〕　[27]77
疾疹〔疹疾〕　[20]145, [23]29
廝丁　[23]72
仕丁　[09]83・86
祀幣　[21]86
嶋宮〔大倭国〕　[15]15
借屋　[09]194・232, [11]10・65・84・134, [12]121・135, [19]23, [21]69, [26]99, [27]13・97・105
借倉　[06]11, [09]193・231, [11]10・19・47・65・84・134・150, [12]13・89・106・135, [19]22・56, [20]259, [21]68, [27]12　→屋
借貸　[04]6・79・130・166, [19]9・38, [20]108・212, [21]35・45・120, [24]11・24
借納　[04]94・125, [22]37
赦書　[15]78・81
沙弥　[07]7, [09]42, [10]28, [20]85
従（従人）　[04]221・223, [09]1-3・6-33・35-42・84-93・95-109, [15]95, [18]2・3・5・7・9・10・12・13・15・17・20・23・25, [26]32-40・42-47・49・51・53・54・128・130-136・138-142・144・145・147-151・180-185・187-199・201・202, [27]43-60・62
汁　[12]7・8・101・116・142・161
収納正税帳（収納大税帳, 正税収納帳）　[04]0, [06]0, [07]0, [17]0, [22]0　→正税・大税
収納大税目録帳　[21]0　→大税
収庸　[26]46・144・195
修理（条理）
　池——　[04]73・232・255
　器仗——　[15]47
　正倉——　[09]191・229
　堤防——　[07]79・106
受戒寺　[02]252
熟損　[20]194　→損
除　[04]84・103, [14]6・14
春稲　[25]8・10, [26]57, 204
舂米　[11]3・26・74・93, [15]14
醸　[03]32, [08]48・61, [09]210・276, [10]77, [12]100・115・160
　県—酒　[03]6・30, [04]33・212
　—酒（—酒料）　[07]35・129, [08]14, [12]59, [20]205
　新—酒（新酒, 新）　[03]6, [20]231, [26]153・205
常鎰　[09]197, [10]96, [17]30, [19]25・58, [20]263
浄衣料　[10]47
小角　[15]47
正月二節　[23]71
少車牙　[07]85
匠手粮　[11]27
詔書　[15]85
正税　[01]1, [04]53・69・129・172・251・310・313, [07]5・124・155・159・171, [08]88, [09]17・102, [10]110, [11]141, [17]1・2・31・58・71・100・125, [19]27・59, [20]246・279, [21]1・90, [24]8, [26]6・104, [27]117
　——出挙（出挙——）　[04]234, [09]96, [26]34・130・182, [27]45
　——倉　[26]98
　——帳　用語〔正税帳〕, [04]0, [07]0, [09]0, [10]0, [20]0, [26]0
　——収納帳　[17]0
　——目録帳　[03]0, [08]0, [19]0, [25]0, [27]0
正倉　[02]4・7・54・124・173・219・267, [03]12, [04]55・71・94・125・253・267, [06]9, [09]191・229・247, [10]85, [11]8・19・46・83・116・133・149, [12]13・89・121・135・147, [17]27・55・69・98・122, [19]21・54, [20]257, [21]65・67, [22]37, [24]26, [26]97, [27]12・97・105
　——印（印）　[09]197, [10]98, [17]30, [21]71
消息　[20]133
　問伯姓——　[15]132, [26]51・148・199

匠丁　[06]29, [09]85, [15]21・22
少宝花　[07]81
織生　[09]118
書生　[20]218
助僧　[09]25・26
白貝　[07]43・102
真莒　[04]218
神宮　[20]105
振鼓　[15]48
賑給　[04]16・18・21・110・112・148・150・201・203・206・296・298・300, [09]103, [13]11, [15]3・9・37・81, [17]37・67・81・110, [20]101・116・144・210, [21]30・45・115, [23]28・29, [26]29・36・38・125・132・134・177・184・187, [27]53・120
振斛量　[22]9・27・60・71
神社　[17]40・84, [20]151・206・267
進上　[04]33・40・212・214・218, [07]43・44・48・49・53・65・172, [09]4・15・19・21, [10]97, [12]26, [15]15・17・159, [17]127, [18]21, [19]60, [20]31・34・53・87, [21]74, [22]20・57・68, [23]64, [24]32
振所入　[06]3・4, [13]13, [17]39・67・83・110, [20]210, [21]30・115
神税　[04]313, [20]264, [21]75, [22]1
——帳　[10]0
新倉（新造倉, 新造格倉, 新営）　[06]10, [09]191・229, [11]9・46・83・116・133・149, [20]257, [21]66
振定　[04]88・97・105・115・119・141・144・152・156・159・186・261・270・288・291・302
神田　[02]66・73・113
新任　[12]44・49, [15]119, [20]162, [27]62
振納　[02]47・115・166
振量穀　[13]12
振量未簸　[26]12・19・30・81・87・109・115・126・178・223

【す】

酢　[09]180, [10]20・44・79・84, [21]17・102, [26]26・95・122・174
出挙　用語〔出挙〕, [02]33・109・152・199・246, [04]2・165・169・171・190・275・284・309, [06]33, [07]87・107, [08]54・67, [09]105・156・216, [10]56, [11]29・57・77・99・125, [12]76・92・109・138・150, [13]14, [15]112・128, [16]12, [20]108, [22]11・49, [24]10・23, [26]58・156, [27]79
正税——（——正税）　[04]234, [09]96, [26]34・130・182, [26]34・130・182, [27]45
→正税
——穎稲　[13]14, [17]15・41・68・85・111
水田　[09]107
鮨　[07]43・49・102, [15]23・171
墨　[10]50
相撲人　[12]28, [20]20・22

【せ】

税屋　[08]84・85, [09]192・230・248　→屋
正粮　[07]13
釈奠　[27]35
全給　[09]162, [11]36・64・108, [19]14, [20]235, [22]23
先聖先師　[27]35・40
全稲　[21]11・28・57・97・113
染料　[07]54

【そ】

租（田租）　[02]18・24・55・57・59・71・75・77・82・86・90・94・98・117・125・129・132・134・136・138・140・174・177・179・182・220・224・227・229・232・233・271・276・279・282, [04]39・128・180, [07]114・141, [09]159, [10]102, [11]37・109, [15]35・36・85・142, [17]18・44・88・114, [19]12・41, [20]232・233・235・236・238・243・275・276, [21]27・80・112
蘇　[07]46, [15]157・177, [20]164
礎　[10]86・87
僧　[02]252, [03]20, [04]19・110・203・204, [07]7・23, [09]126, [10]28, [20]79・85, [25]4, [27]33・34
綜　[07]79・82-86, [12]63・66-68

添御県神戸　[02]24
草屋　[26]97・99　→屋
雑菜料　[09]128
雑色稲(雑色穎)　用語〔雑色稲〕, [06]13, [21]24
———納倉(———納食)　[02]13・54・124・173・219・267
造銅竈工　[25]20
雑物　[07]105, [09]151, [15]167, [23]67
雑用　[04]12・166・199・275, [05]14, [06]28・38, [07]131・166, [08]49・52・53・62・65・66, [09]211・214・215・277, [10]79, [11]2・25・73・92, [12]5, [15]48, [16]5・10・17, [17]37・125, [20]216・265, [21]20・86・104, [22]17・55・65, [26]27・123・175, [27]118
——穎　[15]7, [17]81, [23]32
——穀　[13]10, [17]67・81・110
——稲　[03] 32, [19]6
造用穎　[17]40・84
造轆轤雑工　㉕21
損　[08]43・44, [20]157・194, [27]51

【た】

駄　[15]174
大角　[15]47
代償　[14]6・14
大豆　[08]13, [10]12・35・48, [15]174, [23]56
——餅　[10]7・30, [15]31, [23]42・54　→餅
大税　[02]27・62・101・143・185・236・282, [05]14, [06]26, [11]5・14・16・23・43・55・71・90・113・123・130, [21]15・82・100, [22]1・2・45
——帳　用語〔正税帳〕, [11]0
大刀　[08]21・30・38, [20]191
——鞘　[20]204
大般若経　[10]45・51
鷹　[20]53
—養人　[25]23
持—　[20]54
太政官符(官符)　[02]252, [07]45・56・63・104, [09]43, [10]21・45, [12]52・53, [13]11, [15]37・89・159, [20]159, [25]29
橘子　[09]4
龍田神戸　[02]59
楯　[15]48
種稲　[02]20・66・73・113・205・251
玉祖神税　[20]264
田蓑　[07]37
多利　[20]220
罇　[07]56
単功　[20]152
短甲　[15]47・57
担夫　[09]148・150・151・155, [15]171・173・175・177・178, [23]67・70−72, [27]66・68・70

【ち】

竹工　[25]6
中宮職税　[09]168
牒　[20]176・183・189
調　[12]36, [20]129, [21]26
—麁堅魚　[10]103
—銭　[04]37
—陶器　[04]40
—綿　[21]111
—庸布　[09]100・104
調度　[07]57, [10]22・45
徴納　[04]53・69・251, [27]3・86・101
勅(恩勅)　[04]7・18・21・78・110・112・128・148・150・194・203・206・298・300, [09]103, [15]3, [20]101・144, [23]28・29, [25]9, [26]29・73・125・168・177, [27]120
儲府料　[26]57
儲粮　[07]14

【つ】

都我不　[15]21
都祁神戸　[02]233
裹　[08]28, [11]7・18・45・82・115・132・148
壺　[07]46, [15]157・177
積高　[04]96・99・107・135・143・155・158・269・287・290・293

【て】

逓送(逓使)　[09]89, [12]52・53, [15]85・89・

159・161
定納　02 259, 04 5・193, 12 123, 19 10・39, 21 38・41・123
堤防　07 106
鉄　07 61, 08 19-22, 09 134・136・141, 20 156・194
伝使　26 53・150・201, 27 58
田租　→租
伝符　12 39・45
伝馬　04 26・43・63・211・244, 08 16, 15 67, 20 126・171, 23 62
——死皮　08 58・70, 09 166, 20 219
不用——(——不用)　07 92・135, 08 57, 10 52
死——皮　04 9・171・196・310, 07 94, 10 53

【と】

頭〔伝使・駅使〕　26 53・54・150・151・201・202, 27 55-60
頭〔牛・犬等の数詞〕　15 157・158, 20 55・164, 23 72, 25 26・27
稲穀　02 9・37・38・40・45・51・118・121・158・159・161・170・207・216・259・264, 04 10・16・19・22・82・97・100・101・108・116・136・137・143・159・184・197・201・204・207・259・269・294・296・298・300, 07 6, 16 3・9・15, 21 76, 22 2・22・31・45・59・62・70・73, 26 6・30・65・70・104・126・178・212・215, 27 4・87・102
動穀　21 64
——倉　05 12, 09 233
童子　09 42, 20 79・85
動用　用語〔官稲〕, 03 4・16・26, 04 83・90・99・107・121・135・188・263・293, 07 4・123・145・157, 10 71・121, 13 4・8, 14 17, 17 7・49・62・75・92・104・116, 19 30・50, 20 251, 23 10・18, 26 18・86・114・222, 27 5・103
——穀借屋　09 195　→屋
——穀倉　03 12, 07 168, 08 85, 17 28・55・69・98・122, 19 24・57, 20 261, 21 70 →穀倉
——酒　21 16・101
——倉　04 94・125・267, 10 90, 26 1・100, 27 14・98・106
十市御県神戸　02 132
独(獨)　03 19・20, 04 18・20・111・148・203・205・298, 09 120, 13 11・13, 15 4, 17 38・67・82・110, 20 145・147-149, 23 29・30
篤疾　03 20, 23 30
読僧　04 28・29, 10 5, 15 26, 27 31　→僧
得度　25 4
土倉　09 191・229・247
刀祢　09 123, 12 15, 27 41
鞆　08 37

【な】

難波宮雇民粮(難波宮雇民米)　04 25・210・236　→雇民

【に】

煮堅魚　09 152
錦　07 54
—生　07 30・31
—機　12 63・64・66
日粮　25 10
人夫　04 73・255

【ぬ】

糠米　07 65
奴婢(奴)　15 16・159
官——(官奴)　02 37・206, 04 35・214, 07 17, 09 89, 15 17
官——食料税　22 37
塗壁屋　26 97　→屋

【ね】

祢宜(祢奇)　20 273
年料　23 60
——馬蒭　07 36　→馬
——苫　07 38　→苫
——外交易　22 20・57・68　→交易

——交易麦　04 23・208
——修理器仗(——条理器仗)　15 47
——舂税　06 39
——舂白米　07 8, 15 13
——白米　07 134, 22 18・56・66
——兵器　20 131　→兵器

【は】

簸　08 43
廃疾　03 20, 23 31
簸振量　01 4, 04 87・185・260, 10 61・111, 17 2・19・31・45・58・71・89・100, 19 27・47, 20 248・280, 26 8・77・106, 27 4・6・21・87・89・102
長谷山口神戸　02 80
破(破倉)　03 12, 11 8・46・83・149, 17 27・122, 21 65
祝(祝部)　02 21・66・73
隼人　27 29
半給(二分之一給)　09 161, 11 36・64・108, 19 15・42, 20 236・240　→給主
番匠　07 12　→匠丁
班田　11 144
飯料　04 30, 15 28, 23 39

【ひ】

緋　15 58-63
稗子(稗)　07 40・100
匏　07 53
醬　06 7, 07 128・164, 09 129・178, 10 18・41・82・125, 15 11, 17 12・25・35・53・66・79・96・108・120, 21 18・59, 26 25・93・121・173・230
—豆(—大豆)　15 19・174　→大豆
樻　09 198
百姓(伯姓)　03 8・10, 04 45・57・65・238・246, 06 49, 09 216, 15 132・135, 21 115, 26 51・148・199, 27 51
債稲身死——　03 8・10, 07 88, 08 54・67, 09 156, 10 56, 13 14, 17 15・41・68・85・111, 19 38, 20 213, 21 124　→債稲死百姓
債(穀)身死——　21 36・39・121
死——　04 3, 26 58・156, 27 2・79・85・100
負死——　04 191
負——　04 4・192
兵部省…符　10 54・58
広瀬(湍)川合神戸　02 232
貧病人　26 36・38・132・134・184・187

【ふ】

府〔大宰府〕　25 2, 27 66・68・70
—使　26 38・44・134・140・187・193
—雑用料　25 8
符　07 104, 12 55
省—　09 58
風俗　15 132
封戸租(——田租)　06 31, 20 234, 25 12
封穀　20 239
封主　22 23
腐（穀—）　14 6・14, 21 63
俘囚　09 34・36・38・40・87, 25 14
不尽　24 13・26
布施(——物)　02 253, 10 23
——料　07 25, 133, 15 42
仏聖僧　02 252, 04 28・29, 09 126, 10 5・28, 15 27, 27 31　→僧
筆　10 49, 27 70
不動　用語〔官稲〕, 04 96・143・155・158・269・287・290, 03 3・15・25, 04 89・120・187, 06 1, 07 3・122・145・156, 08 73, 09 171・203・250・263, 10 70・120, 13 7, 14 1・9, 17 22・49・61・74・92・103・116, 19 30・35・50, 20 251, 21 5・47・51・93, 22 3・32・46・63・74, 23 6, 26 16・84・113・221, 27 88
——穀　09 238, 11 5・16・43・113・130, 14 6・14, 17 5・22, 21 61・64・73, 23 16
——穀倉　02 13・219, 03 12, 06 15・16, 07 168, 08 85, 09 195・233, 11 11・48・66・85・117・135・151, 17 28・55・69・98・122, 19 24・57, 20 261, 21 70
——倉　04 94・125・267, 10 89, 22 38, 24 13・26, 26 1・100, 27 98

——酒　[10]80・81, [21]15・100
——鎰(——倉鎰)　[09]197・198, [10]95, [17]30, [19]25・58, [20]263, [21]72, [22]41
——匕(匙)　[09]197, [10]97
太詞神田　[02]251
赴任(赴新任)　[12]44, [15]101
振神戸　[02]224
部領(——使, 部領伝使)　[09]4・9・19・21・27・29・30・32・34・36・38・40, [18]22, [20]3・6・14・18・31・34・53・73・88・175・182・188
布留　[10]8・17・31・40
篩(薛)　[15]66
浮餾餅　[23]48　→餅
文石　[09]15

【へ】

兵家稲　[10]54・59
兵器　[07]68, [20]191
——料　[27]68
兵士　[11]94
幣帛　[04]226・229, [09]108, [15]74
兵備　[10]75・123
返納　[04]114・151・301, [20]218
——本倉　[13]13, [17]39・67・83・110, [20]210, [21]30・115
便付　[24]31

【ほ】

脯　[20]170, [27]37
放生稲　[04]94
法倉　[04]135・293, [06]9, [10]86
法華経　[20]34
糒　[08]41・78, [09]176・187・208・221・243・255・268・274, [10]73・123, [11]7・15・18・42・45・82・112・115・132・148, [17]11・24・34・52・65・78・95・107・119, [19]3・19・52, [20]253, [21]13・58・98, [22]42・43, [23]24, [26]23・90・119・227・171, [27]10・25・93
→古糒
—借倉　[09]195
—倉　[06]18, [07]168, [08]85, [09]195・233, [10]92, [11]12・20・48・66・86・117・135・151, [17]29・56・69・98・123, [19]24・57, [20]261, [21]70, [26]1・100
—倉鎰　[09]197
—納　[27]14・98
本〔本稲〕　[02]153・201・247, [03]8-10, [04]5・193, [05]2, [06]35, [07]89・108, [08]55・68, [09]157・217, [10]57, [12]93・110・122, [12]151, [13]14, [17]16・42・86・112, [21]37, [22]13・51, [26]59・157・206, [27]80
凡倉　[03]12, [09]191・229・247, [10]87, [21]66

【ま】

巻向神戸　[02]75
秣稲(秣)　[07]67, [15]158
飼——(飼秣料)　[12]26, [23]64
丸木倉　[04]161-164・175・272・274・278・282・283・305・306

【み】

瓺　[04]93・124・266, [09]178-180, [10]80, [19]4・20・53, [20]254
甕　[02]12・53・123・172・218・266, [26]92・94・96・229・231, [27]96
御坂神社　[20]209
未償　[26]72・73・167・168, [27]2・85・100
未醤(末醤)　[06]8, [09]130・179, [10]19・43・83・126, [15]10, [17]13・26・36・54・80・97・109・121
未振　[04]10・82・102・138・197・259
未進　[04]81・258
御田(和泉宮——, 中衛府作——)　[02]251, [04]51
屯田稲穀　[02]118・161・259
御贄　[09]4, [23]70・71
御貫簀　[25]6
菫子　[07]41・101, [12]54
未納　[02]200, [04]4・75-79・130・192, [07]95, [21]40・122, [26]63・162・210
未簸　[01]7, [10]65・115
耳梨山口神戸　[02]140
未量　[03]15
民部省…符(省符)　[02]243, [04]15・31・33・

35・37・40・128・200・212・214・216・218・296, 06 30・40, 07 19, 11 94・104, 15 15・17・41・161, 20 241, 21 24・82・109, 22 29, 25 12

【む】

麦 04 24, 10 10・33
麦形 10 10・15・33・38, 23 52
紫草 18 21
——園 26 40・44・136・140・189・193
——根 26 49・147・198
村屋神戸 02 182

【め】

目原神戸 02 136
免穀 21 36・121 →債稲身死百姓
免罪 15 78・81
免税 04 3・191, 06 34, 22 12・50
免稲 用語〔出挙〕, 03 8・10, 07 88・107, 08 54・67, 09 156・216, 10 56, 12 92・109・150, 17 15・41・85・111, 19 9・38, 20 213, 21 40, 27 79・85・100 →債稲身死百姓

【も】

木塩 25 18
木贄椀 07 63
缶 07 50・96, 09 154, 15 173
瓱 17 25・26・53・54・96・97・120・121
餅 04 30, 10 10・12・33・35, 15 34, 23 54・55 →饘餅・小豆・煎餅・大豆

【や】

矢(箭) 07 74, 08 22・31, 09 140, 15 47・65, 20 191
鎰 09 197, 10 94・109, 17 30, 19 25・58, 20 263, 21 71・74・88, 22 41
養父神戸 15 35・165
病 03 20, 04 204, 07 117・118, 09 11・83, 10 79, 18 2, 20 148・149, 27 15
大倭神戸 02 227
山邊御県神戸 02 229
槍 15 48

【ゆ】

輸租 02 42・114・163・209・256
——穀(——稲穀) 04 7・194, 05 9, 06 46・49, 22 59・70
輸田租 11 35・63・107, 22 22
弓 07 72, 09 139, 15 47, 20 191

【よ】

庸 09 150・155, 12 36, 15 14, 20 129
—稲 09 148・151
—布(調—布) 09 100・104, 10 105
—薦 27 49
—物 15 147
傭稲(功傭給稲) 20 152, 25 20

【ら】

羅 09 118
—機 12 63・64・67
鑼 15 48

【り】

利〔利稲〕 用語〔出挙〕, 02 33・111・154・201・248, 04 5・193, 05 1, 06 36, 07 90・108, 08 55・68, 09 157・217, 10 58, 11 32・60・102, 12 76・93・110・122・138・151, 16 12, 17 16・42・86・112, 22 14・52, 26 60・158・207, 27 80
令 04 84・103, 15 44
粮 03 33, 07 103
領催 12 36, 15 135
量乗 03 17

【る】

流人 20 5

【わ】

若椒 23 70
綿 07 31・60, 08 32, 10 79, 15 54・58–63・66, 20 197, 21 111
丸神戸 02 274
蒿 04 178

正倉院文書（正税帳）断簡整理・表裏対照表

	第一次文書						
No.	文書名	断簡	巻次	料紙番号	断簡番号	大日本古文書所収巻・頁	
01	左京職正税帳　天平10年度	A	正集巻9	1	①	二	106
02	大倭国大税帳　天平2年度	A	正集巻10	3	②	一	396
		B		1·2	①	一	396〜397
		C		4〜6	③	一	397〜399
		D		7	④	一	399〜401
		E		8〜16	⑤	一	401〜413
03	摂津国正税帳　天平8年度	A(1)(2)	正集巻14	9	④(1)	二	9〜10ℓ6
				10·11	④(2)	二	10ℓ7〜11
04	和泉監正税帳　天平9年度	A	正集巻13	1	①	二	75〜76ℓ5
				2		二	76ℓ6〜78ℓ1
		B		3・4	②	二	78〜79
		C(1)〜(3)		5	③(1)	二	79ℓ3〜ℓ12
				6·7	③(2)	二	79ℓ12〜81ℓ10
				8·9	③(3)	二	81ℓ11〜ℓ83
		D[注1)]		10	④	二	83〜85
		E(1)(2)		11	⑤(1)	二	85〜86ℓ5
				12	⑤(2)	二	86ℓ6〜88
		F	正集巻14	1·2	①	二	88〜89
		G		3·4	②	二	90〜93
		H		5〜8	③	二	93〜97
05	伊賀国大税帳　天平2年度	A	正集巻15	1	①	一	427〜428
		B		2·3	②	一	428
06	尾張国大税帳　天平2年度	A	正集巻15	6·7	④	一	413〜414
		B	塵芥巻7	1〜3	無番	一	414〜417
07	尾張国正税帳　天平6年度	A	正集巻15	8	⑤	一	607
		B		9·10	⑥	一	607〜611
		C		11〜13	⑦	一	611〜613
		F		17	⑩	一	616
		H		20	⑫	一	617〜618
		D		14	⑧	一	613〜614
		G		18·19	⑪	一	617
		I		21	⑬	一	618〜619
		E		15·16	⑨	一	614〜616
		J		22·23	⑭	一	619〜620
08	駿河国正税帳　天平9年度	A	正集巻17	1	①	二	67〜68
		B		2·3	②	二	68〜69
		C		4	③	二	70〜71
		D		5	④	二	71〜73
		E		6	⑤	二	73〜74

第　二　次　文　書		
文　書　名	大日本古文書所収巻・頁	
後一切経雑案（天平 18. 正）　筆請人（天平 18. 5. 25）〈天地逆〉	二	511
後写一切経経師手実（天平 18. 3）　山辺千足手実（天平 18. 12）	九	279
後写一切経筆帳（天平 18. 8）　写後経所解 申請筆墨事（天平 19. 2. 6）	二	663〜664
後写一切経紙納帳（天平 18. 6）／天平 18. 6. 2〜19. 6. 1	九	210〜213
後写一切経充本帳（大乗経・天平 18. 正）	十	474〜476
後写一切経充本帳（大乗経・天平 18. 正）	十	458〜474
常疏料紙収納帳（天平 15. 8. 21）／天平 18. 4. 5〜19. 3. 22	二四	358〜359
写疏料筆墨充帳（天平 15. 5）／天平 18. 3. 24〜天平感宝元 . 6. 15	二四	356〜357
以受筆墨写紙并更請帳（天平 16. 6）／天平 17. 6. 21〜17. 12. 12	八	486〜487
	二	456〜457
間写経注文（天平 17）／天平 17. 6. 17	二	454〜455
常疏校帳（天平 15. 2）／天平 17. 5. 10〜17. 6. 28	八	564〜565
	二	436
写経所解（案）　申奉写律論疏并用紙事（天平 17. 5. 11）	二	436〜438
写経所解（案）　申且奉写律論集伝并用紙事（天平 15. 12. 29）	二	348〜349
常疏校帳（天平 15. 2）／天平 17. 5. 3〜5. 10	八	565〜567
常疏装潢等紙進送帳（天平 16. 7）／天平 17. 5. 11	二	438〜439
常疏手実（天平 17. 5）／〜天平 17. 5. 10	二	434〜435
常疏手実（天平 17. 5）／（端裏書）天平 17. 正 . 1〜4. 30	八	555 ℓ 3〜557
	八	551 ℓ 5〜555 ℓ 2
	八	545〜551 ℓ 4
後写一切経筆帳（天平 18. 8）　写後経所解 申請筆墨事（天平 18. 12. 2）	二	554
後写一切経筆帳（天平 18. 8）　写後経所解 申請筆墨事（天平 18. 11. 21）	二	553
経巻納櫃注文（天平 18. 12. 8）	二	555〜556
先写一切経経師等手実（天平 18）　装潢納紙并布施検定文（天平 18. ⑨. 27）	二四	382〜384
（　空　）		
写後経所解（案）　申請布施事（天平 18. 4. 2）	九	170〜174
経巻納櫃注文（天平 18. 7. 2）	二	556〜557
後一切経雑案（天平 18. 正）　写後経所解 申筆請事（天平 18. 4. 22）	二	503〜504
後一切経雑案（天平 18. 正）　写後経所解 申請筆墨事（天平 18. 4. 29）	二	504
後一切経雑案（天平 18. 正）　写後経所解 申請筆事（天平 18. 5. 1）	二	507
後一切経雑案（天平 18. 正）　写後経所解 申請筆墨事（天平 18. 5. 9）	二	507〜508
後一切経雑案（天平 18. 正）　写後経所解 申請墨事（天平 18. 5. 13）	二	508〜509
（　空　）　—紙面に補修紙（裏打）—		
後一切経雑案（天平 18. 正）　写後経所解 申請墨事（天平 18. 6. 1）	二	513
写経所解（案）　申且奉写論集疏并用紙事（天平 16. 12. 24）	二	357 ℓ 6〜 ℓ 11
写疏所解（案）　申奉写雑経論并疏等事（天平 16. 7. 25）	二	357 ℓ 2 〜 357 ℓ 4
写疏所解（案）　申奉写雑経論并疏等事（天平 16. 7. 25）	二	355 〜 357 ℓ 1
写疏料筆墨納帳（天平 15. 5. 1）／天平 16. 8. 12〜18. 2. 8	八	401〜402
田辺足万呂私書充文（天平 16. 10. 8）	二	358
常疏充紙帳（天平 15. 6）／天平 15（16 ヵ）. 8. 1〜16. 11. 6	八	284

No.	文書名	断簡	巻次	料紙番号	断簡番号	大日本古文書所収巻・頁	
	第一次文書						
09	駿河国正税帳　天平10年度	D	正集巻17	12	⑨	二	113
		A		7〜9	⑥	二	107〜111
		B		10	⑦	二	111〜112
		C		11	⑧	二	112〜113
		E		13	⑩	二	113〜115
		F		14	⑪	二	116〜117
		G	正集巻18	1·2	①	二	117
		H(1)(2)		3	②(1)	二	118〜119 ℓ 5
				4·5	②(2)	二	119 ℓ 5〜121
		I(1)(2)		6	③	二	122〜123 ℓ 8
				7·8	④	二	123 ℓ 8〜124
		J		9	⑤	二	125
		K		10	⑥	二	125〜126
		O		14·15	⑩	二	129〜130
		M		12	⑧	二	127〜128
		L		11	⑦	二	126〜127
		N		13	⑨	二	128〜129
10	伊豆国正税帳　天平11年度	A	正集巻19	1·2	①	二	192〜195
		B		3〜5	②	二	195〜200
11	越前国大税帳　天平2年度	F	続々修35帙巻6背	23	②(17)	一	439
		A	正集巻27	2	②	一	428〜429
		B(1)(2)		3·4	③(1)	一	429〜432 ℓ 12
				5	③(2)	一	432 ℓ 13〜433
		C	続々修19帙巻8背	35	(4)	一	433〜434
		D	正集巻27	6〜8	④	一	434〜438
		E(1)(2)		9	⑤(1)	一	438〜439 ℓ 5
				10	⑤(2)	一	439 ℓ 6〜ℓ 9
		(未収) 注3)		11	⑥	(未収)	—
12	越前国郡稲帳　天平4年度	E	正集巻28	7	⑤	一	464〜465
		C		4	③	一	462〜463
		D		5·6	④	一	463
		A		1·2	①	一	461
		B		3	②	一	462
		F		8〜10	⑥	一	465〜469
		I		14	⑨	一	473
		G		11	⑦	一	469〜471
		H(1)(2)		12	⑧(1)	一	471〜472 ℓ 4
				13	⑧(2)	一	472 ℓ 5〜473
13	佐渡国正税帳　天平4年度	A	正集巻28	15	⑩	二	23〜24
14	佐渡国正税帳　天平7年度以降	A	正集巻28	16	⑪	二	21〜22
		B		17	⑫	二	22〜23

第　二　次　文　書		
文　　書　　名	大日本古文書所収巻・頁	
後写一切経本経注文（天平 20. 2. 4）	十	117
写後経所解（案）　申請布施事（天平 19. 10. 1）	二	685～689
後写一切経筆帳(天平 18. 8)　写後書所解 請筆五墨一(天平 20. 2. 4)　〈天地逆〉	三	36
後写一切経充本帳（未題経・目録外・天平 20）	十	118
後写一切経本経注文（天平 20. 2）	十	115 ℓ 11～117
後写一切経充本帳（未題経・目録外・天平 20）	十	114～115 ℓ 10
後写一切経筆帳（天平 18. 8）　写後書所解 申請筆墨事（天平 19. 12. 9）	二	720～721
廿部六十華厳経本経進送受納注文（天平 20. 2）	三	146～147
写薬師経料物収納并充紙注文（天平 20. 2）／天平 20. 2. 23～	三	143～146
間紙充帳（天平 17. 5. 25）／天平 20. 2. 18	三	104～105
写一切経所解（案）　申請筆墨事（天平 20. 2. 24）	三	52
写薬師経料物収納并充紙注文（天平 20. 2）／天平 20. 2. 24～	三	143
後写一切経筆帳（天平 18. 8）　写後書所解 申請筆（天平 20. 2. 25）	三	55～56
後写一切経筆帳（天平 18. 8）　写後書所 請筆三箇 墨参廷（天平 20. 3. 7）	三	59～60
後写一切経筆帳（天平 18. 8）　写後書所 請筆伍墨二廷（天平 20. 3. 19）	三	61～62
後写一切経筆帳（天平 18. 8）　写後書所 請筆（天平 20. 3. 28）	三	62～63
写書所解（案）　申請薬師経緒軸等事（天平 20. 3. 2）	三	58
写官経所解（案）　申八九月行事（天平 15）	八	313～317
写官一切経所解（案）　申告朔事（天平 15. 7. 29）	八	222～227 注2)
写疏料紙筆墨充帳（天平 18. 正）	九	21 ℓ 6～ ℓ 9
後写一切経筆帳（天平 18. 8）　写後経[所]解 申請筆墨事（天平 18. 10. 29）	二	552
写一切経所解（案）　申請布施事（天平 18. 10. 1）	二	533～535
後写一切経筆帳（天平 18. 8）　写後経所解 申請筆事（天平 18. 10. 2）	二	542～543
写一切経校生勘出（天平 18. 12）	九	316 ℓ 5～317 ℓ 5
写後経所解（案）　申請布施事（天平 18. 10. 1）	二	536～539
後一切経校正手実（天平 18. ⑨. 30）	二	531～532
後一切経経師手実（天平 18. 3）　王広麻呂手実（天平 18. ⑨）	二四	391～392
間紙充帳（六巻鈔紙充帳・天平 17. 5. 25）／天平 19. 2. 13～19. 3. 12	九	336
後写一切経充本帳（小乗経・天平 19）	十	477～478 ℓ 5
後写一切経筆帳（天平 18. 8）　写後経所解 申請筆墨事（天平 19. 3. 6）	二	665
後写一切経充本帳（大乗経・天平 18. 正）	十	478 ℓ 6～ ℓ 9
後写一切経紙納注文（天平 19）	二四	459
後写一切経筆帳（天平 18. 8）　写後経所解 申請筆墨事（天平 19. 4. 18）	二	668
写後経所解（案）　申請布施事（天平 18. 12）	二	565～569
後写一切経充本帳（大乗経・天平 18. 正）	十	481～482
後写一切経経師手実（天平 18. 3）　山辺諸公ほか手実（天平 18. 12. 16）	九	277 ℓ 9～279 ℓ 1
後写一切経経師手実（天平 18. 3）　古能善手実（天平 18. 12. 15）	九	277 ℓ 4～ ℓ 8
後写一切経経師手実（天平 18. 3）　角恵麿手実（天平 18. 12. 15）〈天地逆〉	九	276 ℓ 10～277 ℓ 3
間校帳（天平 15. 5）／天平 16. 7. 18～7. 23	二	353～354
後写一切経筆帳（天平 18. 8）　写後経所解 申請筆墨事（天平 18. 9. 16）	二	525～526
後写一切経筆帳（天平 18. 8）　写後経所解 申請筆墨事（天平 18. 9. 2）	二	525

	第一次文書						
No.	文書名	断簡	巻次	料紙番号	断簡番号	大日本古文書所収巻・頁	
⑮	但馬国正税帳　天平9年度	A(1)(2)	正集巻29	1･2	①(1)	二	55～56 ℓ 9
				3	①(2)	二	56 ℓ 10～57
		B(1)(2)		4	②(1)	二	57 ℓ 3～ ℓ 5
				5	②(2)	二	57 ℓ 6～ ℓ 13
		C		6～9	③	二	58～61
		D		10	④	二	62
		E		11	⑤	二	62～63
		F		12･13	⑥	二	64～65
		G		14	⑦	二	65～66
⑯	隠岐国郡稲帳　天平2年度	A	正集巻34	1	①	一	389～390
⑰	隠岐国正税帳　天平4年度	A	正集巻34	2	②	一	451～452
		B		3	③	一	452
		C		4	④	一	453
		D		5･6	⑤	一	453～456
		E		7･8	⑥	一	456～459
		F		9	⑦	一	459～460
⑱	播磨国郡稲帳　天平4年度以前	A	正集巻35	1	①	二	150～151
		B		2	②	二	151
⑲	周防国正税帳　天平6年度	A	正集巻35	9	⑥	一	623
		C		6･7	④	一	625 ℓ 4～ ℓ 13
		B		8	⑤	一	624～625
		D		10･11	⑦	一	626～628
⑳	周防国正税帳　天平10年度	A	正集巻35	12	⑧	二	130
		B(1)		13～18	⑨	二	131～137 ℓ 5
		B(2)	正集巻36	1･2	①	二	137 ℓ 6～139
		C		3～6	②	二	139～144
		D		7	③	二	144～145
		E		8	④	二	145～146
㉑	長門国正税帳　天平9年度	A	正集巻36	9～11	⑤	二	32～34
		B		12	⑥	二	35
		C		13～15	⑦	二	35～40
㉒	紀伊国大税帳　天平2年度	A(1)(2)	正集巻37	1～4	①(1)	一	418～421 ℓ 9
				5	①(2)	一	421 ℓ 10～422
		B		6	②	一	422～423
㉓	淡路国正税帳　天平10年度	B(1)～(3)	正集巻37	8	④(1)	二	102 ℓ 11～ ℓ 14
				9･10	④(2)	二	102 ℓ 14～105 ℓ 3
				11･12	④(3)	二	105 ℓ 3～ ℓ 13
		A		7	③	二	102
㉔	伊予国正税出挙帳　天平8年度	B	塵芥巻39	3	①(3)	二	5 ℓ 11～ ℓ 13
		D		5	③(1)	二	7 ℓ 11～8
				6	③(2)	二	(空)
		C		4	②	二	6 ℓ 2～7 ℓ 9
		A		1	①(1)	二	(空)
				2	①(2)	二	5 ℓ 5～ ℓ 9

第　二　次　文　書		
文　書　名	大日本古文書所収巻・頁	
写疏所布施注文（天平 16. 12. 18）	二	386ℓ5～387ℓ9
	二	385ℓ12～386ℓ4
	二	385ℓ8～ℓ11
	二	385ℓ1～ℓ7
写疏所布施注文（天平 16. 12. 18）／～天平 16. 12. 15	二	378ℓ3～384ℓ13
	二	376ℓ12～378ℓ2
	二	374ℓ6～376ℓ11
	二	371ℓ7～374ℓ5
	二	370ℓ9～371ℓ6
借請飛鳥寺本経疏歴名（天平 18. 5. 20）	二	510～511
写疏紙充帳（天平 16. 5）／天平 16. 9. 12～	八	406ℓ5～407ℓ3
写疏所布施注文（天平 16. 12. 18）／角恵万呂手実天平（天平 16. 12. 15）	八	514
写経所解（案）　申請布施事（天平 16. 12. 18）／～天平 16. 12. 16	八	520ℓ4～ℓ8
	八	516ℓ5～520ℓ3
写経所解（案）　申請布施事（天平 16. 12. 18）	八	520ℓ10～524
写経所解（案）　申請布施事（天平 16. 12. 18）	八	515～516ℓ4
経巻出入検定帳（天平 18？）／～天平 19. 4. 7	二四	407～409
後写一切経経師手実（天平 18. 3）　忍海広次手実（天平 19. 7. 1）〈天地逆〉	二	672
後写一切経筆帳（天平 18. 8）　写後経所解 申請墨事（天平 18. 9. 25）	二	527
後写一切経筆帳（天平 18. 8）　写後経所解 申請墨事（天平 18. ⑨. 7）	二	528～529
後写一切経筆帳（天平 18. 8）　写後経所解 申請墨事（天平 18. ⑨. 2）	二	528
写一切経所解（案）　申請布施事（天平 18. 10. 1）		（未　　収）[注4)]
廿部六十華厳経充本帳（天平 19. 10. 6）	二四	431ℓ4～ℓ8
廿部六十華厳経充本帳（天平 19. 10. 6）	二四	433ℓ12～442
	二四	431ℓ10～433ℓ10
廿部六十華厳経充本帳（天平 19. 10. 6）	二四	426ℓ7～431ℓ2
	二四	426ℓ1～ℓ6
	二四	425ℓ5～ℓ12
写後経所布施注文（天平 20. 6. 13 ヵ）	十	287～290ℓ1
後写一切経筆帳（天平 18. 8）　写後書所 請墨六墨二（天平 20. 5. 13）	三	83
写後経所解（案）　申請布施事（天平 20. 4. 1）	三	65～69
経巻納櫃注文（天平 18. 11. 10）	二	558ℓ10～559
	二	557～558ℓ10
写後経所解（案）　申請布施事（天平 18. 10. 1）	二	509～510
写疏所布施注文（天平 16. 12. 18）／～天平 16. 12. 15	二	369ℓ12～370ℓ1
	二	366～369ℓ12
	二	365～366
常疏紙充帳（天平 16. 5）／天平 16. 7. 28～12. 15	二四	219ℓ7～220ℓ2[注5)]
先写一切経経師等手実（天平 18）　阿刀酒主手実（天平 18. 6. 29）	二四	373ℓ11～374ℓ1
先写一切経経師等手実（天平 18）　阿刀酒主手実（天平 18. 6. 29）	二四	371ℓ10～ℓ12
（先写一切経経師等手実（天平 18）　末尾にして、空）	（未収）	—
先写一切経経師等手実（天平 18）　校生等手実代	二四	372ℓ1～373ℓ10
先写一切経経師等手実（天平 18）　某手実（天平 18. 6. 29）	二四	374ℓ7～ℓ9
	二四	374ℓ2～ℓ7

	第一次文書						
No.	文書名	断簡	巻次	料紙番号	断簡番号	大日本古文書所収巻・頁	
㉕	筑後国正税帳　天平10年度	A(1)(2)	正集巻43	1	①(1)	二	146ℓ7～147ℓ13
				2	①(2)	二	147ℓ13～149ℓ1
㉖	豊後国正税帳　天平9年度	A(1)～(4)	正集巻42	1	①(1)	二	40ℓ6～42ℓ4
				2	①(2)	二	42ℓ4～43ℓ3
				3～6	①(3)	二	43ℓ3～49ℓ9
				7	①(4)	二	49ℓ9～51ℓ1
		D(1)(2)		10	④(1)	二	53ℓ2～54ℓ6
				11·12	④(2)	二	54ℓ6～55ℓ6
		B		8	②	二	51ℓ2～52ℓ2
		C		9	③	二	52ℓ3～53ℓ1
㉗	薩麻国正税帳　天平8年度	D	正集巻43	13·14	⑦	二	19ℓ2～20ℓ7
		A(1)(2)		5·6	④(1)	二	12ℓ1～13ℓ10
				7·8	④(2)	二	13ℓ11～15ℓ10
		B(1)(2)		9·10	⑤(1)	二	15ℓ11～17ℓ1
				11	⑤(2)	二	17ℓ2～ℓ12
		C		12	⑥	二	18ℓ1～19ℓ1
		E	続々修 35帙巻6背	10	②(8)	二	20ℓ8～21ℓ5

凡例

一、『復元　天平諸国正税帳』の表に『正倉院文書目録』の情報を加えるなど全面的に改めたので、断簡配列、料紙番号など異なる所がある。

一、『大日本古文書』の各頁の行数は必要と思われる箇所のみ記した。

一、本書及び『復元　天平諸国正税帳』・『正倉院古文書影印集成』の料紙番号は各巻の料紙順による。

一、『正倉院文書目録』は各巻の断簡配列順に○数字をふり、そのなかの料紙順に（　）数字をふっている。その未刊部分（続々修19帙・35帙）の断簡番号は東京大学史料編纂所「正倉院文書マルチ支援データベース」によった。

一、第二次文書の名称・年代は『正倉院文書目録』により、その未刊部分（続々修19帙・35帙）は適宜名称・年代を付けた。その際、内容が連続すると思われるものは一括したが、なおも検討を要す。

注

1）石上英一「和泉監正税帳の料紙構成の編成過程」『正倉院文書研究』3（1995）によれば、D断簡（④断簡）の左端の継目部分に幅最長5㎜の極小紙片がある（→⓸和泉147）。

2）正税帳面の畢筆は二次文書の裏文書で、『大日本古文書』第八巻434～435頁に「写経充紙筆墨注文」として収録されている。

3）『大日本古文書』未収断簡は同じ内容を持つＢ断簡とは別巻として京進された（早川庄八「正税帳覚書」『日本古代の文書と典籍』吉川弘文館、1997、初出1958）。他の断簡も別巻である可能性が指摘されている。

4）『正倉院年報』2（1980）「年次報告・古文書の調査」に所収。『大日本古文書』第二巻533～535頁の写一切経所解（案）と同文。

5）『正倉院文書目録』によれば、220頁2行の次行（『大日本古文書』未収）まで。

<table>
<tr><th colspan="3">第　二　次　文　書</th></tr>
<tr><th>文　書　名</th><th colspan="2">大日本古文書所収巻・頁</th></tr>
<tr><td>経巻納櫃注文（天平 18. 12. 14）</td><td>二四</td><td>390 ℓ 7～391</td></tr>
<tr><td>経巻奉送注文</td><td>二四</td><td>389～390 ℓ 6</td></tr>
<tr><td rowspan="3">間紙検定并便用帳（天平 19. 5）／天平 19. 5. 29～天平感宝 1. ⑤. 12</td><td>九</td><td>378 ℓ 14～380</td></tr>
<tr><td>九</td><td>377 ℓ 12～378 ℓ 13</td></tr>
<tr><td>九</td><td>370～377 ℓ 11</td></tr>
<tr><td>後写一切経筆帳（天平 18. 8）　写後経所解 申請筆墨事（天平 19. 6. 2）</td><td>九</td><td>381</td></tr>
<tr><td>後写一切経装潢充紙帳（天平 18 ?）／～天平 19. 10. 17</td><td>二四</td><td>422</td></tr>
<tr><td>後写一切経充本帳（小乗経・天平 19）</td><td>十</td><td>483 ℓ 3～484 ℓ 7</td></tr>
<tr><td>間紙充帳（天平 17. 5. 25）／天平 17. 5. 30～天平感宝元・6</td><td>十</td><td>651～652</td></tr>
<tr><td>間紙検定并便用帳（天平 19. 5）／～天平勝宝 2. 7. 29</td><td>三</td><td>485～486</td></tr>
<tr><td rowspan="3">写後経所解（案）　申請布施事（天平 18. 7. 1）</td><td>九</td><td>420 ℓ 6～421 ℓ 2</td></tr>
<tr><td>九</td><td>418 ℓ 13～420 ℓ 5</td></tr>
<tr><td>九</td><td>417～418 ℓ 12</td></tr>
<tr><td>写薬師経廿一巻布施注文（天平 18. 6. 29）</td><td>九</td><td>245～246</td></tr>
<tr><td>常疏手実（天平 18. 6）　爪工家万呂手実（天平 18. 6. 27）</td><td>九</td><td>236</td></tr>
<tr><td>後一切経雑案（天平 18. 正）　写後経所解 申請筆墨事（天平 18. 6. 24）</td><td>九</td><td>189 ℓ 10～190 ℓ 8</td></tr>
<tr><td>写疏料紙筆墨充帳（天平 18. 正）／天平 18. 9. 5～</td><td>九</td><td>16 ℓ 1～ ℓ 9</td></tr>
</table>

印編による正確化もはかられるという、一石二鳥の効果が期待されるのである。なお影印編の作成にあたっては、宮内庁正倉院事務所から影印集成製作時の図版と同じ鮮明な印画紙をご提供いただいたので、そちらを使用した。正倉院事務所には、厚く御礼を申し上げたい。

また翻刻編の脚注には『大日本古文書（編年）』・『寧楽遺文』・復元帳との異同も記しており、正税帳に限ってではあるが、今後は本書さえあれば、原則としてそれら刊本を確かめる必要がなくなったことも重要である。この点も、正税帳研究の省力化・効率化の一例といえるだろう。脚注についてはそのほかに、最新の正税帳研究や木簡研究の成果を取り入れていることも特記しなければならない。紙継目部分の字句については、二〇二三年十一月十三日に荒井氏と八木書店出版部の恋塚嘉氏が国立歴史民俗博物館に赴き、同館が所有する透過光写真を熟覧することにより、その成果を本文翻刻に反映することができた。透過光写真は、影印編にも掲載している。透過光写真の実見に際しては、同館の仁藤敦史氏のお世話になった。記して御礼を申し上げる。

本書の刊行が、今後の正税帳研究、古代史研究に少しでも資することになれば、望外の喜びである。最後になるが、現代思潮新社、宮内庁正倉院事務所、国立歴史民俗博物館には、あらためて心からの感謝を申し上げたい。また八木書店の恋塚氏には、企画から校訂作業にいたるまで、有意義なご意見をいくつもいただいた。深く感謝申し上げる次第である。

二〇二四年九月二十九日

佐藤長門

鈴木靖民
佐藤長門 編

翻刻・影印 天平諸国正税帳〔翻刻編〕

八木書店

はじめに

本書は八世紀、日本古代の律令制下において、各地の諸国が毎年作成し、中央の政権（民部省）に提出した正税（大税）についての年間の収支決算報告書（正税帳）を影印（写真版）によって解読し、学界の調査・研究の結果を脚注として示し、用語解説を添えたものである。翻刻編と影印編の二分冊からなっている。

正税帳は古代の正税と称する官稲の管理・運用を記した会計報告であり、律令制国家の財政史、経済史、地域史などを究明するための貴重な歴史史料である。

翻刻は正倉院文書の左京職正税帳から薩摩国正税帳まで、天平二年（七三〇）度から天平十一年度におよび、一部郡稲帳・正税出挙帳も含んでいる。翻刻は影印をもとにして、既往の『大日本古文書』『寧楽遺文』『復元　天平諸国正税帳』を参照しつつ校合などを実施したが、新たに透過光写真を活用して、継目などを判読した箇所もある点が特長である。

これらの正倉院文書は、八世紀の奈良時代に払い下げられた後、紙背が造東大寺司の写経所で再利用されて断簡として伝わったため、表裏対照表を付して古文書学的、史料学的な視座からの経緯が分かるよう配慮している。

本書の成立ちは、一九八五年に刊行された『復元　天平諸国正税帳』（現代思潮社、以下復元帳）に淵源がある。復元帳は國學院大學の山里純一氏を始めとする大学院生や卒業生二〇余名によるおよそ三年の研究会でえられた成果をもとにして執筆、出版された。ちょうど学界で正倉院文書研究会が発足する時に当たる。林陸朗氏とともに編集に携った私は、この度、荒井秀規氏などの要請に応えて本文の確認など編者としての役目を引受けた。二〇二一

年十二月に荒井氏、榎英一氏、早川万年氏ら正税帳の研究に通暁する研究者によって、本書出版の動きが始まった頃、その改訂版を作る企画であった。佐藤長門氏が山﨑雅稔氏の協力のもと國學院大學大学院のゼミナールで大学院生とともに翻刻のための校合を始めたが、その後、翻刻と影印という形態の刊行に方向が変わったことにより、書名には改訂と称さないことになった。内容も重要な語句に他帳をも考え合わせた注釈を施したが、復元帳で各正税帳にあった考察や研究は割愛した。主に研究会を催すことが叶わなかったせいである。

本書は厳格な内容を旨とする史料集であることはいうまでもない。解読だけでなく、周到な語釈に斬新さを感じさせるところも少なくない。これを基礎にすえて、近年の古代史研究をふまえつつ信頼性の高い歴史像に迫ることも可能になるに違いない。多くの研究者、学生、歴史愛好家に迎えられ、闊達な議論が繰り広げられることを切に望んでいる。

二〇二四年九月二十九日

鈴木靖民

目　次

はじめに……………………………………鈴木靖民　i

凡　例……………………………………………vii

用語解説…………………………………………xii

01 左京職正税帳　天平十年度……………………1

02 大倭国大税帳　天平二年度……………………3

03 摂津国正税帳　天平八年度……………………25

04 和泉監正税帳　天平九年度……………………29

05 伊賀国大税帳　天平二年度……53
06 尾張国大税帳　天平二年度……55
07 尾張国正税帳　天平六年度……59
08 駿河国正税帳　天平九年度……73
09 駿河国正税帳　天平十年度……81
10 伊豆国正税帳　天平十一年度……103
11 越前国大税帳　天平二年度……113
12 越前国郡稲帳　天平四年度……125
13 佐渡国正税帳　天平四年度……139

14 佐渡国正税帳　天平七年度以降……141
15 但馬国正税帳　天平九年度……143
16 隠岐国郡稲帳　天平二年度……157
17 隠岐国正税帳　天平四年度……159
18 播磨国郡稲帳　天平四年度以前……169
19 周防国正税帳　天平六年度……173
20 周防国正税帳　天平十年度……179
21 長門国正税帳　天平九年度……199
22 紀伊国大税帳　天平二年度……209

23 淡路国正税帳　天平十年度……215

24 伊予国正税出挙帳　天平八年度……221

25 筑後国正税帳　天平十年度……225

26 豊後国正税帳　天平九年度……229

27 薩摩国正税帳　天平八年度……247

おわりに……佐藤長門……257

索　引

人名……1　官職名……6　地名……11　公文書日付……14　年号……15　件名……16……1

正倉院文書（正税帳）断簡整理・表裏対照表……28

凡例

一、本書は、正倉院文書中の正税帳類の各断簡を整理・翻刻し、脚注を加えたもので、翻刻編、影印編の二分冊からなる。なお、影印編の写真については、宮内庁正倉院事務所から『正倉院古文書影印集成』（八木書店、以下、影印集成と表記）製作時の図版と同じ印画紙の提供を受けた。

二、本書では便宜上、全体を「正税帳」と総称するが、個々には『大日本古文書（編年）』の表記にかかわらず、原文に従って天平二年度帳を「大税帳」、四年度以降帳を「正税帳」とよび、「郡稲帳」（三点）、「正税出挙帳」（一点）をこれに加えた。各文書の年次は記載内容の年度とし、配列は五畿七道の順とした。

三、各帳は01左京職正税帳から27薩摩国正税帳まで帳番号を付し、各帳はこの状態でよぶ。

四、各文書はすべて断簡からなっているので、各断簡には『大日本古文書（編年）』所掲の順にA・B・C…の符号をつけ、正倉院文書成巻文書の名称（「正集巻九」など）を注記して、本来あったであろう順に配列した。

五、各行には文書ごとに行番号を上段に記した。行番号は左記を除き、林陸朗・鈴木靖民編『復元　天平諸国正税帳』（現代思潮社、一九八五年。以下、復元帳と表記）を踏襲した。ただし、複元帳が計算等によって「復元」した行については翻刻しなかった。

1　05伊賀（天平二年度）は、復元帳が収録しなかったB断簡の一紙（大日本古文書未収）を第二紙として、また同紙記載文字列を行番号12として加えた。この結果、復元帳の行番号12〜16は13〜17となる。

2　07尾張（天平六年度）は、断簡の配列順序を一部変更した（復元帳D・G・I・E・F・H⇒F・H・D・G・I・E）。この結果、行番号96〜166が復元帳と相違する。

3　09駿河（天平十年度）は、断簡の配列順序を一部変更した（復元帳L・M⇓M・L）。この結果、復元帳の行番号249～269が復元帳と相違する。
4　11越前（天平二年度）は、復元帳が収録しなかった断簡（大日本古文書未収）を末尾に加えた。この結果、行番号は147～156が加わった。
5　19周防（天平六年度）は、行番号60の次に新たに61を挿入した。この結果、復元帳の行番号61・62は62・63となる。
6　24伊予（天平八年度）は、断簡の配列順序を一部変更した（復元帳B・C・D・A⇓B・D・C・A）。この結果、行番号4～28が復元帳と相違する。
7　26豊後（天平九年度）は、断簡の配列順序を一部変更した（復元帳B・C・D⇓D・B・C）。この結果、行番号169～231が復元帳と相違する。
※　2・7は、渡辺晃宏「写経所における二次利用よりみた正税帳の復原」（『史学雑誌』九五―三、一九八六年）による。3は、石上英一「駿河国正税帳復原の基礎的研究」（『日本古代史料学』東京大学出版会、一九九七年、初出一九九二年）による。6は、目録による。
六、原文書には正税帳本文ではない、裏文書の継目裏書等が記載されることもあるが、翻刻の対象としなかった。ただし、15但馬の菓子等への異筆の訓の注記は、参考として採録した。
七、断簡には、正倉院文書各巻の料紙配列順による料紙番号を記した。断簡ごとに界線をつけるとともに、一断簡が二紙以上にわたるときは紙継目を点線で示し、継目裏書の存する箇所に（継目裏書）と記した。また改行、初字の高さ、分注等はできるだけ原文書の体裁に従った。
八、影印集成収録の影印では視認できない継目部分の文字などについては、影印集成の解説や『正倉院文書目録』（東京大学出版会、一九八七年～）の記載を参照し、また国立歴史民俗博物館所蔵の透過光写真を実見して判断した。

九、文字については、以下の原則にもとづいて翻刻した。

1　本文の翻刻にあたっては、主として影印集成に拠り、明らかな誤字と思われるものもそのまま翻刻し、正しいと判断される文字を注記した。ただし、「租」と「祖」、「已上」と「巳上」、「受」と「受」は通用するのでいちいち注記せず、本来の字体に翻刻した。

2　旧字体・異体字については、原則として通用字に変換して翻刻した。ただし、「幷」「軀」「醬」「麁」「嶋」については通用字に変換せず、そのまま翻刻した。

3　別筆・自署については「　」であらわし、原則として旧字体・異体字であってもそのまま翻刻した。ただし、「吕」については通用字（「呂」）に変換した。

4　地名や人名など固有名詞については原則として通用字に変換したが、「龍田」「大嶋」「薗田」「養年冨」「田邊」「川邊」「河邊」「莿間」などのように現在でも使用されている場合や、「広湍」（広瀬）・「桅前」（檜前）などのようにまったくの別字が使用されている場合には、原文を尊重してそのまま翻刻した。また「大宰」と「太宰」についてはどちらかに統一することなく、そのまま翻刻した。なお、国名については、本文の「大倭」「相摸」「隠伎」「薩麻」はそのまま翻刻したが、目次や標題、柱については利便性を考えて、「大倭」以外は通用字で示した。

5　数字の大字については「萬」を除き通用字に変換したが、「伯」と「佰」、「仟」と「阡」については統一せず、そのまま翻刻した。また数量の単位についても、「㪷」と「斗」、「勺」と「句」は区別して翻刻した。

6　墨痕からは推測できないが、意味のうえで某字としか想定できない場合には囲み字とし、墨痕はあるが文字として確認できない場合には□で表記した。

7　継目裏書、国印については、通用字に変換して翻刻した。継目裏書は若干の異同がある帳もあるが、最も整った書式のものを各帳の冒頭に行番号0として掲載した。

十、翻刻に関して、『大日本古文書（編年）』『寧楽遺文』・復元帳との異同は脚注に記した。ただし、『大日本古文書（編年）』は「五」と「伍」、「伯」と「佰」、「仟」と「阡」などを正確に区別していない箇所が散見されるが、煩雑になるのでそれらを逐一注記することはしなかった。

十一、脚注については、以下の原則にもとづいて注記した。

1 脚注対象の語句はその傍らに「＊」を付し、脚注の上部には行番号と語句を掲げて対照するようにした。なお、行全体にかかる脚注については、行番号の傍らに「＊」を付し、脚注では〔1〕のように示した。

2 頻出する主要語句については「用語解説」（xii頁）を作り、脚注では「↓用語」とした。

3 史料や著作については、次の略称・略記をもちいた。

三代格（『類聚三代格』）
三代実録（『日本三代実録』）
続紀（『続日本紀』）
続後紀（『続日本後紀』）
大古（『大日本古文書（編年）』。例、一23＝第一巻二三頁）
大同元年牒（『新抄格勅符抄』所収神封）
寧遺（『寧楽遺文』東京堂出版、一九六二年訂正版）
復元帳（林陸朗・鈴木靖民編『復元　天平諸国正税帳』）
万葉（『万葉集』。例、三328＝第三巻三二八番歌）
目録（東京大学史料編纂所編『正倉院文書目録』）
和名抄（『和名類聚抄』〔二十巻本・元和古活字本〕。例、147＝車具第一四七）

…紀（『日本書紀』、例＝履中紀）

…式（「延喜…式」。条文番号・条文名は、訳注日本史料『延喜式』による）

…令（「養老…令」。条文番号・条文名は、日本思想大系『律令』による）

4　正倉院の布製品の銘文については、杉本一樹「正倉院の繊維製品と調庸関係銘文―松嶋順正『正倉院宝物銘文集成』第三編補訂（前編・後編）」（『正倉院紀要』四〇・四一、二〇一八・一九年）による。

5　木簡については、奈良文化財研究所のデータベース「木簡庫」を参照し、出典の略号もそれに従った。

十二、影印編には、写真原稿とレイアウトの関係から、本来は連続する料紙であっても、一㎜程度の余白を入れた箇所がある。

十三、影印編には、以下の透過光写真四点を掲載した。当該箇所の頭注に透過光写真の頁数を示した。

続々修　第三十五帙巻六背　第23紙1～2行　106頁　11越前

続々修　第十九帙巻八背　第35紙65行　106頁　11越前

正　集　巻三十五　第13紙8行　175頁　20周防

続々修　第三十五帙巻六背　第10紙112行　228頁　27薩摩

十四、翻刻編の巻末には、「索引」および「正倉院文書（正税帳）断簡整理・表裏対照表」を付した。

用語解説

＊ふりがな・配列は便宜上のものである。

【正税帳《しょうぜいちょう》】 国ごとに作成・提出した、正税（天平二年度までは大税）の年間収支決算報告書。現存**大税帳**も正税帳と汎称する。また税帳と略称する。巻頭に国全体の合計部（**首部**）を置き、郡ごとの記録（**郡部**）が続く。首部・郡部とも同形式で、前年度の残高で当年への繰越高（**初表示**）、年度内の収支（**中間表示**）、年度末の残高（**末表示**）を記す。首部と郡部の各項目は対応するが、詳しい内訳などは首部に記し郡部は当郡の合計額だけを記す帳もある。

上申公文（**解**《げ》）としての冒頭の事書き、末尾の書き止め文言・日付・国司の位署があり、紙面に国印を捺す。公文の簿帳として真書（楷書）に作り、数字は分注を除き大字《だいじ》（壱弐参肆…）を用いる。紙継目の裏に担当官人が署名する。

正税帳には穎稲と稲穀以外に、粟や、正税によって製造・購入した塩・酒・糒《ほしい・ほしいい》およびそれらを収納する正倉なども記すが、国・年代によって書式・用語・記載対象が相違する。郡稲の報告書である郡稲帳も同じ書式である。

【官稲《かんとう》】 特定の使途に対応する、稲を中心とする国家の財物の会計単位で、独自の財源（おもに出挙本稲）・倉・報告書を有する。規模最大が**正税**《しょうぜい》（**大税**《たいぜい》）であり、出挙と田租を主な財源とする。そのほか**郡稲**《ぐんとう》（実質天平五年まで）・駅起稲《えききとう》（天平十一年まで）などがある。正税（大税）以外を雑官稲・雑色稲・雑色官稲などと総称する。天平年間に正税への雑官稲の統合（官稲混合）がおこなわれる。

正税は主に出挙と支出に用いる**穎稲**《えいとう》と、主に賑給《しんごう》に用いる稲穀からなる。穀は**不動**と**動用**とからなる。不動穀は国家財源の貯積を目的に、和銅元年閏八月に設置が命じられた（延暦交替式）。不動穀確定後それ以外の正税穀は動用穀と呼ばれるようになった。

国司が管理していても**神税**《しんぜい》（神戸の田租）は出挙せず、官稲とは別扱いであるが、神税帳は税帳に付載している例がある。

【稲《いね・よね》】 籾を付けたまま穂首で切り取った稲穂が**穎稲**（単に穎、稲とも）。束ねた状態で、**束**《そく》・**把**《わ》・**分**《ぶ》で数える（この順に一〇分の一になる）。主に交易（売買）や**出挙**《すいこ》に用いる。穎稲を叩く、あるいは扱《こ》くと籾が落ちる。この作業が「**為穀**《かちしね》」（脱穀《だっこく》）、できあがった籾が**稲穀**《とうこく》（単に**穀**とも。なお粟穀もある）。長期の保存に堪える。

稲穀を臼に入れて竪杵《たてきね》で舂《つ》く（搗《つ》く）ことで、籾殻《もみがら》を取り除き（籾摺《もみす》り・脱稃《だっぷ》）、あわせて精米（精白・搗精《とうせい》）をおこなう。これによって食用にする舂米《しょうまい・つきよね・つきしね》（米・白米・舂白米とも）になる。これはほぼ現在の玄米に相当する。

また穎稲を直接舂くことで、脱穀と籾摺りを一度におこなうこともある。工程上独立した精米作業は存在せず、丁寧に

舂くことで舂米の体積は減り、より白くなる。舂米は長期の保存には向かないが、運搬に適す。

　稲一束は穀にして一斗、舂米にして五升とするのが公的換算値であり、等価とされる。

　穀・米は体積によって、**斛**《こく》（後に「石」）・**斗**・**升**・**合**・**勺**・**撮**の単位で量る（この順に一〇分の一になる）。明治期以降一升約一・八ℓであるが、奈良時代ではその半分弱（今量の約〇・四五相当）である。

【振　入】《しんにゅう・ふりいり》倉内に積んだ穀は、穀を入れた容器を振った時のように、密積や乾燥によって体積が減少する。書類上あらかじめこの減少を見込んでおくことが**振入**・**振納**《しんのう》、減少させた結果が**振定**《しんてい》、その前の通常の状態が**未振**《みしん》であり、術語としてそれぞれの状態を**振定量**・**未振量**と呼ぶ。

　振入率は通例未振量の1/11であり、未振量一一斛（11/11）・振入一斛（1/11）・振定量一〇斛（10/11）の比になる。これを振入「斛別入一斗」と表記する。ほとんどの振入計算では、割り切れない端数の処理が必要になる。

　振入は穀倉管理の便法であって、斛別入一斗とは、床面積に積高を乗じて算出する倉内の穀量（振定量）は、その一割り増しの未振量と同量とみなす方式である。

【出挙】《すいこ》利息付き消費貸借。銭や他の物品対象および民間の出挙もあるが、現存税帳・郡稲帳ではすべて穎稲（借貸では稲穀も）の公出挙《くすいこ》。貸し付け（狭義の「出挙」）は春と夏の二度（春は種稲貸与、夏は田植時の共同労働への支弁・端境期の食料用という説あり）、回収（「収納」「徴納」）は秋に一度。税帳ではすべて利率五割。死者（「債稲身死伯姓」ほか）の免稲（返済免除）や未納（返済猶予）を認めている帳があるが、これらには国郡司の裁量があったようである。

　税帳での書式はほぼ定例化しており、出挙額、負死者数、免稲額、未納額、免稲と未納を除いた出挙額、その五割である利稲額、収納した本利稲合計額を順に記す。その収益は田租とともに正税の主要な財源になる。

　利稲をすべて免除するのが**借貸**《しゃくたい》であり、通常の出挙に代えての百姓向け借貸と、国司対象の**国司借貸**とがある。

【斤《きん》**・両**《りょう》**】**重量の単位は、重い方から、**斤**・**両**・**分**・**銖**《しゅ》。一斤は一六両、一両は四分、一分は六銖からなる。かつ大制と小制があり、大一は小三にあたる。令制は金属・穀物を除き小制であるが、天平期の貢納木簡では大制中心に移行する傾向があり、延喜式制は薬量を除き主に大制である。正税帳では駿河帳では同じ物品の斤両制が、天平九年度は小制、十年度は大制である。他帳でも、特に「小」の注記がないものは大制とみなせるが、個々に検討する必要がある。

　今量の換算は、古代の大一斤は約六七〇g、大一銖は約一・八g、小制は各々その三分の一となる。

01 左京職正税帳　天平十年度

（正集巻九・第一紙）

（A*断簡）○紙面に「左京職印」あり。

左京職解*　申収納天平十年正税事

合*天平九年定*税穀参萬壱仟捌伯漆拾肆斛斗*弐升

稲*穀参萬壱仟漆伯壱拾捌斛参斗弐升

簸*振量定弐萬参仟弐伯参拾陸斛参斗伍升肆合（振*入二千一百一十二斛三斗　斛*別入一斗）

定*弐萬壱仟壱伯弐拾肆斛伍升肆合

未*簸捌仟肆伯捌拾壱斛玖斗陸升陸合

天*平九年除*耗壱伯陸拾斛弐斗弐升肆合（斛*別二升）

定*捌仟参伯弐拾壱斛漆斗肆升弐合

A断簡　本帳の冒頭。

1解　正税帳は「解」の書式。→用語〔正税帳〕

2合天平九年定税穀　本項から正税帳本文。首部の冒頭。初表示（→用語〔正税帳〕）。

2定税穀　前年度から繰越の左京職税穀全量。内訳は3稲穀および欠損部の某穀（一五六斛）。某穀は粟穀か。ただし稲穀と粟穀を合計して「税穀」と表記する例は現存する他帳にみえず。

2斟（斗）　「斟」字使用は本帳と05伊賀のみ。

3稲穀　内訳は4簸振量定と7未簸。

4簸振量定　→26豊後12振量未簸

5振入　→用語〔振入〕。振入で減らす量。

5斛別入一斗　一斛に一斗を入れる。4簸振量定の一斛一斗について一斗（1/11）を入れこんで一斛にする。ここでは升以下は切り捨て。

6定　4簸振量定から5振入を引いた数字。振定量（→用語〔振入〕）。したがって6以外の2〜9は未振量（→用語〔振入〕）。

7未簸　→26豊後12振量未簸

8天平九年除耗　7未簸穀から除耗で減少させる穀量。この帳に記すのは、前年度分の除耗処理を当十年度におこなったことによるか。→04和泉101天平十年二月廿日

8除耗　経年によって生じる一定量の減少を容認する制度。倉庫令復原7倉貯積条によれば、経三年以上の穀は一斛につき一升、五年以上は一斛につき二升の損耗を認めた。

8斛別二升　一斛につき二升。ここは正確な2/100や2/102より少量なので、実際に計量した結果か。すべて貯五年以上の貯積。

9定　7未簸から8天平九年除耗を引いた数字。この後に、これの振入と定を記していたか。

02 大倭国大税帳　天平二年度

0 「(継目裏書)*従七位上行*大目勲十二等*中臣酒人宿祢古麻呂」

*(A断簡)○紙面に「大倭国印」あり。　(正集巻十・第三紙)

1 * *養老二年検欠穀壱仟肆伯伍拾玖斛

2 伍斗肆升参合

3 *穎稲参仟参伯弐拾壱束捌把半

4 養老四年検欠*香山*正倉穀壱伯漆

5 拾弐斛漆斗漆升

6 *宇智郡欠穎壱仟弐伯伍拾陸束

7 養老七年検欠香山正倉穀弐伯伍

8 拾玖斛漆升

9 *合稲穀捌萬伍仟弐伯陸拾肆斛肆斗漆升伍合

継目裏書　一二か所。便宜ここに掲示。
0大目　大掾・少掾(284・285)であることとともに大倭国が大国(民部式上1畿内条)であることを示す。
0中臣酒人宿祢古麻呂　他にみえず。帳末日下の署名は古麿(283)。
A断簡　正倉院文書(正集十)ではB断簡・A断簡の順であるが、内容からA・Bの順で直ちに接続。1~13は首部(大倭国全郡の合計)の末表示。→用語[正税帳]
[1~8]　全郡の未補塡の欠損の記載(前欠)。この前にも霊亀二年所盗記事(261)あり。記録するだけで当年度の収支には関わらず。検校者・欠損責任者名なし。これらは別に倉ごとの記録が存在したか。→04和泉(96~118)
1養老二年検欠穀(49・120・168・214・262)　養老二年の検校によって判明した穀の欠損。検校は全郡で実施し、全郡に欠損が存在したか。
3穎稲　養老二年検校で判明した穎稲(→用語[稲])の欠損。
4香山正倉(7)　香山は十市郡の大和三山の香久山、あるいは添上郡の香山(奈良市高畑町周辺)に因むか。本帳十市郡部・添上郡部には該当記事なし。正倉は郡単位で管理だが郡名なく香山とするのは、通常の正倉とは違う管理形態か。藤原宮あるいは小墾田宮の倉庫群の後身とする説がある。欠のある倉は養老二年に比べて同四年・七年は減少しているが、それでも欠が判明するのは、他と違う管理形態が原因か。
4正倉　→13
6宇智郡欠穎　前項の続きで養老四年の検校で発覚。
9合稲穀　当天平二年度の大倭国稲穀の最終決算高。

（B断簡）*　○紙面に「大倭国印」あり。

（正集巻十・第一紙）

10 粟*壱伯弍拾壱斛参斗
11 穎*稲伍萬漆伯漆拾漆束漆把
12 酒*漆拾甕々別五斛
13 正*倉壱伯肆拾壱間 不*動穀倉二間　穀*倉卅二間　穎倉廿三間　*雑色稲納倉八十四間

（継目裏書）
（第二紙）

14 *卅九所神*戸穀陸伯漆拾弍斛壱斗陸升壱合神亀元年以前
15 耗*壱拾参斛壱斗漆升陸合　斛別二升
16 定陸伯伍拾捌斛玖斗捌升伍合替*依稲陸仟
17 伍伯捌拾玖束捌把半　穎*稲肆萬肆仟陸伯伍
18 拾束*把半　租*弍仟玖伯捌拾弍束肆把半
19 合*伍萬肆仟弍伯弍拾弍束肆把　用壱仟壱
20 伯漆拾捌束肆把　祭*神二百八束　神*嘗酒料六百五十束　大神々田一町八段種*稲卅六束　*大神神
21 祝三人起正月一日尽七月卅日合二百卅七日　食料二百八十四束四把人別四把　残伍萬参
22 仟肆拾参束玖把半
23 倉*参拾肆間

B断簡　↓A断簡

10粟・11穎稲・12酒　当天平二年度の決算高。

13正倉（4・54・124ほか）　ここでは、大税（正税）用の正規の官倉のこと。他の官稲を納めることもある（↓04和泉94借納）。他の倉を借りている場合（↓06尾張11借倉）、および屋（↓04和泉95）は含めない。分注は収納物による内訳。

13不動穀倉　↓219・用語〔官稲〕

13穀倉（54・124・173・219・267）　↓06尾張15

13雑色稲納倉　雑色稲（↓用語〔官稲〕）が正倉を借納（↓04和泉94）している。

〔14～23〕　首部の神税（↓04和泉173）部。前年からの繰越高、年間収支、残高、倉を記載。国内に神戸（神社の封戸）を有する神社は三九社。現存断簡に二八社を確認。

14神戸穀（69・80ほか）　年初の当大倭国内の神税穀の全量で、すべて神亀元年以前の古穀。

15耗　除耗（↓01左京8）として減ずる量。斛別二升は本帳では一斛二升に対して二升（2／102）。神戸穀を大税穎と交換して大税穀（↓用語〔官稲〕）とするにあたり、帳簿上除耗（69・80・84・88ほか）。結果は16定。

16替依稲　16定の神戸穀との交換で神税となった大税穎稲。穀一斗と穎一束は公式的に等価。

17穎稲　16の交換前から存在する神税穎稲。

18束把半（46・229・230・231）　↓09駿河215

18租　当年度卅九所神戸（14）から収納した田租の合計。内訳は24・55・71ほか。すべて穎稲。

19合　16替依稲・17穎稲・18租の合計。計算上末尾は「四把」でなく「三把半」。21残は「三把半」によって算出。

20祭神　祭祀のための料稲。

20神嘗酒料（66・73ほか）　神嘗は、本項では相嘗

(C*断簡)○紙面に「大倭国印」あり。　　(正集巻十・第四紙)

24* 添*御県神戸稲壱伯伍拾弐束捌把　租弐拾束

25 　合壱伯漆拾弐束捌把

26* 平群郡

27 天平元年定*大税穀伍仟弐伯玖拾伍斛捌斗漆升壱合

28 　五年以上穀肆仟伍伯玖拾弐斛陸斗伍升伍

29 　合 神亀元年以前穀三千六百七十斛三升　神亀三年穀九百廿二斛六斗二升五合

30 　耗*玖拾斛伍升弐合　斛別二升

31 　定*肆仟伍伯弐斛陸斗参合　二年以下穀漆伯

32 　参斛弐斗壱升陸合

33 　穎*稲肆仟弐伯参拾束参把　出*挙陸伯束　利*

34 　参伯束　残古稲参仟陸伯参拾束参把

35 　合肆仟伍伯参拾束参把　用捌拾束 赤*春米四斛料

のこと。神祇令8仲冬条集解釈説に相嘗祭に預かる諸社列挙があり、本帳の69大神・77穴師・129太・177池・182村屋・227大倭・279菟足が一致。

20種稲　69大神神社の神田(73)の種稲(種籾)。一町の種稲は二〇束(66・73・113・251)。

20大神神祝　69大神神社の神職三人の食料稲(66・73)。神祝は祝(66)・祝部(73)とも。

23倉　神税用で13正倉には含めず。平群(54)・城上(68)・十市(128)・山邊(223)諸郡にあるが、城下・添上両郡にはない。

C断簡　添下郡部末・平群郡部・広湍郡部冒頭。**〔24・25〕**添下郡神税部(前欠)。

24添御県　神名式の添御県坐神社(大社)。新抄格勅符抄に添御県神二戸。貞観元年正月従五位上(三代実録)。現奈良市歌姫町鎮座と三碓三丁目鎮座の同名社が論社(比定社)。

〔26~60〕平群郡部。完存。

27定大税穀　前年度から繰越で当年度初の穀量。内訳は28五年以上穀と31二年以下穀。大税↓用語〔官稲〕

30耗　↓15。本帳では大税穎稲と交換する雑官稲穀だけではなく、保有する大税穀についても帳簿上除耗を実施(41・103・106・145ほか)。

31定　除耗後の穀。これと二年以下穀との合計があらたな当年度の穀量。

33穎稲　前年度からの繰越で当年度初の穎稲(↓用語〔稲〕)量。

33出挙・利　↓用語〔出挙〕

35赤春米　赤色の米。祭祀用(157・204・251)。07尾張10に赤米を酒料として大炊寮に進上。穎稲二〇束で一斛は、通常の米と同じ(↓用語〔稲〕)

36 残肆仟肆伯伍拾束参把 *以稲弐伯参拾束漆
37 把替依*官奴婢食料*稲穀弐拾参斛漆升
…………（継目裏書）（第五紙）…………
38 以稲伍伯弐拾捌束参把替依*地子稲穀伍
39 拾弐斛捌斗弐升漆合　残参仟陸伯玖拾
40 壱束参把　*軽税銭直稲穀伍拾参斛捌斗
41 玖升神亀二年以前穀　耗壱斛伍升漆合斛別二升
42 定伍拾弐斛捌斗参升参合　*輸租弐伯玖拾
43 玖斛玖斗弐升　*神戸二斛三斗六升　*公納弐伯玖拾
44 漆斛伍斗陸升　*穎納玖伯肆拾壱束漆把
45 *伍伯弐拾伍束陸把半替依広湍郡*郡稲穀
46 残肆伯拾陸*束把半　*穀納弐伯参斛参斗玖
47 升*振納十八斛四斗九升 *斛別一斗　*定壱伯捌拾肆斛玖斗
48 納広湍郡百十二斛二斗六升九合 納葛下郡廿斛一斗一升六合　残伍拾弐斛伍斗壱升伍合
49 養老二年検欠穀壱伯肆拾捌斛陸斗参升
50 陸合　穎稲壱伯肆拾壱束

36以稲弐伯参拾束漆把替　官奴婢食料稲穀と交換した大税穎。大税の支出。
37官奴婢食料稲穀（206官奴婢食料穀）→22紀伊37官奴婢食料税。穀の全量を36稲（大税穎）と交換。
37稲穀弐拾参斛漆升　大税の収入。
38地子稲　公田賃租の価で、大宝令制下では基本的に国衙の財源（京進とする説もある）。本項の端数では、地子稲穀二升七合を大税穎稲三把と交換。稲が基本なら穀は三升としたはずで、この交換は地子稲穀全量を大税穀に移すのが目的。端数が整合しない穎・穀交換は81・118・161・205・207も同じ。
40軽税銭直　養老五年六月まで収めていた官人月俸のための軽税（続紀）と関係するか。神亀二年以前から保管していた穀を大税に混合。当郡は穀だが、他郡はすべて稲（162・202・255）。大税に加える命令が22紀伊29に「依民部省天平二年八月廿八日符」とある。当大倭国も同符によるか。
42輸租　当年度の田租。穀で記すが穎稲も含む。
43神戸　42輸租のうち神戸が納入したもので、封主である神社の収入となる。穀で記すが穎稲（55）。他郡もすべて同じ（71ほか）。
43公納　42輸租から43神戸を引いた公納額。穀で記すが、内訳は44穎納と46穀納。
44穎納　43公納のうち穎によるもの。穀に換算すると九四斛一斗七升。内訳は45伍伯弐拾伍束陸把半と46残肆伯拾陸束把半。
45伍伯弐拾伍束陸把半　当平群郡の大税穎稲を広湍郡に移送し、同郡郡稲穀と交換。郡稲穀は広湍郡大税穀とする。当郡は穎稲支出。郡稲は穀・穎の交換。広湍郡は大税穀増加。同様の大税穀増加策は117・210・211・212・258も同じ。
45郡稲　→用語〔官稲〕

合*稲穀伍仟参伯捌拾漆斛陸升肆合
穎*稲肆仟壱伯漆束参把半
酒陸甕々別五斛
正倉陸間 *穀倉一間　穎倉二間 雑色稲納倉三間
*二所神戸稲陸伯伍拾束伍把租*弐拾参束陸把
合陸伯漆拾肆束壱把
往*馬神戸稲弐伯壱拾玖束漆把　租壱拾参束陸把
合弐伯参拾参束参把
龍*田神戸稲肆伯参拾束捌把　租壱拾束
合肆伯肆拾束捌把

広*湍郡
天平元年定大税穀漆仟玖伯参斛肆斗玖升伍合
……（継目裏書）
（第六紙）
五年以上穀陸仟陸伯壱拾斛参斗壱升参合
*神亀□ 神亀元年以前六千百九十八斛二斗三升三合　耗壱伯

46拾陸　この上に「壱」字脱か。
46穀納　43公納のうち穀によるもの。
47振納　他帳の振入に同じ。→用語〔振入〕。本帳では官稲となった時に一度だけ振納処理し、あとはすべて振定量で通す。
47斛別一斗　一斛一斗につき一斗。→05伊賀6
47定　定穀。46穀納から47振納を引いた数字。ここから広湍郡と葛下郡に移し、48残になる。

51合稲穀　天平二年度平群郡大税穀残高。31定・二年以下・37官奴婢・38地子・42定（軽税銭）・48残（輸租）の合計。振定量（→用語〔振入〕）。
52穎稲　天平二年度平群郡大税穎稲の残高。35合から35用と36～38の替を引いた39残に、44穎納から45替を引いた46残を合算。
54穀倉一間　経年の違う穀が混在している。
〔55～60〕平群郡の神税部。55・56はまとめ。57以下は神社ごと。
55租弐拾参束陸把　43では穀で表記。
57往馬　神名式の往馬坐伊古麻都比古神社二座（大社）。大同元年牒に伊吉（古）麻神三戸。貞観元年正月従五位上（三代実録）。現生駒市壱分に鎮座。
59龍田　神名式の龍田坐天御柱国御柱神社二座（名神大社）。大同元年牒に龍田神三戸。貞観元年正月正三位（三代実録）。祝詞式6龍田風神祭条に祝詞が載る。現奈良県生駒郡三郷町に鎮座。
61広湍郡　冒頭のみ現存。和銅二年弘福寺領田畠流記（大古七1）ほかは広瀬郡にも作る。
64神亀□　欠損部を大古・寧遺は「二年」に作るが、29・103など他郡の例は「三年」。本帳には神亀二年穀なし。他に徴証ないが神亀元年ないし二年は当国田租免か。

………（継目裏書）
（D*断簡）○紙面に「大倭国印」あり。　（正集巻十・第七紙）

65 *漆把合捌仟伍伯伍拾伍束陸把　用伍伯伍拾
66 捌束肆*把 神*祭八十八束　神嘗酒料百五十束　神田一町八段 種稲卅六束　*祝三人起正月一日尽七月卅日合二百
67 卅七箇日食料二百八十四束四把人別二*把　残漆仟玖伯玖拾漆束弐把
68 倉伍間
69 大*神神戸穀弐伯壱拾漆斛漆斗肆升弐合耗四斛二斗七升 斛別二升
70 定*弐伯壱拾参斛肆斗漆升弐合替依稲弐仟壱伯
71 参拾肆束漆把　穎稲壱仟漆伯捌拾伍束玖把　租伍
72 伯伍拾伍束壱把　合*肆仟肆伯漆拾伍束漆把
73 用肆伯伍拾陸束肆把 祭神卅六束　神嘗酒料百束　神田 一町八段種稲卅六束　*祝部三人食料二百
74 八十四束四把　残肆仟壹拾玖束参把
75 巻*向神戸稲伍拾弐束捌把　租参拾参束弐把
76 合捌拾陸束　用肆束祭神　残捌拾弐束
77 穴*師神戸稲壱仟参伯伍束捌把　租壱伯参拾束弐把

D断簡　城上郡部の後半。〔65~99〕当郡神税部（前欠）。うち65~68はまとめの後半。
66肆　大古・寧遺は「四」に作る。
66神祭（277）他例はほとんど「祭神」とする。
66祝三人　20大神神祝・73祝部三人のこと。
67二把　首部21に「四把」とあり、実際の計算上からも「四把」。
69大神　神名式の大神大物主神社（名神大社）。記紀および出雲国造神賀詞（祝詞式29条）に鎮座の由来を記す。三輪山が神体山。大同元年牒に大神神一六〇戸（大和四五戸）が天平神護元年九月八日符で奉充。貞観元年正月従一位、二月正一位（三代実録）。現桜井市三輪に鎮座。
70定…替依稲　除耗後の神戸穀の全量を大税穎稲と交換している。
72合　穀と替えた稲（70）・以前からある穎稲（71）・今年の田租穎（71）の合計。
73祝部三人　大倭国神税の公粮支給祝は、本項の大神神社の三人のみ（20・66）。
75巻向　神名式の巻向坐若御魂神社（名神大社）。大同元年牒に巻向神二戸。貞観元年正月従五位上（三代実録）。現桜井市穴師に鎮座。
77穴師　神名式の穴師坐兵主神社（名神大社）。大同元年牒に穴師神五二戸（大和五戸）。貞観元年正月正五位上（三代実録）。現桜井市穴師に鎮座。→04和泉127

78 合壱仟肆伯参拾陸束　用漆拾肆束 祭神廿四束 神嘗酒料五十束
79 残壱仟参伯陸拾弐束
80 長*谷山口神戸穀参拾参斛伍斗参升 耗六斗五升八合 斛別二升 定参拾
81 弐斛捌斗漆升弐合替依稲参伯弐拾捌束漆把
82 穎稲壱伯玖拾壱束　租弐拾玖束参把半　合*伍伯肆
83 拾玖束肆把半　用肆束 祭神 残伍伯肆拾伍束肆把半
84 志*癸御県神戸穀玖拾弐斛参斗捌升 耗一斛八斗一升 斛別二升 定玖拾
85 斛伍斗漆升替*依玖伯伍束漆把　穎弐伯捌拾玖束
86 捌把租壱伯伍拾陸束参把　合壱仟参伯伍拾壱
87 束捌把用肆束 祭神 残壱仟参伯肆拾漆束捌把
88 忍*坂神戸穀捌斗壱升 耗一升五合 定漆斗玖升伍合

（E断簡*）○紙面に「大倭国印」あり。

89 他*田神戸穀壱斛壱斗捌升□　定壱斛壱斗陸升替*　（正集巻十・第八紙）
90 依壱拾壱束陸把　穎稲伍拾捌束肆把　租弐拾束

80長谷山口　神名式の長谷山口坐神社（大社）。大同元年牒に長谷山口神二戸。貞観元年正月正五位下（三代実録）。現桜井市初瀬に鎮座。
82合伍伯肆拾玖束肆把半　81替依稲・82穎稲・82租の合計より四把多い。82穎稲が「四把」脱か。
84志癸　神名式の志貴御県坐神社（大社）。大同元年牒に志貴御県神一二戸。貞観元年正月従五位上（三代実録）。現桜井市金屋に鎮座。
85替依　この下に「稲」字脱か。
88忍坂　神名式の忍坂山口坐神社（大社）。大同元年牒に忍坂山口神一戸。貞観元年正月正五位下（三代実録）。現桜井市赤尾に鎮座。
E断簡　D断簡とは81～83、85～87の内容に相当する三行程度を補うことで接続。本帳末尾まで現存。
89他田　神名式の他田坐天照御魂神社（大社）。大同元年牒に他田神二戸（大和一戸）。貞観元年正月従五位上（三代実録）。現桜井市太田に鎮座。
89替依　この下に「稲」字脱か。

91 弐把合玖拾束弐把　用肆束（祭神）　残捌拾陸束弐把
92 生*根神戸穀玖斛伍斗伍升（耗一斗九升 斛別二升）　定玖斛参斗陸升
93 替依稲玖拾参束陸把　穎稲伍拾壱束玖把
94 租伍束参把　合壱伯伍拾束捌把　用肆束（祭神）
95 残壱伯肆拾陸*拾陸束捌把
96 佐*為神戸穀壱拾参斛伍斗弐升（耗二斗六升七合 斛別二升）　定壱拾参斛
97 弐斗伍升参合替依稲壱伯参拾弐束伍把半
98 穎稲壱伯肆拾陸束漆把　租参拾束　合参伯玖束弐把
99 半　用肆束（祭神）　残参伯伍束弐把半
100* 十市郡
101 天平元年定大税穀壱仟陸伯玖拾肆斛伍斗玖升参合
102 五年以上穀壱仟弐伯斛玖斗弐升（神亀元年以前 穀一千廿五斛九
103 斗二升神亀三年 百七十五斛）　耗弐拾参斛伍斗肆升捌合
104 （斛別二升）　定壱仟伯*漆拾漆斛参斗漆升弐合

92生根　神名式の忍坂坐生根神社（大社）。大同元年牒に生根神一戸。貞観元年正月従五位上（三代実録）。現桜井市忍阪に鎮座。
95陸拾　衍字。大古・寧遺はこの二文字記さず。
96佐為　神名式の狭井坐大神荒魂神社五座。大同元年牒に佐為神二戸。現桜井市三輪の大神神社境内に鎮座。
〔100〜141〕　十市郡部。完存。
104伯　「伯」の上に「壱」字脱か。

三年以上穀参伯壹拾捌斛陸斗漆升参合
神亀四年百八十九斛七十七升三合* 神亀五年百廿八斛九斗　耗陸斛弐斗肆升
玖合　斛別二升*　定参伯壹拾弐斛肆斗弐升肆合
二年以下穀壹伯漆拾伍斛
（継目裏書）（第九紙）
穎稲壹仟漆伯玖拾束陸把　出挙壹仟壹伯肆拾束
陸把身死八人負稲 四百八十束　定納本陸伯陸拾束陸把
利参伯参拾束参把　残古稲陸伯伍拾束
合壹仟陸伯肆拾束玖把　用肆拾束
小麦一斛*直廿束* 神田一町種稲廿束　久志麻知*　残壹仟陸伯束玖把
輸租壹伯捌拾斛壹斗弐升　神戸*十八斛三斗一升
公納壹伯陸拾壹斛捌斗壹升振納十四斛七斗一升
定壹伯肆拾漆斛壹斗　山邊郡*穀来参拾壹
斛陸斗弐升壹合　添上郡租穎陸仟参伯弐
拾捌束伍把替依屯田*稲穀陸伯参拾弐斛捌
斗肆升陸合

106七十　「七斗」の誤り。大古・寧遺・復元帳は「七斗」に作る。
107斛別二升　計算も二升でおこなうが、倉庫令復原7倉貯積条の経三年以上穀の損耗「斛別一升」の誤適用か。→01左京8除耗
113小麦（157・204・251）　大麦・小麦は救荒作物として栽培が奨励された（三代格養老七年八月官符）。畿内諸国は交易して進上（04和泉23・24、民部式下63交易雑物条）。
113直廿束　小麦の価格は、本項（02大倭）・04和泉24は一斛二〇束。22紀伊20は一斛一〇束。
113久志麻知　神名式に十市郡の天香山坐櫛真命社（大社）があり、貞観元年正月従五位上（天香山大麻等野知神。三代実録）。現橿原市南浦町の天香山神社か。大同元年牒に載る櫛麻知乃命神一戸は本帳にみえない。本項は、神戸がない久志麻知社の神田の種稲を大税から支出したか。
114神戸　郡内六所神戸の田租。114輸租から引いて115公納になる。穀で記すが穎稲（125）。
116山邊郡穀来　山邊郡大税（197）から移して当十市郡大税とした穀。
118屯田稲穀　屯田（養老令では官田）は、供御用米を得るための宮内省経営の田。大倭には三〇町を置き（城下郡161、十市郡118・259。他郡の存在は本帳では欠損）、営料稲を支給し徭丁を使役して牛耕した（田令36置官田条・37役丁条）。宮内式52省営田稲条では供御に用いず年を踰えた稲は穀にして別倉に収納するので、この穀もそうした蓄積か。本項では屯田稲穀を当郡大税穀とし、それを添上郡の大税穎稲（259）で補塡。除耗していないので、経二年以下すなわち昨天平元年の穀。

養老二年検欠穀陸拾陸斛参斗
合稲穀弐仟肆伯漆拾陸斛参斗陸升参合
穎稲壱仟陸伯束玖把
酒肆甕々別五斛
正倉捌間 穀倉一間　穎倉一間 雑色稲納食*六間
六所神戸稲壱萬弐仟捌伯伍束壱把半　租壱伯捌拾参束*
壱把　合壱萬弐仟玖伯捌拾捌束弐把半　用漆拾
捌束 祭神廿八束 神嘗酒料五十束　残壱萬弐仟玖伯壱拾束弐把半
倉参間
太*神戸稲壱萬伍伯伍拾弐束伍把　租壱伯参拾捌束肆把
合壱萬陸伯玖拾束玖把　用伍拾捌束 祭神八束 神嘗酒料
五十束　残壱萬陸伯参拾弐束玖把
十*市御県神戸稲壱仟伍拾弐束 租弐拾束　合壱仟
（継目裏書）
漆拾弐束　用肆束 祭神　残壱仟陸拾捌束
（第十紙）
石*村山口神戸稲捌伯壱束 租壱拾束　合捌伯壱拾壱

124食　「倉」の誤字。大古は「食」として傍線を施し寧遺は「倉」に作る。
125〜141　十市郡神税部。125〜128はまとめ。
129太　神名式の多坐弥志理都比古神社二座（名神大社）。大同元年牒に多神六〇戸（大和一〇戸）。多氏の祀る神社で「多神宮注進状」（神道大系五）に由緒を記す。貞観元年正月正三位（三代実録）。奈良県磯城郡田原本町多に鎮座。
132十市御県　神名式の十市御県坐神社（大社）。大同元年牒に十市御県神二戸。貞観元年正月従五位上（三代実録）。現橿原市十市町に鎮座。
134石村山口　神名式の石村山口神社（大社）。大同元年牒に石寸（村）神二戸。貞観元年正月正五位下（三代実録）。現桜井市谷に鎮座。

135 束　用肆束 祭神 残捌伯漆束
136 目*原神戸稲弐伯陸拾伍束 租陸束　合弐伯漆拾壱
137 束　用肆束 祭神 残弐伯陸拾漆束
138 畝*尾神戸稲捌拾陸束　租肆束　合玖拾束　用肆束
139 祭神 残捌拾陸束
140 耳*梨山口神戸稲肆拾捌束陸把　租肆束漆把　合伍拾
141 参束参把用肆束 祭神 残肆拾玖束参把
142* 城下郡
143 天平元年定大税*漆仟玖伯弐拾弐斛参斗肆升伍合
144 五年以上穀肆仟壱拾漆斛伍斗捌升陸合
145 神亀元年以前三千八百七斛九斗四升八合 神亀三年二百九斛六斗三升八合 耗漆拾捌斛
146 漆斗漆升陸合 斛別二升 定参仟玖伯参拾捌
147 斛捌斗壱升
148 三年以上穀陸伯伍拾漆斛肆斗漆升捌合

136 目原　神名式の目原坐高御魂神社二座（大社）。大同元年牒に目原二神とあり戸数を脱す。貞観元年正月従五位上（三代実録）。現橿原市太田市町天満神社と同市木原町耳成山口神社ほか論社（比定社）あり。
138 畝尾　神名式の畝尾坐健土安神社（大社）。大同元年牒に「畝尾神一戸」。貞観元年正月従五位上（三代実録）。現橿原市下八釣町畝尾坐健土安神社のほか論社（比定社）あり。
140 耳梨山口　神名式の耳成山口社（大社）。大同元年牒に耳无神一戸。貞観元年正月正五位下（三代実録）。現橿原市木原町に鎮座。
〔142～183〕　城下郡部。完存。
143 大税　この下に「穀」字脱か。

神亀四年三百廿八斛二斗二升九合 神亀五年三百廿九斛二斗四升九合　耗陸斛伍斗壱升
斛別一升　定陸伯伍拾斛玖斗陸升捌合
二年以下穀参仟弐伯肆拾漆斛弐斗捌升壱合
穎稲伍仟伍伯参拾陸束肆把出挙弐仟陸伯伍拾
漆束肆把　身死十一人負稲三百卌六束　定納本弐仟
参伯壱拾壱束肆把　利壱仟壱伯伍拾伍束
漆把　残古稲弐仟捌伯漆拾玖束　合陸仟

（継目裏書）
（第十一紙）

参伯肆拾陸束壱把　用壱伯肆拾束
赤春米六斛料百廿束 小麦一斛直廿束　以稲伍伯陸拾肆束参把半
替依郡稲穀伍拾陸斛肆斗参升伍合以稲
陸伯肆拾肆束弐把替依地子稲穀陸拾肆
斛肆斗弐升以稲弐仟壱伯玖拾参束壱
把半替依屯田稲穀弐伯壱拾玖斛参斗
壱升陸合　残稲弐仟捌伯肆束肆把　軽税
銭直稲壱伯玖拾伍束輸租肆伯漆拾壱斛

164 陸斗肆升*神戸十二斛三斗三升　公納肆伯伍拾玖斛
165 参斗壱升　穎納捌伯漆拾肆束穀納参伯漆拾
166 壱斛玖斗壱升振納卅三斛八斗一升斛別一斗*　定参伯参拾捌
167 斛壱斗
168 　養老二年検欠穀弐伯参拾玖斛陸斗漆升
169 　参合
170 合稲穀捌仟伍伯壱拾伍斛参斗参升
171 穎稲参仟捌伯漆拾参束肆把
172 酒伍甕々別五斛
173 正倉壱拾陸間穀倉四間　穎倉三間　雑色稲納倉九間
174* 三所神戸稲弐伯伍拾捌束弐把　租壱伯弐拾参束参把
175 合参伯捌拾壱束伍把用壱伯壱拾弐束祭神十二束
176 神嘗酒料百束　残弐伯陸拾玖束伍把
177 池*神戸稲壱拾陸束　租陸拾壱束　合漆拾漆束　用伍拾
178 肆束祭神四束　神嘗酒料五十束　残弐拾参束

164神戸　城下郡内三所神戸の田租。稲穀で記すが穎稲(174)。
166一斗　復元帳は「一升」に作るが誤り。
〔174〜183〕城下郡神税部。174〜176はまとめ。当郡には神税用倉は存在しない。
177池　神名式の池坐朝霧横幡比売神社(大社)。大同元年牒に池神三戸。貞観元年正月従五位上(三代実録)。現磯城郡田原本町法貴寺に鎮座。

179 鏡作*神戸稲弐伯弐拾玖束租弐拾壱束参把
180 合弐伯伍拾束参把用肆束 祭神 残弐伯肆拾

（継目裏書）
（第十二紙）

181 陸束参把
182 村屋*神戸稲壱拾参束弐把租肆拾壱束　合伍拾肆束
183 弐把用伍拾肆束 祭神四束 神嘗酒料五十束 残弐把
184* 山邊郡
185 天平元年定大税穀捌仟捌伯伍拾伍斛弐升捌合
186 五年以上穀陸仟捌伯漆拾漆斛捌斗陸升陸合
187 神亀元年以前六千卅斛六斗四升二合 神亀三年八百卌七斛二斗*二升四合 耗壱伯参拾肆
188 斛捌斗陸升壱合 斛別二升 定陸仟漆*伯肆拾参
189 斛伍合
190 三年以上穀壱仟漆伯漆拾漆斛壱斗陸升弐合
191 神亀四年千百七十六斛三斗八升 神亀五年六百斛七斗八升二合 耗壱拾漆斛伍斗
192 玖*升陸合 斛別一升 定壱仟漆伯伍拾玖斛伍斗陸

179 鏡作　神名式の鏡作坐天照御魂神社（大社）。大同元年牒に鏡作神一八戸（大和二戸・伊豆一六戸）。貞観元年正月従五位上（三代実録）。現磯城郡田原本町八尾に鎮座。→10伊豆99弐処神戸

182 村屋　神名式の村屋坐弥富都比売神社（大社）。大同元年牒に村屋神六戸（大和三戸）。貞観元年正月従五位上（三代実録）。現磯城郡田原本町蔵堂に鎮座。

〔184～234〕山邊郡部。完存。

187 二斗　大古・寧遺は「三斗」に作るが誤り。

188 漆　大古・寧遺は「陸」に作るが誤り。

192 玖升陸合　寧遺は「玖斗陸升」に作るが誤り。

升陸合移納高市郡漆拾漆斛壱斗漆升壱
合城上郡弐拾陸斛玖斗伍升伍合　残壱
仟陸伯伍拾伍斛肆斗肆升
二年以下穀弐伯斛＊　移納宇陀郡壱伯壱拾
捌斛壱斗壱升　十市郡参拾壱斛陸斗弐
升壱合　高市郡伍拾斛弐斗陸升玖合
穎稲弐仟壱伯肆拾肆束　出挙壱仟肆伯弐拾
肆束捌把　身死九人負稲二百五十束　未納壱仟束
定納本壱伯漆拾肆束捌把　利捌拾漆束
肆把残古稲漆伯壱拾玖束弐把　軽税銭
直稲肆伯伍拾肆束参把半　合壱仟肆伯参

……（継目裏書）（第十三紙）……

拾伍束漆把半　用弐伯束 赤春米四斛料八十束 小麦一斛直廿束
賀麻伎種稲百束＊　以稲壱仟捌拾弐束玖把
替依官奴碑＊食料穀壱伯捌斛弐斗捌升
捌合以稲壱伯肆束参把替依地子稲穀

196 二年以下　昨天平元年収納の穀。全量を宇陀・十市・高市各郡に移送。
205 賀麻伎種稲百束　一町の種稲（種籾）は二〇束だから（→20種稲）、五町分。「賀麻伎」社（未詳）の神田か。
206 官奴婢食料穀　→37官奴婢食料稲穀

壹拾斛肆斗弐升漆合　残肆拾捌束伍把半
輸租肆伯漆拾参斛漆斗弐升　*神戸廿四斛六斗六升
*公納肆伯肆拾玖斛陸升　穎替移城上郡神戸
穀参仟陸*拾壱拾肆束捌把城上郡郡稲
穀替移漆伯玖拾伍束肆把　城上郡地子*穀
替依捌拾束肆把
　　養老二年検欠穀肆拾弐斛弐斗捌升捌合
　　　穎稲壱伯弐拾伍束捌把
合稲穀捌仟伍伯壱拾漆斛壱斗陸升
穎稲肆拾捌束伍把半
酒陸甕々別五斛
正倉捌間　穀倉一間　穎倉一間　*不動穀倉一間　雑色稲納倉五間
五所神戸稲伍仟肆拾伍束伍把半　租弐伯肆拾陸束
陸把合伍仟弐伯玖拾弐束壱把半　用壱伯壱拾
陸束　祭神十六束　神嘗酒料百束　残伍仟壱伯漆拾陸束壱把半

209神戸　山邊郡内五所神戸の田租。稲穀で記すが穎稲（220租）。
210公納　209輸租から209神戸を引いた、当年度当山邊郡に納入の田租。稲穀で記すが穎稲。全部を城上郡へ移送し、210神戸穀・211郡稲穀・212地子穀と交換。城上郡の大税穀増加に使用。
211陸拾　「陸伯」の誤り。
212穀　この上「稲」字脱か。
219不動穀倉　当大倭国は穀倉に比べて不動穀倉が僅少で二間のみ（13）。また不動穀の存在はみえず。→06尾張15穀倉。不動→用語〔官稲〕
〔220〜234〕　山邊郡神税部。220〜223はまとめ。

倉陸間
*振神戸稲参仟陸伯捌拾捌束伍把　租壱伯弐拾肆束
伍把合参仟捌伯壱拾参束　用肆束祭神　残参
仟捌伯玖束
*大倭神戸稲玖伯肆拾玖束　租玖拾弐束　合壱仟肆拾

(継目裏書)
(第十四紙)

壱束用壱伯肆束祭神四束 神嘗酒料百束　残玖伯参拾漆束
*山邊御県神戸稲弐伯陸拾弐束把半　租壱拾束
合弐伯漆拾弐束把半　用肆束祭神　残弐伯陸拾
捌束把半
*広湍川合神戸稲壱拾束　租壱拾束　合弐拾束
*都祁神戸稲壱伯参拾陸束　租壱拾束壱把　合壱伯肆拾
陸束壱把　用肆束祭神　残壱伯肆拾弐束壱把
*添上郡
天平元年定大税穀捌仟捌伯弐拾斛弐斗弐升弐合

224振　神名式の石上坐布留御魂神社(名神大社)。物部氏に関係が深く、多く兵器を神幣とする。七支刀は著名。大同元年牒に石上神八〇戸(大和二〇戸)。貞観元年正月に従一位、同九年三月正一位(石上神。三代実録)。現天理市布留町鎮座の石上神宮。神名式は石上坐布都御魂神社に作る写本もある。

227大倭　神名式の大和坐大国魂神社三座(名神大社)。大倭国造の大倭直が祀った国魂の社。大同元年牒に大和神三二七戸、うち三百戸は天平勝宝元年十一月奉充、残る二七戸は不明とある。また、国別では大和は二〇戸、うち一〇戸は天平神護元年奉充。貞観元年正月従一位(三代実録)。現天理市新泉町に鎮座の大和神社。

229山邊御県　神名式の山辺御県坐神社(大社)。大同元年牒に山辺御県神二戸。貞観元年正月従五位上(三代実録)。現天理市別所町山辺坐御県神社と同市西井戸堂町山辺御県坐神社の二説あり。

232広湍川合　神名式の広瀬坐和加宇加(乃)売命神社(名神大社)。龍田神と並んで風雨調和を祈願する社として著名。大同元年牒に広瀬川合神二戸。貞観元年正月正三位(三代実録)。現北葛城郡河合町に鎮座。

233都祁　神名式の都祁山口神社(大社)。大同元年牒に都祁山口神一戸。貞観元年正月正五位下(三代実録)。現奈良市都祁小山戸町に鎮座。

[235～281]　添上郡部。完存。

五年以上穀陸仟陸伯玖拾捌斛肆斗陸升壱合
神亀元年以前六千五百十八斛四斗六升一合 神亀三年*百八十斛　耗壱伯参拾
壱斛参斗肆升壱合 斛別二升　定陸仟伍伯陸拾漆斛壱斗弐升
三年以上穀壱仟漆伯玖拾参斛肆斗参升壱合
神亀四年一千百三斛一斗三升一合 神亀五年六百九十斛三斗　耗壱拾漆斛漆斗伍
升漆合 斛別一升　定壱仟漆伯漆拾伍斛陸斗漆升
肆合　用肆伯斛* 依六月十日省符給正四位下長田王*三百斛 依六月七日省符給従五位上田口朝臣家主*百斛
残壱仟参伯漆拾伍斛陸斗漆升肆合
二年以下穀参伯弐拾捌斛参斗参升
穎稲肆仟壱伯伍拾捌束漆把出挙弐仟伍伯参拾
伍束漆把 身死十四人負稲六百束　定納本壱仟玖伯
参拾伍束漆把　利玖伯陸拾漆束捌把半
残古稲壱仟陸伯弐拾参束

（継目裏書）
（第十五紙）

合肆仟伍伯弐拾陸束伍把半　用肆伯漆束壱
把 赤春米八斛料百六十束小麦一斛直廿束　太詞神田* 一町種稲廿束　中衛府作御田*三町種稲六十束

238三年　大古・寧遺は「二年」に作るが誤り。
243用肆伯斛　現存税帳中賑給（→04和泉110）以外で穀支出の唯一例。倉から枡で量って取り出しているようで、未振量・振定量の区別はしていない。記事によれば三年以上穀と二年以下穀とは別の穀倉に入っており、前者からの支出になるが、使用中の倉はつねに一間のはずなので、未詳。
243長田王　和銅四年四月正五位下、天平元年三月正四位下、四年十月摂津大夫。同九年六月、散位正四位下で卒（続紀）。万葉集に数首の歌があり、神亀頃の風流侍従の一人（家伝下）。この稲穀を給された理由は未詳。
243田口朝臣家主　神亀三年正月従五位下、天平元年八月従五位上（続紀）。二条大路木簡（城30・平城京三4743）にみえる。この稲穀を給された理由は未詳。
251太詞神田　神名式に太祝詞神社（大社）があり、現天理市森本町鎮座の森神社か。大同元年牒に太祝詞命神一戸が天平神護元年奉充。本帳の天平二年当時は神戸がないので神田の種稲を大税から支出したか。
251中衛府作御田　中衛府は神亀五年授刀舎人寮を改組して設置した令外官。天皇側近の警固に従事。その営田への種稲提供。

252 *進元日酒四斛一斗三升料七十二束三把 依*十二月九日太政官符 *請受戒寺*仏聖僧并僧三軀*供養料四束捌把
253 *布施布*三端一段 直七十束　残肆*仟伯拾玖束肆把半　以稲肆伯
254 玖拾漆束壱把半替依*神戸穀肆拾玖斛漆斗
255 壱升伍合残*参仟陸伯玖拾漆束壱把軽税
256 銭直稲肆伯肆拾捌束伍把　輸租捌伯肆拾
257 漆斛肆斗弐升 *神戸十六斛五斗　公納捌伯参
258 拾斛玖斗弐升 *穎　以陸仟参伯弐拾捌束伍
259 把替依*十市郡屯田稲穀定納穎壱仟玖伯
260 捌拾束漆把
261 *霊亀二年所盗穀弐伯漆拾肆斛参升漆合漆勺
262 養老二年検欠穀弐伯伍拾参斛伍斗玖升伍合
263 陸勺　穎稲壱仟玖伯伍拾捌束
264 *合稲穀捌仟参伯弐拾斛捌斗参升玖合
265 穎稲陸仟伍拾壱束伍把
266 酒壱拾参甕々別五斛

252進元日酒　大倭国の元日宴(→09駿河123元日拝朝)用にしては多量。平城宮に納めたか。
252十二月九日太政官符　他にみえず。
252受戒寺　未詳。
252仏聖僧　仏は斎会に勧請される本尊、聖僧はその本尊に付随する聖僧像。
252供養　斎会で仏や僧に供える食料。
253布施　ここでは僧尼へ与える財物(僧尼令26布施条)。定例の斎会(→09駿河125正月十四日)にはなく、臨時の斎会に供養料と合わせて支給(07尾張25・10伊豆23・15但馬42)。
253三端一段　布の単位には変遷があるが、ここでは一端は一丁の調布二丈八尺・庸布一丈四尺を合わせたもの、また一段は二丁の庸布二丈八尺(賦役令1調絹絁条集解・歳役条集解所引養老元年十二月格)。なお、主計式上3諸国庸条に「一丁布一丈四尺」で「二丁成段、三丁成端」とある。
253仟伯拾　「伯」の上、「拾」の上に各「壱」字脱か。
254神戸穀　神戸(丸神戸)の稲穀(269・275)を大税穎稲と交換し大税穀としたもの。
255参仟陸伯玖拾漆束壱把　実際の計算では三千六百二十二束三把となり、これで265穎稲まで計算。本項は誤り。
257神戸　郡内二所神戸の租穀。実際は穎(271)。
258穎　穀で表記する田租が実態は穎稲だという注記。田租は穀で表記する原則があり、本帳では他の穎納田租も穀で表記。ただし田租の内訳や使用記事では明確に穎で表記。
259十市郡屯田稲穀　→118屯田稲穀
261霊亀二年所盗　一五年前の霊亀二年に盗まれた穀。首部1の前の欠損部にも記していたか。
264合稲穀　当年度末の当郡全稲穀。239定・244残・245二年以下穀・254神戸穀の合計。

267 正倉壱拾陸間 穀倉三間　穎倉五間 雑色稲納倉八間
268 *二所神戸穀伍拾斛漆斗玖合 神亀元年以前 耗玖斗玖升
269 肆合 斛別二升 定肆拾玖斛漆斗壱升伍合替依稲肆
270 伯玖拾漆束壱把半　穎稲伍伯壱拾束参把
271 租壱伯陸拾伍束　合*壱仟壱伯漆拾弐束肆把
272 半用伍拾捌束 祭神八束 神嘗酒料五十束 定**壱仟壱拾肆束肆
273 把半

（継目裏書）
（第十六紙）

274 丸*神戸穀伍拾斛漆斗玖合 耗九斗九升四合 定肆拾玖斛漆
275 斗壱*斗壱升伍合替依稲肆伯玖拾漆束壱把半
276 穎肆伯伍拾弐束　租壱伯壱拾参束　合壱仟
277 陸拾弐束壱把半 用肆束 神祭* 残壱仟伍拾捌
278 束壱把半
279 菟*足神戸稲伍拾捌束参把 租伍拾弐束　合壱伯壱
280 拾束参把　用伍拾肆束 祭神四束 神嘗酒料五十束 残伍拾陸束
281 参把

〔268〜281〕添上郡神税部。268〜273はまとめ。
271 合　269替依稲・270穎稲・271租の合計。
272 定　他例はほとんど「残」とする。
272 壱仟　271合から272用を引いた数字なので、この下に「壱伯」脱。
274 丸　神名式の和邇坐赤坂比古神社（大社）。大同元年牒に和爾神四戸。貞観元年正月従五位上（三代実録）。現天理市和邇町に鎮座。
275 壱斗　衍字。大古・寧遺はこの二文字記さず。
277 神祭　↓66
279 菟足　神名式の宇名太理坐高御魂神社（大社）。大同元年牒に菟足神一三戸（大和八戸）。貞観元年四月に正三位昇叙の法華寺の薦枕高御産栖日神（元慶三年に従二位。三代実録）、内蔵式18法華寺神子条の法華寺大神との関連が指摘され、現在同名の社（桜梅天神社とも呼称）が奈良市法華寺町に鎮座。

282 以前収納大税穀穎幷神戸租等数具録如前謹解*

283 　　　天平二年十二月廿日*従七位上行大目勲十二等中臣酒人宿祢*「古麿」

　　　　　　　　正六位上行大掾兼侍医勲十二等城上連*「真立」

284 従四位下行守大宅朝臣*「大國」

285 正六位上行介勲十二等許曽倍朝臣*「津嶋」

　　　　　　　　正七位上行少掾都濃朝臣*「光弁」

282以前収納…謹解　本帳の書き止めで、冒頭の「解」(現在は欠損)に対応。公式令11解式条では太政官向けは「謹解」、その他は「以解」とする。05伊賀15・17隠岐127・19周防60は「謹解」、04和泉315・07尾張172・08駿河90・11越前143・24伊予32は「以解」。

283十二月廿日　帳簿上、翌日以降十二月末日までの収支をどう処理したか未詳だが、06尾張0・07尾張174・23淡路0も十二月の日付を記載。↓04和泉316天平十年四月五日

283中臣酒人宿祢古麿　文案を勘署することは国では主典である目の職掌なので(職員令70大国条)、大目であるこの者がそれをおこない、日下および継目裏書(↓0)に署名している。なお目不在の時は基本的に史生が代行(11越前0・144、08駿河0・91。↓26豊後0楊胡史真身)。

284大宅朝臣大國　和銅七年正月従五位下、上野守・摂津守をへて神亀元年二月正五位上、同五年五月従四位下。天平九年六月散位従四位下で卒(続紀)。

284城上連真立　侍医の国司兼務は珍しい。神亀頃方士として著名(家伝下)。天平七年四月外従五位下。城上連は神亀元年五月胛巨茂が賜った氏姓(続紀)。

285許曽倍朝臣津嶋　天平四年八月外従五位下。時に山陰道節度使判官(続紀)。万葉六1024に天平十年八月橘諸兄家の宴の時の長門守巨曽倍対馬朝臣の歌がある。

285都濃朝臣光弁　未詳。万葉八1641、大宰師大伴旅人と並んで梅の花を詠んだ角朝臣広弁と同一人か。

03 摂津国正税帳　天平八年度

（継目裏書）*「摂津国天平八年正税目録帳従七位下大属田*部宿祢家主」

（A*断簡）〇紙面に「摂津国印」あり。　（正集巻十四・第九紙）

都*合定穀陸仟弐伯漆拾陸斛伍斗捌升陸合（振*入五百七十斛五斗九升九合）
定*伍仟漆伯伍斛玖斗捌升漆合
不動弐仟捌伯弐拾肆斛伍斗玖升
動用弐仟捌伯捌拾壱斛参斗玖升漆合
穎*稲肆仟弐伯参拾陸束肆分
県*醸酒弐拾弐斛漆斗捌升（新五斛 古十七斛七斗八升）
役*民料酒弐拾伍斛（古）
天*平二年未納本漆伯陸拾肆束（債*稲死百姓一人免稲十*一束）　遺*漆伯伍拾参束
天*平三年未納本壱伯漆拾陸束
天*平四年未納本伍伯玖拾弐束漆把（債稲死百姓二人免稲廿八束六把）

継目裏書　一か所のみ。便宜ここに記す。本帳は摂津職が作成・上申した摂津国の正税目録帳（→19周防0）で、国務に関わるので摂津国印を押捺。摂津職は難波津と難波宮を所管し「津国を帯」（職員令68摂津職条）した。延暦十二年三月に廃し、新たに摂津国を設置（三代格）。
0田部宿祢家主　他にみえず。
A断簡　某郡部末表示（→用語〔正税帳〕）から西成郡の中間表示まで。某郡は民部式・和名抄60の郡の配列で西成（西生）郡の前である東生郡か。
1都合定穀　当郡当年度穀（→用語〔稲〕）の決算残高。未振量（→用語〔振入〕）。
1振入　→用語〔振入〕
2定　1都合定穀の振定量（→用語〔振入〕）。内訳は3不動と4動用（→用語〔官稲〕）。
5穎稲　→用語〔稲〕。当年度当郡穎稲の残高。
6県醸酒（30）県（あがた）で醸造した酒に由来か。延喜式では山城・大和・河内・摂津四国が正税を用いて醸し宮中で使用（造酒式31県醸酒条）。本項は当年度の残高。「新」は当年度醸造か。
7役民料酒（31）難波宮（→15但馬23造難波宮司）雇役民用の酒の残り（「古」）か。
8天平二年・9天平三年・10天平四年　正税出挙（→用語〔出挙〕）の未納稲。当年度の正税の収支には関わらず。
8債稲死百姓・免稲（10）前年度正税帳以降、当年度正税帳までの間に死亡した旧年の出挙未納者とその返済を免除した出挙稲（27薩摩2死伯姓・免給稲）。
8十一　大古は「十」に作るが誤り。
8遺（11）当年度末現在の出挙稲未納額。

遺伍伯陸拾肆束壱把
*正倉壱拾壱間 *凡倉　不動穀倉三間　動用穀倉三間 / **納義倉二間　*穎倉二間　破倉一間
西成郡
*天平七年定穀壱萬弐仟弐伯弐拾肆斛陸斗陸升漆勺伍撮
不動肆仟参伯参拾壱斛漆斗捌升玖合 *未量
動用漆仟捌伯玖拾弐斛捌斗漆升壱合漆勺伍撮
*量[乗]陸拾漆斛壱斗参升陸合壱勺伍撮
（第十紙）
合漆仟玖伯陸拾斛漆合玖勺
*高年*鰥寡惸独等人伍伯拾参人 九十歳已上十三人　八十歳已上卌四人七十歳已上二百 / 三人鰥寡惸独*篤疾廃疾不能自存等二百卅五人今病七人　病僧十一人　給穀肆伯伍拾玖
斛壱斗
*遺壱萬壱仟捌伯参拾弐斛陸斗玖升陸合玖勺
振入一千七十五斛六斗 / 九升九合九勺
*定壱萬漆伯伍拾陸斛玖斗玖升漆合

12正倉　↓[02]大倭13

12凡倉　↓[9]駿河229。正倉全部がこれ。

12納義倉　借納↓[04]和泉94

12義倉　飢疫民救済を目的として戸の等級（貧富の差）に応じて粟などを徴収し保存する制度（賦役令6義倉条。[04]和泉125・[17]隠岐28・[22]紀伊37）。慶雲三年二月格（三代格）で中中戸以上の負担としたが、天平二年の安房・越前の義倉帳（大古一423）では令制と同じく下下戸まで徴収。義倉穀は主として飢饉の賑給（↓[04]和泉110）に用いられたらしいが、例は少ない（↓[20]周防116賑給義倉）。

12二間　大古は「一間」に作るが誤り。

14天平七年定穀　前年度から繰越の年初穀高。内訳は15不動と16動用。23までは未振量で表示。

15未量　検量（それに伴う増減処理）していないの意。当天平八年、当国では正税の検量を実施。

17量[乗]　16動用穀を検量した結果発見した余剰。これを16に加えた結果が18合。

19高年鰥寡惸独等人　動用穀の支出項目。天平八年七月辛卯詔（続紀）による賑給（↓[04]和泉110）か。この時、高年は百歳以上穀四石、九〇以上三石、八〇以上二石、七〇以上一石、鰥寡惸独・廃疾篤疾・不能自存などは所司が量り賑恤を加えよとある。本項では鰥寡など二三五人五斗、今病七人四斗、病僧一一人八斗か。

19鰥寡惸独　鰥は妻のない六一歳以上、寡は夫のない五〇歳以上、惸は父のない一六歳以下の孤児（大宝令。養老令は「孤」）、独は子のない六一歳以上（戸令32鰥寡条義解）であるが、賑給の実例では各年齢に若干の対象拡大がみられる。

20篤疾廃疾　障害者や疾病者（戸令7目盲条）。

22遺　当年度稲穀収支の中間決算高。

……（継目裏書）
（第十一紙）

25 不動参仟玖伯参拾漆斛玖斗玖升

26 動用陸仟捌伯壱拾玖斛漆合

27 穎稲*玖仟捌伯参拾弐束肆分

28 校乗*弐伯壱束陸分

29 合壱萬参拾参束壱把

30 県醸酒弐拾斛陸斗伍升

31 役民料酒参拾斛

32 雑用*稲*弐伯捌拾伍束（酒*五斛醸料七十束伝食**料七十八束八把）

33 雑掌*粮壱伯参拾陸束弐把

24定　振定量での22遺。内訳は25不動と26動用。

27穎稲　前年度から繰越の当郡穎稲の全量。

28校乗　27穎稲を検校した結果判明した余剰。これを27に加えた結果が29合。

32雑用　基本的に、後で回収する出挙・借貸以外の全支出。ただし19賑給の支出は含めない。→23紀伊28依恩勅

32弐伯捌拾伍束　分注の醸酒料・伝食料と次行33雑掌粮との合計。雑用稲の内訳は完結。

32酒　当年醸造。他郡で県醸酒新五斛（6）があるので、当郡も30県醸酒か。一斛醸料一四束は、07尾張35・08駿河14・12越前59・26豊後153・27薩摩78とも同じ。04和泉33県醸酒は一七束五把、07尾張10納大炊寮酒料赤米は二〇束。

32伝　各郡に五疋ずつ伝馬を置き（厩牧令16置駅馬条）、急を要しない公使のほか、国司の赴任、罪人の送達などに使用。利用者が伝使。

32伝食料　伝使（→32伝）に供給（厩牧令22乗伝馬条）。天平六年正月官稲混合（続紀）までは郡稲（→用語［官稲］）から（12越前39）、それ以降は正税から（20周防6・26豊後53ほか）支出。

33雑掌　書生のなかで特に四度使の業務に関与。天平当時はまだ朝集雑掌しか存在が確認できない。他国の例からみると、定数二人。朝集使の在京期間を含めて、十一月から翌年春まで在京。在京中の給粮は一人日別三把が定例。ここは朝集雑掌二人の正月一日～六月十九日の一六七日分および十一月一日～十二月三十日の六〇日分の、在京の食料か（08駿河5～10、09駿河114～117、15但馬114～118、20周防160・161、23淡路65・66）。

04 和泉監正税帳　天平九年度

0 (継目裏書)*「*和泉監収納正税帳天平九年」

（正集巻十三・第一紙）

（A断簡）○紙面に「和泉監印」あり。*

1 *穎稲陸萬玖仟伍伯陸束肆把捌分

2 *出挙参萬束

3 *負死伯姓伍伯伍拾参人　免税壱萬参仟陸拾束

4 *未納弐仟壱拾弐束　負伯姓壱伯参拾捌人

5 *定納穎稲弐萬弐仟参伯玖拾弐束本一万四千九百廿八束 利七千四百六十四束

6 *借貸参仟伍伯参拾肆束

7 当年応輸租穀依天平九年*八月十三日恩　勅免訖

8 *遺穎稲参萬伍仟玖伯漆拾弐束肆把捌分

9 *死伝馬皮肆張　直稲肆拾束 張別十束

10 *合定稲穀肆萬参仟陸伯壱拾弐斛壱升漆合壱勺参撮 *未振

継目裏書　一二か所。便宜ここに掲示。
0和泉監　珍努宮（和泉宮）管理のための官司および行政区域。霊亀二年三月、河内国和泉・日根二郡を割いて珍努宮に供せしめ、同四月、大鳥・和泉・日根三郡を割いて和泉監を置く（続紀）。「監」は「国」に相当するが官司としての異同は未詳。大宝公式令53京官条では監司の在外は外官とする。
A断簡　首部。初表示（→用語〔正税帳〕）から中間表示。
1穎稲　前年度からの繰越の穎稲（→用語〔稲〕）全量。本項までが首部の初表示。
2出挙・3負死伯姓・4未納　→用語〔出挙〕
5定納　出挙での収納。内訳は、2出挙から3免税と4未納を引いた本稲と、その五割の利稲。
6借貸（166）国司借貸（→26豊後64）に相当する監司借貸。百姓への出挙（2）があるので、百姓への借貸はない。
7天平九年八月十三日恩勅　他にみえず。続紀天平九年八月甲寅条に疫病により天下今年の租賦と累積の公私負稲を免ずる恩勅あり。本項と128・194は当年の田租、78は旧年の未納（出挙と借貸）の免。→26豊後73依恩勅放免
8遺穎　1穎稲から2出挙と6借貸を引いた残。
9死伝馬皮（171・196・310）→08駿河58加伝馬死皮。監全体で四匹死亡し、同数を購入（26）。
10合定稲穀　当年度稲穀の中間まとめ。日根郡197を参考すると1の前に184天平八年税帳定～188動用に相当する記事が存在していた。
10未振（82・102・138・197・259）本項の稲穀が未振量（→用語〔振入〕）であることの注記。現存他国税帳にみえない用語。

*穎稲陸萬壱仟玖伯参拾捌束肆把捌分
*雑用壱萬肆仟参伯壱拾肆束参把陸*分々之伍
　穀捌伯玖拾陸斛弐斗
　穎伍仟参伯伍拾弐束参把陸分々之伍
依民部省天平九年四月廿一日符*急戸捌拾玖烟口弐伯　（継目裏書）
　捌拾弐人 *男九十四人 女一百八十八人　*賑給稲穀捌拾玖斛捌斗 廿六人別五斗　（第二紙）
　二百五十六人別三斗
依*五月十九日恩　勅賑給高年鰥寡惸独等人惣壱仟
　陸伯壱拾陸人　稲穀陸伯伍拾肆斛肆斗 僧一人八斗僧七人別四斗百年已上二人別
　一斛　九十年已上十六人別八斗　八十年已上九十四人　鰥一百七十四人　寡九百六十九人　惸三百廿八人　独廿五人　合一千五百九十人別四斗
依*九月廿八日恩　勅賑給高年八十年已上壱伯弐拾
　伍人　稲穀壱伯伍拾弐斛 *百年三人別三斛　九十年廿一人別二斛　八十年一百一人別一斛
納民部省*年料交易*麦壱拾肆斛 大麦四斛 小麦十斛　直稲弐
　伯捌拾束 麦一斛別廿束
*難波宮雇民粮米弐拾弐斛料稲肆伯肆拾束

11 穎稲　5定納・6借貸（全額回収）・8遺穎・9死伝馬皮の合計。
12 雑用　雑用支出の合計。穎で記すが、穀も穎に換算して合計している。内訳は13穀と14穎。
12 分々之伍　↓225
15 民部省天平九年四月廿一日符　他にみえず。日根郡の正倉からのみ支出（296）。
15 急戸（200・206）窮乏の戸。
16 男・女　男女比は一対二ちょうど。
16 賑給　↓110
18 五月十九日恩勅（110天平九年・148天平九年・203・298）↓26豊後29
21 九月廿八日恩勅（112・150・206・300）他にみえず。
22 百年三人　年齢別人数はすべて19より多い。
23 年料交易（208）正税で交易（購入）し中央に貢進する毎年の定例品。
23 麦　民部式下63交易雑物条和泉国小麦廿五石、大麦はみえず。↓03大倭113小麦
25 難波宮雇民粮米（210）↓15但馬23造難波宮司。関連する監司巡行↓236難波宮雇民粮充
26 伝馬　死馬の補塡（↓9死伝馬皮・20周防171市替伝馬）。関連する監司巡行↓43・63・244
27 正月十四日　↓09駿河125
27 弐寺　二寺での実施は和泉監のみ。和泉郡少領珍（珍努）県主倭麻呂（142）と主帳同深麻呂（176）の一族のそれぞれの氏寺とする理解あり。
27 金光明経・最勝王経　↓09駿河125金光明経幷最勝王経
28 仏聖僧　↓02大倭252。仏と聖僧各二軀。
28 読僧　経典を読誦する僧で、口数は経巻数に一致（10伊豆5・15但馬26・27薩摩31）。

伝*馬肆匹（上一匹 中三匹）　直稲漆伯肆拾束（上馬二百束 中馬別一百八十束）
依例正*月十四日弐*寺読金光明*経捌巻最勝*王経拾
巻合壱拾捌巻日仏聖*僧肆軀并読僧*拾捌口合弐
拾弐軀惣供養料稲伍拾束壱把陸分（仏聖僧并読僧 十八口合廿二軀々）
別飯料四把雑餅*并 油*等料一束八把八分
依民部省天平九年十一月九日符給大*鳥連大麻呂造地*
黄*煎所*米漆斛　料稲壱伯肆拾束
依民部*省天平九年十二月廿三日符進上県*醸酒陸斛
漆斗伍升料稲壱伯壱拾捌束壱把弐分々之伍
依民部*省天平九年十一月十二日符官奴*婢食料米壱
拾玖斛玖斗陸升伍合　料稲参伯玖拾玖束参把
依民部*省天平九年十月五日符神戸*調銭伍伯陸
拾漆文　料割充稲漆拾束捌:*把伍分
神戸田租料割充稲弐伯漆拾伍束陸把伍分
依民部*省天平九年九月廿二日符交易進上調陶*器

30雑餅　→10伊豆30大豆餅～31布留

30油　奈良時代の油には胡麻油・荏油・海石榴胡桃油ほかがあるが、単に油とあるのは胡麻油。

31民部省天平九年十一月九日符（216）　他にみえず。

31大鳥連大麻呂（216）　和泉の薬園で地黄栽培にあたった技術者か。天平十八年四月外従五位下、天平勝宝四年五月従五位下（続紀）。

31地黄　→216

32所　復元帳は「新（料）」に作るが誤り。→216大鳥連大麻呂地黄煎料

33民部省天平九年十二月廿三日符　他にみえず。

33県醸酒　→03摂津6・32酒。

35民部省天平九年十一月十二日符　15但馬17に同じ。214は十一月十三日とする。

35官奴婢食料米　214は官奴婢食料進上米とするから京進。官奴司へか（07尾張17・15但馬17）。

37民部省天平九年十月五日符（128）　神戸・寺封の調・租免除（→7）により、正税での補塡を命じたもの（21長門24・82、25筑後12）。

37神戸調銭・39神戸田租　7恩勅で穴師神戸（127）の調・租が免除された補塡として、正税稲を割充（128加納穎稲・15但馬161・21長門24・25筑後12）。本項は畿内の調銭正丁九文（天平五年右京計帳〈大古一481〉）なら正丁六三人分相当。

38捌:　この傍点がどの時点で付されたか不明。稲一束が八文（天平宝字二年〈大古四275〉）なら五六七文は稲七〇束八把七五。その端数を八把五分としたことの注記か。

40民部省天平九年九月廿二日符　他にみえず。

40調陶器　調の陶器を正税で交易して進上。主計式上12和泉国条の調に須恵器を列挙。

(41)*

（*B断簡）〇紙面に「和泉監印」あり。　（正集巻十三・第三紙）

把　*酒参升
*伝馬価直充*正　*将従参人　経参箇日　*食稲参
束玖把　酒参升
巡行部内教*導伯姓正　令史　史生弐人　将従漆人
経捌箇日　食稲弐拾伍束肆把　酒弐斗肆
升
*監月料充正　令史　史生壱人　将従陸人　*弐度
経捌箇日　*食稲弐拾陸束陸把　酒弐斗肆

（継目裏書）
（第四紙）

升肆合
*和泉宮御*田刈稲収納正　将従参人　経弐箇
日　食稲弐束陸把　酒弐升
*徴納正税正　将従参人　*弐度　経参拾弐箇日

(41)　本行は復元帳が推測復元した行。実際のA断簡は前行までであるが、以降の行番号の対応を維持するために残す。

B断簡　首部。A断簡より後。監司の部内巡行（→15但馬122国司巡行）記事の後半部。なお日根郡巡行記事は完存（G断簡223～254）。

42酒　一人一日あたり令史以上一升、史生八合。→20周防96食法

43伝馬価直充（63・244伝馬価充）　伝馬購入のための巡行。→26伝馬

43正　和泉監の長官。官人構成は正・佑（当年度欠員か）・令史（七月死亡、その後欠員か→220監月料）各一、史生三と推定可能。

43将従　従者。従・従人・傔従とも記す。国司巡行では、介以上三人、掾以下二人、史生一人（田令35外官新至条集解令釈所引和銅五年五月格、主税式上91巡行傔従条）。

43食稲　一人一日あたり史生以上四把、将従三把。→20周防96食法

45教導伯姓（65・246）→15但馬132為観風俗

48監月料（67・220・249）　月料は本来京官に対して毎月大炊寮から支給される食料米。延暦十二年三月に摂津職が国に改められると月料の支給も停止（三代格）。監官人は京官ではないが（→0和泉監）月料支給か。監月料充の巡行は全三郡でおこなっているが、正税からの月料支出は日根郡部（220）だけ判明。

48弐度　月料は本来毎月支給だが、和泉監では年二回支給、あるいは別倉への取り置き作業が年二回か。

49食稲　実際の計算より食稲二束六把・酒二升が過多。正の巡行二日分に相当するので、本項合計に次項51を加える誤りがあったか。

食稲肆拾壱束陸把　酒参斗弐升
封正倉*　将従参人　経壱拾参箇日　食稲壱
拾陸束玖把　酒壱斗参升

（正集巻十三）
（継目裏書）
（第五紙）

催伯姓産業*　令史　将従弐人　弐度　経壱拾箇日
*（C断簡）〇紙面に「和泉監印」あり。
食稲壱拾束　酒壱斗
責計帳手実正*　将従参人　経参箇日　食稲参束
玖把　酒参升
検校栗子正*　将従参人　経壱箇日　食稲壱束参
把　酒壱升
伝馬価充正　将従参人　経壱箇日　食稲壱束
参把　酒壱升
巡行部内教導伯姓正　令史　史生*弐人　将従漆人
経弐箇日　食稲漆束肆把　酒漆升弐合

51和泉宮　珍努宮（→0和泉監）のこと。和泉監設置後の呼称か。

51御田刈稲収納　和泉宮のための供御食料田の収穫作業の監督。この巡行は和泉郡のみなので、和泉宮は和泉郡に所在。

53徴納正税（69・251）→15但馬150収納当年官稲

53弐度（69）未詳。複数の官稲の出挙をおこなっていても収納の巡行は一度が通例。

55封正倉（71・253）正税の収納後、正倉（94・125・126）を封ずるための巡行。正（長官）が担当。倉屋部（106ほか）に当天平九年正黄文連伊加麻呂の名がある。他国でも国司による封正倉は実施したはずだが、この名目での巡行はみえず。

C断簡　大鳥郡部。監司の部内巡行記事後半から郡部末表示、および倉屋部前半。倉屋ごとの詳しい記事があるのは本帳のみの特徴（→〔96〜118〕）。

57催伯姓産業（238）→15但馬135領催伯姓産業

59責計帳手実（240）→15但馬138

61検校栗子（242）持統紀七年三月条に桑・苧・梨・蕪菁とともにクリの栽培を勧奨。延喜式諸条に山城・丹波・但馬・因幡・播磨・美作・備中からクリの実の貢納があるが、和泉からはない。現存税帳に栗は本帳のみ。監司の検校は貢納が前提だろうが、未詳。

65史生　史生一人・将従一人は大鳥郡の巡行にのみ参加。税帳記事で巡行の途中で人員が変化している唯一例。

67 監月料充正　令史　史生壱人　将従陸人　弐度

68 経弐箇日　食稲陸束　酒伍升陸合

69 徴納正税正　将従参人　弐度　経拾弐箇日　食稲壱

（第六紙）

70 拾伍束陸把　酒壱斗弐升

71 封正倉正　将従参人　経参箇日　食稲参束玖把

72 酒参升

73 合*酒糟捌斗漆升伍合*修理池人夫弐伯玖拾弐人 々別三合

74 *給尽

75 *天平五年未納壱仟玖伯弐拾玖束捌把 穀一百卌六斛四斗 穎五百六十五束八把

76 天平四年*未納伍仟漆伯伍拾陸束漆把

77 天平二年*未納伍伯漆拾束

78 右三箇年未納依*天平九年八月十三日恩　勅免訖

79 天平四年前監所給*借貸未納伍伯陸拾陸束伍把 *故正 *田邊

80 史首名二百廿束五把 主政*土師宿祢広浜三百卌六束

81 欠酒弐拾伍斛漆斗漆升 *旧佑丹比宿祢足熊*可償未進

73酒糟（255）酒の醸造に際し、もろみから清酒をしぼったあとに残った糟。酒滓にも作る。

73修理池人夫（255）→232修理池

74給尽　二九二人に各三合なら八斗七升六合なので一合不足だが、保有全量を支出した。

75天平五年未納　借貸（続紀天平五年閏三月条）の未納。借貸に穀がある例は21長門36。

76未納・77未納　出挙の未納。

78天平九年八月十三日恩勅　→7

79借貸未納　天平五年以前における国司（監司）借貸の唯一例。ただし国司借貸の未納は例なく、その国司が死亡でも必ず補塡（延暦交替式天平八年十一月格）。郡司の関与も例なし。官物の欠負の未補塡を借貸と表現か。

79故正　天平四年当時の正か。九年以前に死亡。

79田邊史首名　大宝律令の撰定に加わり、その功で文武天皇四年六月賜禄（続紀）。

80土師宿祢広浜（106・117）他にみえず。土師宿祢氏は大鳥郡土師郷を本貫とする豪族。

81旧佑丹比宿祢足熊　本帳（258前佑）以外にはみえず。当年度は佑欠員か。

81可償（258）職務上の責任か。

82合遺定稲穀　当年度末の当大鳥郡稲穀の帳簿上の残高。未振量。

83検官物日量計所欠　99動用東第弐板倉の量計（101〜105）での不足量（102）。内訳は84・85。

84依令経五年已上　→01左京8除耗

85全所欠（104）除耗が認められない不足額。

86定　確定した当年度稲穀残高。未振量。

87収所入（185・260）振入（→用語〔振入〕）と同義。他帳は振入の対象とする前項に簸振量定とする

82 合*遺定稲穀壹萬伍仟参伯玖拾弐斛伍升捌合捌勺壹撮 未振

83 検*官物日量計所欠弐拾漆斛玖斗肆升 動用

84 依*令経五年已上壹斛聴耗弐升料除壹拾陸斛

（継目裏書）
（第七紙）

85 全*所欠壹拾壹斛玖斗肆升

86 定*壹萬伍仟参伯陸拾肆斛壹斗壹升捌合捌勺壹撮

87 簸振量計収所*入壹仟参伯玖拾陸斛漆斗参升捌合漆撮

88 振*定壹萬参仟玖伯陸拾漆斛参斗捌升漆勺

89 不動壹萬弐仟伍伯弐拾漆斛漆斗漆升

90 動用壹仟肆伯参拾玖斛陸斗壹升漆勺

91 定*穎稲弐萬肆仟伍伯陸拾弐束肆把捌分

92 酒陸拾伍斛

93 盛瓱*壹拾参口 々別受五斛

94* 正*倉弐拾漆間 不動八間 動用二間 穎稲五間 *借納*放生稲一間 空十一間

95 屋*弐宇 並穎稲

96* 不動 東第壹板*倉 長*一丈六尺九寸 広*一丈五尺九寸 *高一丈五寸 塞* 長五尺一寸 広四尺 積*高 一丈三寸

（第八紙）

が（→17隠岐2簸振量定）、本帳は独自表現。

88振定　86定から87簸振（振入）を減じた数。内訳は89不動と90動用。

91定穎稲　当天平九年度当郡穎稲の残高。

93瓱（124・265）→10伊豆80

〔**94・95**〕大鳥郡部末の倉屋記事。倉屋の内訳は本項分注。96以降の倉屋部とは別に構成。

94正倉（125・267）→02大倭13

94借納（125）その官稲用ではない倉に収納すること。ここでは放生稲が正税正倉を借りる。

94放生稲　放生は仏教の殺生禁断の思想により魚・獣を山野に放ち善根を施すことで、放生稲はその財源。放生田の穫稲か。天平六年出雲国計会帳に「放生稲帳」（大古一598）。

95屋　倉より略式の倉庫。概して倉より床面積は広く高さは低い。主に穀以外の穎稲その他の品物を収納。正倉には含まない。宇で数えるのは現存税帳で本帳のみ。

〔**96～118**〕倉屋部（後欠）。建物の規格から収納時の担当官人名まで記す。これは倉付帳（主税式上1勘税帳条・政事要略五七税帳枝文）であって、他国は別巻だが、本帳は正税帳に併載。

96板倉　正倉中、主体をなす建物。厚板を柱の溝に落し込んだ落しはめ板方式か。

96長・広・高　倉内の内法寸法。

96塞　稲穀の出納作業用に、穀倉の戸口の内側に溝を彫った柱を建て、溝に横板を落とし込んで確保した空間と推定。穀の積高測定用に横板の幅は一定だったたか。その面積は本帳では一三～三八平方尺程度。

96積高　穀の積んである高さ。倉内の床面積から塞の床面積を引いて実効面積を出し、それにこの積高を乗じて倉内の稲穀の体積を算出。

97 稲穀捌伯玖拾壱斛 *振入八十一斛 振定捌伯壱拾斛　*底敷穎

98 稲壱伯参拾束 養老六年正正六位上*奈貴首百足

99 用動 東第弐板倉 長一丈七尺四寸 広一丈四尺五寸 高一丈五寸 塞 長五尺二寸 広四尺二寸 積高 九尺七寸

100 *天平八年税帳定稲穀漆伯弐拾捌斛壱斗弐升漆合弐勺捌撮

101 天平六年佑従八位上*土師宿祢比良夫収納者 *天平十年二月廿日*量計応定稲穀

102 捌伯斛玖斗肆升 未振 *欠弐拾漆斛玖斗肆升

103 *依令*経五年已上壱斛聴耗弐升料除壱拾陸斛

104 *全所欠壱拾壱斛玖斗肆升

105 見定漆伯漆拾参斛 振入七十斛二斗七升二合七勺二撮 振定漆伯弐斛漆斗

106 弐升漆合弐勺 *天平九年*正従六位上勲十二等*黄文連伊加麻呂 主政外従七位上土師宿祢広浜

107 *用動 東第参板倉 長一丈九尺 広一丈五尺 高一丈一尺九寸 塞 長五尺七寸 広三尺三寸 積高 一丈四寸

108 天平八年帳定稲穀玖伯漆拾肆斛伍斗壱升玖合陸勺 天平八年正正六位上

109 勲十二等*御使連乙麻呂収納者

110 依天平九年五月十九日恩　*勅賑給高年僧幷鰥寡

111 惸独等人壱伯玖拾弐斛肆斗

97振入　↓用語〔振入〕。同じ操作を本帳本文では収所入(87・185・260)とするが、倉屋部では振入とする(105・115・140・144・152ほか)。

97底敷穎稲(145・156・160・270・289・291)　規模の大きな不動穀倉で、底部での密積腐敗を防ぐために倉底に敷いた稲。延喜交替式算計法に底敷穎稲の高さは五寸とあり、本帳でも五寸程度か(21長門10穀底敷稲・越中国官倉納穀交替帳〈平遺一204〉)。

98奈貴首百足(145・157・160ほか)　他にみえず。

100天平八年税帳定　前年度正税帳に記載の収納量。天平六年に収納した時の数字。振定量。

101土師宿祢比良夫　他にみえず。104全欠の責を負うべき者。土師宿祢↓80土師宿祢広浜

101天平十年二月廿日　量計を実施した日だろうが、天平九年度事業(137は二月廿八日)。正の署名も九年とする(106)。本帳の上申は十年四月付(316)。前年度の検量をおこなっている例↓01左京8天平九年除耗

101量計応定稲穀　振定量表記の100定稲穀を未振量に換算した、存在しているべき穀量。

102欠弐拾漆斛…　判明した不足量。83と対応。

103依令経五年已上壱斛耗弐升料除　↓01在京8除耗。許容される除耗量。2/100。

103経五年　天平六年収納から天平十年量計まで。

104全所欠　↓85

106天平九年　天平九年度だが、実際には天平十年二月二十日。

106正　↓43

106黄文連伊加麻呂　本帳(117・141・154ほか)以外にはみえず。「伊加萬呂」(317)ともある。

107動用東第参板倉　大鳥郡で当年度使用した唯

依天平九年九月廿八日恩　勅賑給高年八十已上等陸拾玖
斛

（継目裏書）
（第九紙）

遺漆伯壱拾参斛壱斗壱升玖合陸勺　*返納振入弐拾陸斛壱
斗肆升振入二斛三斗七升六合三勺六撮　振定弐拾参斛漆斗陸升参合陸勺
*合遺定稲穀漆伯参拾陸斛捌斗捌升参合漆勺　天平九年正従六位上勲十二等
黄文連伊加麻呂　主政外従七位上土師宿祢広浜
*東第肆板倉　長一丈七尺　広一丈二尺一寸　高九尺三寸　空

*（D断簡）○紙面に「和泉監印」あり。　（正集巻十三・第十紙）

*振定壱萬玖仟捌伯弐拾斛壱斗玖升漆合伍勺
不動壱萬肆仟陸伯弐拾玖斛漆斗陸升肆合伍勺陸撮
動用伍仟壱伯玖拾斛肆斗参升弐合玖勺肆撮
*穎稲弐萬弐伯陸拾漆束伍把捌分々之伍
酒陸拾伍斛
盛瓱壱拾参口　々別受五斛

一の動用穀倉。

109御使連乙麻呂　本帳（137・273）以外に、二条大路木簡の・「和泉□御□□万呂山□」・「越前介佐味虫万呂」（平城京三4760）。

110賑給（16・18・21・112・150ほか）　賑恤とも。国家の慶事や疫病・飢饉などに際し、高齢者・身寄りのない人・僧・病人などに食料などを支給する制度。実施の契機や内容は多様（[09]駿河103・[13]佐渡11・[15]但馬3・[17]隠岐37・[20]周防101・[21]長門30・[23]淡路28・[26]豊後29・[27]薩摩53）。

114返納振入（151・301）　穀の会計を振定量（↓用語〔稲〕）で完結させるために、未振量での支出を振定量に換算する帳簿上の操作。未振量での支出額の1/10を（さらに振入して）戻す。本項では、振定量表記の108定稲穀から、未振量で110賑給・112賑給を支出した（残りが114遺）。これでは引きすぎ（110賑給・112賑給を振定量にして引くべき）なので、余分な支出額である115振定（110賑給・112賑給の1/10をさらに115振入した）を、「返納振入」として収入とした（[13]佐渡13其振所入…返納本倉、[17]隠岐39振所入…返納本倉、[20]周防210振所入返納本倉、[21]長門30振所入返納本倉）。

116合遺定稲穀　この倉の年度末残高。振定量。

118東第肆板倉　次項以下には不動倉七間、穎倉五間、借納放生稲一間、空十間、屋二宇（並穎稲）および郡司位署があったはず。

D断簡　監衙所在の和泉郡部末表示、神税（↓173）部、および倉屋部前半。

119振定　当天平九年度和泉郡稲穀の決算残高。振定量。

122穎稲　当年度和泉郡穎稲の決算残高。

125 正倉弐拾間　不動十間　動用二間　穎三間　空四間　借納義*倉一間
126 屋参宇　穎稲二宇　空一宇
127* 穴*師神戸税天*平八年定穎稲参仟陸伯伍拾漆束玖把捌分
128 加*納穎稲弐伯漆拾伍束陸把伍分　当年田租依天*平九年八月十三日恩勅免訖即依民部省天*
129 平九年十月五日符　割充正税者
130 天平四年未納弐仟壱伯弐拾玖束　借*貸者
131 合*定穎稲参仟玖伯参拾参束陸把参分
132 用稲陸束　祭神料
133 遺*定参仟玖伯弐拾漆束陸把参分
134 倉*弐間　屋*壱宇
135* 動用　南院北第壱法*倉　長七丈二尺　広二丈一尺　高一丈四尺五寸　塞　長七尺　広五尺二寸　積高　八尺九寸　天平八
136 年帳定稲穀肆仟肆伯弐拾弐斛陸斗捌升陸合参勺　天平八年　正正六位上
137 勲十二等御使連　乙麻呂収納者　天*平十年二月廿八日量計応定稲穀肆仟捌
138 伯陸拾肆斛玖斗伍升肆合玖勺参撮　未振　所*欠陸拾壱
139 斛捌*斗捌升

125 義倉　↓03摂津12

〔127～134〕 和泉郡部に続く和泉郡神税部。和泉監で神税があるのは和泉郡穴師社のみ。173～182はこの神税を収納する倉屋。

127 穴師　大同元年牒に穴師神五二戸のうち八戸が和泉に所在。大倭国城上郡の穴師坐兵主神社の神戸(大倭77穴師神戸)。神名式には泉穴師神社二座(小社)があり、承和九年十月無位から従五位下(続後紀)、貞観十年二月正五位下から従四位下に昇叙(三代実録)。現大阪府泉大津市豊中町に鎮座。

127 天平八年定穎　前年度から繰越の神税穎稲。

128 加納穎稲　免除した神戸租に代える正税稲。↓37神戸調銭・39神戸田租

128 天平九年八月十三日恩勅　↓7

128 天平九年十月五日符　↓37。対応の支出は39。

130 借貸者　78天平九年八月十三日恩勅で免除されておらず百姓への借貸とは考え難い。79前監司の借貸と同じ天平四年のもの。神税だから神職が借りたとする説あり。

131 合定　127定穎と128加納穎稲の合計。

133 遺定　131合定から132用を引いた穴師神税穎稲の当年度残(↓174)。

134 倉弐間・屋壱宇　↓175・177・179

〔135～172〕 当和泉郡倉屋部。郡部記事に直結せず、神税部(127～134)をはさむのは、これが本来正税帳とは別の帳簿だったことによるか(↓〔96～118〕)。

135 法倉　主税式下1正税帳条は正倉を倉・屋・借倉・借屋の総称とする。倉は法倉(甲倉と板倉)・凡倉(↓09駿河229)・土倉に区分。法倉は横羽目板を落とし板とする落しはめ方式の長大な倉か

140 見定肆仟捌伯参斛漆升肆合玖勺参撮 振入四百卌六斛六斗四升三合一勺七撮

141 振定肆仟参伯陸拾陸斛肆斗参升壱合漆勺 天平九年正従六位上勲十二等黄文連伊

142 加麻呂　少領外従七位下珍県主倭麻呂*

143 不動 西第壱板倉 長二丈六尺四寸　広一丈九尺四寸　高一丈二尺九寸　塞 長六尺七寸　広四尺五寸　積高 一丈五寸　稲穀

144 壱仟捌伯参拾漆斛 振入一百六十七斛　振定壱仟陸伯漆拾斛

145 底敷穎稲弐伯壱拾捌束 養老六年正正六位上奈貴首百足

146 西第弐板倉 長一丈九尺　広一丈七尺　高九尺　収納天平八年穎稲弐仟漆伯

(147)*

（E断簡）*　○紙面に「和泉監印」あり。　（正集巻十三・第十一紙）

148* 依天平九年五月十九日恩　勅賑給高年鰥寡惸独

149 等　参伯壱拾斛肆斗

150 依天平九年九月廿八日恩　勅賑給高年八十年已上伍拾

151 陸斛　遺漆伯玖拾斛陸斗玖升弐合壱勺　返納振

152 入参拾陸斛陸斗肆升 振入三斛三斗三升九勺一撮　振定参拾参斛

（293・06尾張9・10伊豆86）。塞が一つなので、入り口は一つで内部の間仕切りはなかったか。

137天平十年二月廿八日　↓101天平十年二月廿日

138所欠　103にならって倉庫令を適用すれば、この倉は天平八年収納から天平十年量計まで経三年だから、一斛聴耗一升で四八斛の除耗が認められ、全所欠一三斛八斗八升となるはず。未詳。

139捌斗　大古・寧遺は「肆斗」に作るが誤り。

142珍県主倭麻呂（154・167・172・182・183）本帳では少領だが、日本霊異記中巻二縁に「和泉国泉郡大領血沼県主倭麻呂」。「珍」（珍努）県主は和泉郡の豪族。主帳も同氏（176）。選叙令7同司主典条で三等以上の親族の同司連任は禁止されているので、特例である可能性あり。

〔(147)〕　本行は復元帳が推測復元した行であるが、該当する幅5㎜の極小紙片の存在が指摘されている。↓断簡整理・表裏対照表

E断簡　和泉郡部末。C断簡（大鳥郡）・F断簡（日根郡）と同様の郡の支出記事あり。穴師神税のD133とE174が同額なので、D・Eは同郡。

〔148～182〕　和泉郡部末の倉屋部（前欠）。

153 参斗玖合壱勺

154 合遺定捌伯弐拾肆斛壱合弐勺 天平九年正従六位上勲十二等黄文連 伊加麻呂　少領外従七位下珍県主倭麻呂

155 不動 南第壱板倉 長二丈七尺　広一丈九尺 五寸　高一丈三尺五寸　塞 長六尺八寸 広五尺六寸　積高 一丈一尺 八寸　稲

156 穀弐仟弐伯斛 振入二百 斛　振定弐仟斛　底敷穎稲弐伯

157 捌拾参束 養老六年正正六位上奈貴首百足

158 不動 南第参板倉 長二丈二尺八寸　広一丈七尺 七寸　高一丈二尺二寸　塞 長六尺四寸 広四尺一寸　積高 一丈八 寸

159 稲穀壱仟伍伯玖拾伍斛 振入一百卌 五斛　振定壱仟肆伯伍拾斛

160 底敷穎稲弐伯壱拾弐束 養老六年正正六位上奈貴首百足

……………………（継目裏書）

（第十二紙）

161 東第壱丸*木倉 長一丈三*尺三寸　広一丈 四尺四寸　高六尺　空

162 東第弐丸木倉 長一丈四尺五寸　広一丈一尺 四寸　高六尺一寸　空

163 東第参丸木倉 長一丈四尺　広一丈二尺 高六尺二寸　空

164 東第肆丸木倉 長一丈一尺四尺　広一丈二尺 五寸　高六尺　空

165 西壱屋 長四丈七尺　広一丈六 尺七寸　高一丈七寸　収納穎稲陸仟肆伯捌拾弐束 出挙*[　] 二千八百六十

166 七束三把二分　借貸一千卌四束 雑用下二千一百卌三束把九分々之五*　遺肆伯参拾漆束伍把捌分々

167 之伍 天平九年正従六位上勲十二等黄文連伊加麻呂 少領外従七位下珍県主倭麻呂

161 丸木倉　丸木による校倉組みの倉庫か。平面は正方形に近く、小規模。初期の正倉として主に穎稲用に使用か。他国正税帳にはみえず。

161 三尺　大古・寧遺は「二尺」に作るが誤り。

165 出挙[　]　275などによれば「出挙下」。当和泉郡の当年出挙稲は、本項・168西第弐屋・170南院北屋の合計一一〇〇〇束。

166 把九分々之五　〇把九分五のこと。束に続けて「九分」とすると九把の意味になるおそれがあるため「把九分」と表記した（→10伊豆46把伍分）。分々之五→225分々之伍

西第弐屋　長四丈六尺　広一丈七尺　高一丈　収納穎稲壱仟弐伯伍拾玖束陸把捌
分　*出挙下尽　空
南院北屋　長四丈二尺　広一丈六尺二寸　高一丈一尺　収納天平八年穎稲陸仟捌伯漆拾
参束　出挙下尽　収納天平九年穎稲捌仟弐伯玖拾捌束　死伝
馬皮二張直廿束　正税八千二百七十八束　*天平九年正従六位上勲十二等黄文連伊加麻呂　少領外従七位下珍県主倭麻呂
*穴師*神税
合*定穎稲参仟玖伯弐拾漆束陸把参分
東第壱丸木倉　長一丈五尺二寸　広一丈七尺　高六尺五寸　穎稲壱仟弐伯弐拾捌束壱
把陸分　天平五年令史従八位下*椎田連嶋麻呂　主帳无位*珍県主深麻呂
*東第参板倉　長一丈六尺　広一丈四尺　高七尺八寸　古穎稲壱仟弐伯漆拾弐束　*可得二升一百
五十束　可得一升九百九十二束　蒿而无穂一百卌束
西屋壱宇　長二丈六尺四寸　広一丈三尺　高七尺*三寸　収納穎稲壱仟壱伯伍拾漆束捌把
弐分　*加納天平九年田租穎稲弐伯陸拾玖束陸把伍分
*合定穎稲壱仟肆伯弐拾漆束肆把漆分　天平九年正従六位上勲十二等黄文連伊加麻呂
少領外従七位下珍県主倭麻呂

169出挙下尽（171・284）出挙のために出倉して空になった状態。小規模な倉屋はそのままにしておき（本項・283）、その後の使用は大型倉屋に集中（170・308）したか。

172正従六位上　この部分、大古・寧遺の語順に混乱あり。「正」は和泉監正。

〔173～182〕　和泉郡倉屋部付載の神税倉屋記事。神税部に付随するのではなく、倉屋記事に付随する。

173神税　神戸から徴収された田租で、神祇令20神戸条によれば、神戸の調庸とともに神社造営・供神調度などに使用。出挙は禁止（神祇令20神戸条義解）。

174定穎稲　当天平九年度末の穴師神税穎稲残額（133）。内訳は175穎稲・177古穎稲・181合穎稲。

176椎田連嶋麻呂　他にみえず。

176珍県主深麻呂　他にみえず。珍県主→142

177東第参板倉　古穎稲のみを収納している。神税なので長期間放置していたか。

177可得　古穎稲を為穀（→05伊賀5）した場合の見積もり。穎一束と穀一斗とは公式的に等価だから、一束から一斗を得るはずだが、ここでは二升か一升しか得られない予想。また既に「穂」（ここでは実の意か）が消滅した稲もあり。

179三　大古・寧遺・復元帳も同じだが、第一画は「二」の上に付いた墨点の可能性あり。

180加納　128加納からすでに132用を引いている。

181合定穎稲　179収納穎稲・180田租穎稲の合計。

183* *郡司　少領外従七位下珍県主「倭麻呂」

（正集巻十四・第一紙）

（*F断簡）○紙面に「和泉監印」あり。

184 日根郡*天平八年税帳遺定稲穀伍仟漆伯弐拾捌斛陸升捌勺陸撮

（継目裏書）
（第二紙）

185 *簸振量収所入伍伯弐拾斛漆斗参升弐合捌勺

186 *振定伍仟弐伯漆斛参斗弐升捌合

187 不動弐仟参伯肆拾陸斛

188 動用弐仟捌伯陸拾壱斛参斗弐升捌合

189 穎稲壱萬参仟玖伯参拾参束壱把玖分

190 *出挙捌仟束

191 負死伯姓漆拾捌人　免税壱仟捌伯壱拾束

192 未納壱仟陸伯肆拾陸束　負伯姓壱伯壱拾伍人

193 定納陸仟捌伯壱拾陸束（本四千五百卌四束　利二千二百七十二束）

194 *当年応輸租穀依天平九年八月十三日恩　勅免訖

195 遺穎稲伍仟玖伯参拾参束壱把玖分

〔183・184〕 183までは正集十三巻、184からは正集十四巻。巻を違えるも直接接続する。

183郡司　和泉郡部末尾の郡司署名。一人のみが当年の郡司に欠員が多かったか。→312

F断簡　E断簡（和泉郡部）と直接接続。日根郡部初表示から中間表示まで。

184天平八年税帳遺　前年度から繰越の日根郡稲穀。未振量（→用語〔振入〕）。

185簸振量収所入　「量」字の下「計」字脱か（→87簸振量計収所入）。184の1／11だが端数「陸撮」を切り捨てて割り切っている。

186振定　185簸振量収所入の正確な一〇倍。184の振定量。内訳は187不動と188動用。

190出挙捌仟束　274南第参丸木倉・283北第弐丸木倉・308東第壱屋から支出。

194当年応輸租穀　首部はこの前に借貸があるので（6）、当日根郡からは借貸（監司借貸）なし。

196 死伝馬皮壱張　直稲壱拾束
197 合*定稲穀伍仟漆伯弐拾捌斛陸升捌勺 未振
198 穎稲壱萬弐仟漆伯伍拾玖束壱把玖分
199* 雑*用参仟陸伯捌拾漆束壱把肆分 *穀二百六十八斛四斗 *穎稲一千三束一把四分
200 依民部省天平九年四月廿一日符急戸捌拾玖烟口弐
201 伯捌拾弐人 男九十四人 女一百八十八人 賑給稲穀捌拾玖斛捌斗 廿六人別
202 五斗 二百五十六人別三斗
203 依五月十九日恩　勅賑給僧并高年鰥寡惸独等参
204 伯漆拾陸人　稲穀壱伯伍拾壱斛陸斗 有病僧二人別四斗 九十年三人別
205 八斗 八十年廿五人 鰥卅九人 寡二百十五人 惸九十人 独二人 合三百七十一人別四斗
206 依九月廿八日恩　勅高年八十年已上弐拾肆人　賑
207 給稲穀弐拾漆斛 九十年三人別二斛 八十年已上廿一人別一斛

……………（継目裏書）……………

（G*断簡）〇紙面に「和泉監印」あり。　（正集巻十四・第三紙）

208 納民部省年料交易麦肆斛 大麦二斛 小麦二斛 直稲捌拾束

197合定稲穀　稲穀の中間まとめ。185籔振量と186振定を改めて合計しているので、108天平八年税帳遺より六撮少ない。

〔199〜254〕　日根郡部の雑用（支出）。内訳は完存。現存首部12以下に対応記事あり。

199雑用　雑用支出の合計。穎稲で記すが穀も穎に換算して合計している。分注は内訳の穀と穎稲。

199穀　内訳は200・203・206の賑給。すべて293動用北第陸法倉から支出（296・298・300）。これよりH断簡がF断簡同様日根郡であることが判明。

199穎稲　内訳は208〜225。すべて274南第参丸木倉から支出。

G断簡　日根郡部。わずかに欠失するが、F断簡と直接接続する。継目裏書はF断簡左端とG断簡右端にまたがる。

209 斛別廿束

210 難波宮雇民粮米陸斛料稲壹伯弐拾束

211 伝馬壹匹 中 直稲壹伯捌拾束

212 依民部省天平九年十二月廿三日符進上県醸酒壹斛漆

213 斗伍升　料稲参拾束陸把弐分々之伍

214 依*民部省天平九年十一月十三日符*官奴婢食料進上米

215 伍斛玖斗陸升伍合　料稲壹佰壹拾玖束参把

216 依民部省天平九年十一月九日符給*大鳥連大麻呂*地

217 黄煎料米弐斛　料稲肆拾束

218 依*民部省天平九年十一月十三日符交易進上*真莒壹

219 拾合　直稲壹伯弐拾束 合別十二束

220 *監月料稲壹伯捌拾壹束 故令史　将従二人起天平九年正月一日迄七月四日合一百八十一日々別一束

221 *朝使*単伍人 官人二人従人三人 食稲壹束漆把 二人別四把三人別三把 酒弐升

222 二人別一升 料稲参把伍分

223 *監巡行部内単参伯参拾陸人 官人一百十二人従二百廿四人 食稲壹伯

214民部省天平九年十一月十三日符　35・15但馬17では十一月十二日付。「十三日」は218と混同した誤記か。

214官奴婢食料進上米　→35官奴婢食料米

216大鳥連大麻呂地黄煎料　監から米七斛支給(31)。うち当日根郡からは二斛。「作地黄煎之処」(三代実録貞観二年十二月条)の例があるから、「料」は「所」の誤記で、本来「造地黄煎所」(31)か。未詳。

216地黄　ゴマノハクサ科のアカヤジオウ。和名は「佐保比女」。典薬式地黄煎料条に和泉国が一〇石の生地黄を貢納。根を煎じて薬とする。

218民部省天平九年十一月十三日符　他にみえず。首部欠損部にも記していたか。

218真莒　「莒」は「筥」の誤記または通用。筥は米などを入れるのに使う丸籠。真筥は優品を指すか。日根郡には中世に筥作庄(現大阪府阪南市箱作)が所在。

220監月料　→48。食法(→20周防96食法)を国司巡行や往来使に同じとすると(一人一日令史四把・将従三把)、この令史は七月四日ないし五日の死亡となる。日根郡部での監月料支出はこれだけなので、郡ごとに官人一人の月料を負担したか。

221朝使　中央から派遣される使。この官人二人は226祭幣帛幷大祓使の村国連広田と229祭幣帛使の丸連群麻呂を指す。本項は226・229の二度の巡行の、朝使の食費の合計。

221単　のべ。

〔223〜225〕　226〜254の巡行記事の、監官人食費の合計。226・229のうち朝使関係は含めず。

224 壱拾弐束 一百十二人別四把 二百廿四人別三把 酒壱斛参升捌合 七十一人別一升 卌一人別八合

225 料稲壱拾捌束壱把陸*分々之伍

226 祭*幣帛并*大祓使従七位下*村国連広田　将従弐人

227 *従監史生壱人　将従壱人　経壱箇日　食稲

228 壱束漆把　酒壱升捌合

229 祭幣帛使位子无位*丸連群麻呂　将従壱人　従

230 監正　将従参人　経壱箇日　食稲弐束　酒

231 弐升

（継目裏書）（第四紙）

232 *修理池史生壱人　将従壱人　経弐拾箇日　食稲壱

233 *拾肆束　酒壱斗陸升

234 *出挙正税　正令史　史生壱人　将従陸人　弐度　経壱

235 拾壱箇日　食稲参拾参束　酒参斗捌合

236 *難波宮雇民粮充　正　令史　史生壱人　将従陸人

237 経壱箇日　食稲参束　酒弐升捌合

238 催伯姓産業令史　将従弐人　弐度　経壱拾箇

225分々之伍（12・14・34ほか）　把の1/10の単位としての「分」の5/10。「壱把陸分々伍」は「一把六分五」。当和泉帳のみにみえる表記で、「六分半」とはしない。→24伊予2弐分半・27薩摩9拾分把之

226幣帛　祭礼での神への捧げ物。その使者が祭幣帛使・奉幣使。ここでは大祓使も兼ねる。

226大祓　天下の罪穢を祓い除き、清浄にするための神事。神祇令18大祓条によれば毎年六月と十二月の晦日におこなうが、このほか大嘗祭、斎宮の卜定、疫病流行などの時にも実施。天平九年は疫旱はげしく、しばしば神祇を奠祭した（続紀五月壬辰、七月乙未、八月甲寅各条）。226・229の巡行はこれらの奉幣に関わるか。

226村国連広田　他にみえず。

227従監　朝使に同行する監官人。本項は史生。229は正。

229丸連群麻呂　他にみえず。

232修理池　三郡に共通する巡行項目と推定。二〇日間は一郡滞在日数としては最長。作業を督促・慰労し、人夫に酒糟を支給（→73）したか。

233拾　復元帳は「給」に作るが誤り。

234出挙正税　→用語「出挙」。貸付の監督のための巡行。→53徴納正税

236難波宮雇民粮充　三郡に共通する巡行項目と推定。雇民粮米の支出は、25・210。

239 日　食稲壱拾束　酒壱斗
240 責計帳手実正　将従参人　経参箇日　食稲参
241 束玖把　酒参升
242 検校栗子正　将従参人　経壱箇日　食稲壱束参
243 把　酒壱升
244 伝馬価充正将従参人　経壱箇日　食稲壱
245 束参把　酒壱升
246 巡行部内教導伯姓正　令史　史生壱人　将従陸
247 人　経肆箇日　食稲壱拾弐束　酒壱斗壱升
248 弐合
249 監月料充　正　令史　史生壱人　将従陸人　弐度
250 経肆箇日　食稲壱拾弐束　酒壱斗壱升弐合
251 徴納正税正　将従参人　弐度　経壱拾箇日
252 食稲壱拾参束　酒壱斗
253 封正倉　正　将従参人　経伍箇日　食稲陸束伍把

254 酒伍升

255 合酒糟漆斗弐合　修*理池人夫単弐伯参拾肆人 人別三合

(正集巻十四・第五紙)

*(H断簡)　〇紙面に「和泉監印」あり。

256 □* 大*領日根造玉纏□一斛九斗

257 少領別*君豊麻呂十一斛七斗四升四合三勺
主*帳日根造五百足九斛七斗

258 欠*酒参拾玖斛参升捌合 前佑丹比宿祢足熊可償未進

259 合遺定稲穀伍仟肆伯伍拾玖斛陸斗陸升捌勺 未振

260 籡振量収所入肆伯玖拾陸斛参斗参升弐合捌勺

261 振定肆仟玖伯陸拾参斛参斗弐升捌合

262 不*動弐仟参伯肆拾陸斛

263 動*用弐仟陸伯壱拾漆斛参斗弐升捌合

264 穎*稲壱萬壱仟漆伯伍拾陸束把*之伍分

265 酒肆拾斛

266 盛瓱捌口 口別受五斛

255 修理池　↓232
H断簡　日根郡部の末表示、倉屋部、正税帳全体の末尾まで。
256 □　79同様の監司・郡司連帯での未補塡の欠負欠損か。
256 日根造玉纏　本帳(273・279・281・307)以外にはみえず。日根造氏は日根郡の豪族。新撰姓氏録和泉諸蕃によれば新羅系渡来氏族。本帳によれば大領と主帳(257)を連任。
257 別君豊麻呂　他にみえず。
257 日根造五百足　他にみえず。276・286・304・310・312では「擬主帳」とあるので、ここは「擬」字脱か。
258 欠酒　↓81
262 不動　年度末の当日根郡不動穀残高。年初187と同額。不動倉269・287・290に収納。
263 動用　年度末の当日根郡動用穀残高。293動用北第陸法倉に収納。
264 穎稲　198穎稲から199雑用(穎稲)を引いた、当年度当日根郡穎稲の残高。269~310の正倉記載の、底敷穎稲も合わせた穎稲合計額と一致。
264 把之伍分　〇把五分。把の1/10の単位としての「分」が不安定なので把の5/10と記した。↓09駿河215束把半・27薩摩9拾分把之

267 正倉壱拾肆間 不動三間　動用一間 穎六間　空四間
268 屋*弐宇 穎一宇 空一宇
269* 不動 南第壱甲倉* 長一丈六尺四寸　広一丈 二尺二寸　高一丈一寸　塞 長三尺九寸 広三尺四寸　積高 九尺 五寸　稲穀
270 陸伯伍斛 振入五十 五斛　振定伍伯伍拾斛　底敷穎稲壱伯
271 肆拾参束 養老六年正正六位上奈貴首百足
272 南第弐丸木倉 長一丈三尺五寸　広一 丈二尺　高七尺　収納天平八年穎稲漆伯陸拾肆
273 束伍把 天平八年正正六位上勲十二等御使連乙麻呂 大領外正七位上勲十二等日根造玉纏
274 南*第参丸木倉 長一丈九尺　広一丈 六尺　高九尺　収納天平八年穎稲弐仟参伯肆
275 束 出挙下三百五十九束四把八分 *雑用一千三束一把四分　遺玖伯肆拾壱束参把捌分
276 天平九年正従六位上勲十二等黄文連伊加麻呂 擬主帳外*従八位下日根造五百足
277 南第肆板倉 長一丈三尺三寸　広一丈二尺 五寸　高七尺五寸　空
278 西第壱丸木倉 長一丈四尺　広一丈 二尺五寸　高七尺　収納天平八年穎稲弐伯漆拾陸
279 束壱把漆分 *天平九年正正六位上勲十二等御使連乙麻呂 大領外正七位上勲十二等日根造玉纏
280 西第弐甲倉 長一丈八尺　広一丈 六尺　高一丈一尺　収納天平八年穎稲壱仟漆伯参
281 拾捌束 天平八年正正六位上勲十二等御使連乙麻呂 大領外正七位上勲十二等日根造玉纏

（継目裏書）

（第六紙）

268屋弐宇　ここまで、日根郡部末表示。〔269～312〕日根郡倉屋部。
269甲倉（280・290）特殊な断面形状（六角形か）の校木（あぜき）で壁体を組み上げた校倉（24伊予16甲倉）。主に穀倉に使用。養老七年糙穀帳（大古一327）が初見。構木倉（27薩摩12）も同じか。
274南第参丸木倉　当年度支出にだけ用いた穎稲倉。いずれ空倉にする予定か（↓308）。
275雑用　199雑用と一致。
276従八位下　「八」を寧遺は「六」に作るが誤り。
279天平九年　273・281などからみて「天平八年」の誤り。

282 北第壱丸木倉　長一丈四尺　広一丈二尺一寸　高七尺　空
283 *北第弐丸木倉　長一丈八尺広一丈五尺八寸　高九尺四寸　収納天平八年穎稲弐仟弐
284 伯壱束　出挙下尽　空
285 *北第参板倉　長一丈八尺五寸　広一丈六尺一寸　高一丈　収納天平九年穎稲壱仟漆伯
286 陸束　天平九年正従六位上勲十二等黄文連伊加麻呂　擬主帳外従八位下日根造五百足
287 不動　北第肆板倉　長一丈八尺二寸　広一丈六尺一寸　高九尺四寸　塞　長六尺六寸　広四尺　積高九尺　稲
288 穀捌伯玖拾漆斛陸斗　振入八十一斛六斗　振定捌伯壱拾陸斛
289 底敷穎稲壱伯弐拾伍束　養老六年正正六位上奈貴首百足
290 不動　北第伍甲倉　長一丈八尺　広一丈五尺三寸　高一丈二尺　塞　長四尺一寸　広四尺　積高一丈一尺　稲
291 穀壱仟漆拾捌斛　振入九十八斛　振定玖伯捌拾斛　底敷
292 穎稲壱伯弐拾束　養老六年正正六位上奈貴首百足
293 *動用　北第陸法倉　長六丈　広二丈　高一丈三尺六寸　塞　長七尺四寸　広二尺四寸　積高七尺　天平

（継目裏書）

294 八年定稲穀弐仟捌伯陸拾壱斛参斗弐升捌合　天平八年正正

（第七紙）

295 六位上勲十二等御使　連乙麻呂収納者
296 *依民部省天平九年四月廿一日符急戸賑給稲穀捌拾玖斛

283 北第弐丸木倉　当年度出挙用穎稲を支出した倉。小型の穎倉は順次空にしていく政策か（→308東第壱屋）。

285 北第参板倉　当年度未使用の当郡穎稲倉で唯一収納天平九年とある。他はすべて収納天平八年。

293 動用北第陸法倉　当年度使用中の動用穀倉。→199穀

296 民部省天平九年四月廿一日符　→15

297 捌斗
298 依五月十九日恩　勅高年鰥寡惸独等人賑給稲穀壱
299 伯伍拾壱斛陸斗
300 依九月廿八日恩　勅高年八十年已上賑給稲穀弐拾漆
301 斛　遺弐仟伍伯玖拾弐斛玖斗弐升捌合　返納振入弐
302 拾陸斛捌斗肆升 振入二斛四斗四升 振定弐拾肆斛肆斗
303 合遺定弐仟陸伯壱拾漆斛参斗弐升捌合 天平九年正従
304 六位上勲十二等黄文連伊加麻呂 擬主帳外従八位下日根造五百足
305 東院北第壱丸木倉 長一丈一尺　広一丈　高八尺　空
306 東院北第弐丸木倉 長一丈二尺五寸　広一丈四寸　高八尺　収納天平八年稲*捌
307 伯弐拾弐束 天平八年正正六位上勲十二等御使連乙麻呂 大領外正七位上勲十二等日根造玉纏
308 東*第壱屋 長*二丈八尺　広一丈七尺　高一丈一尺　収納天平八年穎稲伍仟肆伯
309 参拾玖束伍把弐分 出挙尽　収納天平九年穎稲伍
310 仟壱伯弐拾束 正税五千一百十束 死伝馬皮直十束　天平九年正従六位上勲十二等黄文連伊加麻呂 擬主帳外従八位下日根造五百足（継目裏書）（第八紙）
311 東第弐屋　空

306稲　この上に「穎」字脱か。
308東第壱屋　当年度出挙で一度空にし、その後穎稲収入をすべて収納する。当郡の穎稲収支をすべてこの屋に集中する方針か。
308長二丈　大古・寧遺は「長一丈」に作るが誤り。なお、「二」の上に小さな横棒線あり。

312 郡司* 擬主帳外従八位下日根造*
313 以*前天平九年収納正税并神税如件仍付*
314 正従六位上勲十二等黄文連伊加麻呂申
315 送以解
316 天平十年四月五日*
317 従六位上守正勲十二等黄文連*「伊加萬呂」

312 郡司　日根郡部末尾の郡司署名。一人だけだが当年の郡司に欠員が多かったか。↓183

312 擬主帳外従八位下日根造　この下自署の予定だったが、欠く。日根造↓256・257

313 以前…以解　解形式である「収納正税帳」（0継目裏書）の結びの文言。これによれば本文書は「正税・神税帳」。↓02大倭282以前収納…謹解

313 付正　↓05伊賀14付史生

316 天平十年四月五日　民部式下14正税帳条の二月末日以前に京進との規定がいつから始まるか不明であり、現存する天平期税帳でも当年十二月（02大倭・06尾張・07尾張・23淡路）から翌年二月（05伊賀・08駿河・11越前・17隠岐）、四月（04和泉）・七月（19周防）とさまざま。↓02大倭283十二月廿日。この下に目ないし史生の署名がないのは異例。

317 黄文連伊加萬呂　復元帳は「黄文連伊加麻呂」に作るが誤り（↓106黄文連伊加麻呂）。監司署名が正だけであり、そのまま税帳使になる（313）のは、佑は巡行にみえず欠員、令史は七月に死亡（220）で、両官とも未補充のためか。現存料紙はここで截断ではなく、他の官人が位署する余白あり。本帳は継目裏書（0）・末尾日下に位署がなく（316）、作成が四月である（316）。九年度事業である穀倉検量を十年二月におこない（101・137）、正が確認している（105・141）など、監司の態勢は不備だった。

05 伊賀国大税帳　天平二年度

（正集巻十五・第一紙）

（A*断簡）〇紙面に「伊賀国印」あり。
利*参仟弐伯陸拾陸束
併*本利玖仟漆伯玖拾捌束
遺*弐萬肆仟壱伯壱拾捌束弐把捌分
合*参萬参仟玖伯壱拾陸束弐把捌分
為*穀壱萬弐仟伍伯肆拾参束肆把捌分得穀*壱仟弐
伯伍拾肆斛参㪷*肆升捌合　振入*一百一十四斛三升一合六勺三撮斛別*一斗
定*壱仟壱伯肆拾斛参㪷壱升陸合参勺漆撮
遺*穎弐萬壱仟参伯漆拾弐束捌把
当年輸租穀弐仟漆伯捌拾弐斛弐升漆合漆撮　振入二百五十二斛
九斗一升一合五勺五撮斛別一斗
定*弐仟伍伯弐拾玖斛壱㪷壱升伍合伍勺弐

A断簡　首部の中間表示。一郡分としては9当年輸租穀は他帳に比べて過大なため。

1利　大税出挙（→用語〔出挙〕）の利稲。2との関係から利五割が判明。

2併本利　回収した本稲と利稲の合計。

3遺　年初の穎稲から出挙を支出した残り。

4合　2併本利と3遺の合計。当年度穎稲の出挙後の決算高。

5為穀　→用語〔稲〕。為穀は天平二年度に本帳（05伊賀）・11越前96・22紀伊7、九年度に15但馬144・21長門28で実施。六年度07尾張138造穀も同じ。天平二年度02大倭は大税穀増加策をとっているが（→02大倭38地子稲）、これは同年の他国も同じか。九年は田租免除（続紀八月甲寅条）なので、田租穀にかわる穀確保のためか。六年は同年出雲国計会帳に「税稲為穀」の民部省符が来ている（大古一587）。いずれも穎稲一束から稲穀一斗を得る。

5得穀　為穀によって得た稲穀。未振量（→用語〔振入〕）

6㪷（斗）　→01左京2

6振入　→用語〔振入〕

6斛別一斗　一斛一斗について一斗。この表現は天平二年度の本帳（05伊賀）・02大倭47・11越前5のみにあり、四年度以降帳は「斛別入一斗」とする。

7定　5得穀から6振入を引いた振定量（→用語〔振入〕）

8遺穎　4合から5為穀を引いた、穎稲の現在高。

11定　9当年輸租穀から9振入を引いた振定量。

12* （B*断簡）○紙面に「伊賀国印」あり。　　（正集巻十五・第二紙）

動穀倉□間

13 郡司 領*外正八位下伊賀朝臣果安*
主帳外少初位上勲十二等夏身金村*　　（第三紙）

14 右*件大税雑用幷収納顕注如前仍付史*生*

15 従八位下韓*国君佐美申送謹解

16 天*平三年二月七日従八位上行目佐婆臣*「安麻呂」

17 従六位上行守勲八等葛井連*「人根」

B断簡　某郡部末尾の郡司位署および本帳全体の末尾。民部式・和名抄61では伊賀国四郡は阿拝・山田・伊賀・名張の順で、和名抄73によれば名張郡は周知・名張・夏身の三郷（霊亀三年以前は「里」）からなる。記載順と13の主帳が夏身氏なので、B断簡は名張郡の可能性大。

[12]　目録によれば、続々修三十二帙第五巻第八断簡（第十紙）の右端に本行に該当する「動穀倉」云々が左文字となって附着している（→影印編口絵1）。またその下方に門構えの左が見える。本行を加えるので12以降復元帳と行番号が異なる（→凡例五1）。

13領　この郡が小郡であることを示す。戸令2定郡条によると小郡は二里以上三里以下。

13伊賀朝臣果安　他にみえず。伊賀氏は伊賀郡・名張郡の豪族。

13夏身金村　他にみえず。夏身氏は名張郡夏身郷の豪族。

14右件大税雑用幷収納…謹解　→02大倭282以前収納…謹解

14付史生　税帳使。その役職は、史生（本帳・11越前142・17隠岐126・19周防60）、守（07尾張172・08駿河89）、正（04和泉314）。

14史生　以下15末までの墨色が違う（→影印編口絵1）。この帳は税帳使未定の状態でこの前までを浄書したか。

15韓国君佐美　他にみえず。

16天平三年二月七日　墨色が違う（→影印編口絵1）。税帳使の出発日が決まってから日付を記したか。

16佐婆臣安麻呂　他にみえず。

17葛井連人根　他にみえず。

06 尾張国大税帳　天平二年度

(継目裏書)*「尾張国収納大税帳天平二年十二月少目従七位下勲十二等*秦前忌寸大魚」

(正集巻十五・第六紙)

(A断簡)*　○紙面に「尾張国印」あり。

*都合定穀弐拾壱萬参阡参伯弐拾肆斛捌斗（一十六万九千四百九十四斛六斗*不動）

*養老六年按察使検定穀壱拾陸萬弐阡捌伯捌斛捌斗

*縁振所入一万六千二百九十八斛九斗八升

*神亀元年以還穀伍萬伍伯壱拾陸斛（*縁振所入五千二百卌九斛五斗九升）

頴稲肆拾漆萬伍阡肆伯壱拾陸束陸把捌分半

*古糒弐阡壱伯漆拾陸斛参斗肆升壱合

*醤壱拾肆斛壱斗漆升伍合

*末醤弐斗壱升

*正倉壱伯伍拾壱間（一十間*法倉）

*新営肆間

継目裏書　三か所。便宜ここに掲示。

0秦前忌寸大魚　天平十二年十一月外従五位下、同十三年十二月参河守(以上、秦大魚)。同十八年九月下野守(秦忌寸大魚。すべて続紀)。

A断簡　首部の末表示。

1都合定穀　当天平二年度の決算高。振定量(→用語「振入」)。内訳は2と4。

1不動　都合定穀内の不動穀量。動用穀未成立で不動穀は穀の一部とされている。未振量に換算すると六年帳(07尾張3不動)とほぼ同一。

2養老六年　按察使(→11越前145)の検定によって確定した振定量による穀量。尾張国は美濃国守が按察使として管轄。

3縁振所入(4)「振入」(→用語「振入」)と同義であるが、振入はこれから引く額で、縁振所入は2検定穀(振定量)から既に引いている額。2検定穀の1/10とは端数処理以上の差があるから、実際に計量した結果か。大古はこの行を分注に作る。

4神亀元年以還穀　按察使検定以降の穀。振定量。2養老六年との間で、養老七年穀が不在。養老六年八月田租免(続紀)によるか。

4縁振所入　→3。ただし4神亀元年以還穀の1/10との差は、3より大きい。

6古糒　→18糒。古糒は06尾張・07尾張のみ。

7醤　→10伊豆18

8末醤　→10伊豆19

9正倉　→02大倭13

9法倉　→04和泉135

10新営　他帳にみない。当年度の新造(09駿河191・11越前9・20周防257・21長門66今造新倉・27薩摩13)か。他の官倉からの移管もあるか。

…………（継目裏書）（第七紙）

11 *借倉壱拾参間

12 *合壱伯陸拾捌間

13 *納雑色稲壱拾伍間

14 *定壱伯伍拾参間

15 *穀倉玖拾間　六十四間不動

（塵芥巻七・第一紙）

*（B断簡）○紙面に「尾張国印」あり。

16 穀倉壱拾壱間□間不動

17 穎倉肆間

18 *糒倉壱間

…………（継目裏書）（第二紙）

19 *倉下参間

20 郡司大領外正八位上*尾張宿祢「人足」

21 *少領外従八位上*民連「石前」

22 主政外大初位上勲十二等*尾張連「石弓」

11借倉　正規の正倉ではないが正倉として使用している倉。借納（→04和泉94）の逆。借屋もある。村里の豪族の倉（屋）を借用したとする説があるが、借りたのは官の倉であろう。

12合　今年度使用している広義の正倉。9・10・11の合計。

13納雑色稲　一六八間（12）のうち雑色官稲（大税以外の各種官稲）用として倉一五間が借納（→04和泉94）されている。

14定　12から13を引いた、今年度大税を収納している正倉。内訳は、15穀倉、および欠損部に穎倉（17）・糒倉（18）・倉下（19）があったか。

15穀倉　不動穀確立過程で、穀から1不動を、また穀倉から不動穀倉を取り分ける意識。動用穀・動用穀倉は未成立。

B断簡　某郡部末尾と山田郡部前半。某郡は民部式・和名抄61の記載順から、春部郡か。

18糒（6古糒）ホシイイ・ホシイ。飯を干して乾燥させた保存・携帯食。長期の保存にたえる（倉庫令復原7倉貯積条）。大膳式下18造雑物法条では、糯米一石から八斗の糒を造る。

19倉下　クラジ（神武即位前紀本注）、またはクラシタと読むか。高床倉庫の床下を倉庫としたものとの説や、倉・屋とならぶ独立した収納施設として数えられるので（07尾張168、11越前10ほか、20周防260）、高床でない倉とする説あり。

20尾張宿祢人足　他にみえず。

21少領　大古は「大領」に作るが誤り。

21民連石前　他にみえず。

22尾張連石弓　他にみえず。尾張連氏は尾張国の伝統的豪族、尾張国造家。20尾張宿祢氏も同族。07尾張119・148でも郡司職にある。

23 主帳外大初位上勲十二等＊三宅連　＊向京
24 主帳外少初位下勲十二等＊語部「有嶋」
25 山田郡
26 天平元年＊定大税穀弐萬捌阡弐伯陸拾肆斛壱斗伍升
27 ＊穎稲参萬玖阡伍拾玖束陸把捌分
28 ＊雑用捌伯弐拾参束伍把伍分
29 ＊二番＊匠丁粮料参伯陸拾捌束
30 依＊民部省符割充
31 ＊皇后宮職＊封戸租料肆伯伍拾伍束伍把伍分
32 遺参萬捌阡弐伯参拾陸束壱把参分
33 ＊出挙陸阡陸伯捌拾肆束
34 正身＊死亡肆人　＊免税壱伯漆拾弐束
35 ＊定納本陸阡伍伯壱拾弐束
36 利参阡弐伯伍拾陸束
37 合玖阡漆伯陸拾捌束

23三宅連　名不明。
23向京　署名できない理由。上京中。
24語部有嶋　他にみえず。
26定大税穀　前年度から繰越の当山田郡の大税穀。振定量。
27穎稲　前年度から繰越の山田郡の大税穎稲。
28雑用　内訳は29と30。
29二番　交替で上番(勤務)する二番目。一度の上番は一年以上だが、何番まであったか不明。
29匠丁粮　匠丁は技能を有する丁。飛騨匠丁が著名だが諸国匠丁も存在した(民部式上47飛騨匠丁条・70匠丁帰郷条)。国毎に上番しその食料は出身国が負担したらしい(07尾張12番匠・11越前27匠手粮・15但馬21番匠丁粮米)。病のため帰郷する常陸国(推定)の匠丁宍人部身麻呂が09駿河85にみえる。
30民部省符　未詳。この行が途中で改行しているのは、「皇后」への敬意を示すか。
31皇后宮職　既に中宮職(→09駿河148)が存在していたため、天平元年八月光明立后(続紀)に際し設置した令外官。その財政基盤である封戸が尾張国山田郡に存在したことを示す。ほかに天平七年相模国封戸租交易帳(大古一636)により相模国足下郡垂水郷、余綾郡中村郷、また09駿河151により駿河国に存在が判明。
31封戸租料　封戸租を免除した場合、その代替として封主に正税(大税)から租相当額を支給している(04和泉37民部省天平九年十月五日符)。本項は天平元年八月の皇后宮職発足後、封戸の点定が遅れたことによるか。
33出挙・34死亡・免税　→用語(出挙)
35定納本　33出挙から34免税を減じた、回収すべき出挙本稲額。五割の利(36)を加えて、37合。

*雑用参阡参伯束
*年料春税弐阡陸伯束
*依民部省符送斎宮漆伯束
遺陸阡肆伯陸拾捌束

（継目裏書）
（第三紙）

*古稲参萬壱阡伍伯伍拾弐束壱把参分
*□海部郡来弐阡弐伯漆拾陸束参把
自葉栗郡来□阡壱伯肆拾玖束
自春部郡来弐阡陸伯捌拾捌束
*当年輸租穀捌伯陸拾参斛捌斗捌升
*納春部郡伍升
遺捌伯陸拾参斛捌斗参升
*志摩国伯姓口分田輸租穀弐拾参斛壱斗

38雑用　雑用支出だが、28と違って、出挙収納(37)から支出する形。内訳は39と40。28と38との別は実際の出倉に対応しているか。

39年料春税　「年料」は毎年定例の意。正税穎稲を春米（春白米・白米）にして毎年規定量を大炊寮に納め諸司の常食に充当（職員令42大炊寮条、田令2田租条集解古記・令釈）。民部式下49年料租春米条で尾張国は大炊寮に一〇八〇石納入（07尾張8年料春白米・134年料白米、11越前3春料米、15但馬13年料春白米、22紀伊18年料白米）。

40依民部省符送斎宮　斎宮は伊勢神宮に奉仕する未婚の皇女（斎王）、またその居所。斎宮寮が付属。天平二年七月に斎宮への供給年料は神戸調庸などをやめ、官物を用いることとした（続紀）。民部省符はそれの開始に関する命令か。斎宮式78調庸雑物条では尾張国から毎年二〇〇石の春米を斎宮に送るとある。本項（山田郡）の稲七〇〇束は春米三五斛に相当。07尾張19では尾張国から春米三〇〇斛を送る。

42古稲　27穎稲から28雑用と33出挙を引いた、当年度変動のなかった穎稲。

43□　「自」字か。他郡から当郡へ移送した穎稲（44・45、07尾張113）。

46当　大古は判断不能として一字分空ける。

47納春部郡　当山田郡に輸された田租穀を春部郡へ納めた。郡を越えた口分田班給によるか（11越前38納加賀郡）。

49志摩国伯姓口分田輸租穀　当郡納入田租に含む。当山田郡に志摩国百姓の口分田が存在。続紀神亀二年七月条には、伊勢・尾張二国の田をもって、はじめて志摩国百姓口分に班給するとあり、民部式上131志摩口分田条も同じ。

07 尾張国正税帳　天平六年度

0 （継目裏書）*「尾張国収納正税帳天平六年十二月史生従八位上丹比新家連石麻呂*」

（A*断簡）○紙面に「尾張国印」あり。　（正集巻十五・第八紙）

1* *尾張国司解　申収納天平六年□

2 合八郡天平五年*定穀弐拾伍萬捌阡肆伯肆拾斛壱斗捌升壱合

3 *不動壱拾捌萬陸阡肆伯伍拾陸斛参斗陸升玖合

4 *動用漆萬壱阡玖伯捌拾参斛捌斗壱升弐合

5 *正税穀弐拾肆萬玖阡肆伯参拾壱斛陸斗陸升陸合

6 *郡稲穀捌阡伍伯肆拾捌斛弐斗肆升伍合

（B*断簡）○紙面に「尾張国印」あり。　（正集巻十五・第九紙）

7* *僧沙弥及潜女等　食料稲漆阡伍伯玖拾陸束

8 *年料春白米漆伯肆拾壱斛　充穎稲壱萬肆阡捌

継目裏書　七か所。便宜ここに掲示。

0丹比新家連石麻呂　他にみえず。末尾の署名174は「石萬侶」に作る。

A断簡　首部。正税帳全体の冒頭。

［1］　本行の翻刻は目録による。

1尾張国司解　→01左京1解

2定穀　前年度から繰越で、当年度初めの当尾張国正税穀全量。未振量（→用語〔振入〕）。内訳は3不動と4動用。また5正税穀・6郡稲穀および某稲穀（記事欠損。一つとは限らない。四六〇斛二斗七升）の合計。5・6および某稲は天平五年度末の状態で、2は六年正月実施の官稲混合（→用語〔官稲〕）後の新しい正税穀を記載（→121天平五年定穀）。

3不動　→用語〔官稲〕。本項を振定量にすると、ほぼ06尾張1不動と同額。差額は振入計算の端数処理の違いか、検量の結果か。

4動用　→用語〔官稲〕

5正税穀　前年度末の残高。

6郡稲穀　前年度末の残高。郡稲→用語〔官稲〕

B断簡　首部。中間表示。A断簡とは連続せず。

［7〜86］　雑用支出記事の中間から末。

7僧沙弥及潜女等食料稲　どこかへ送る食料稲（本項の直前項目。欠損）の内容。潜女は志摩国の「あま」のことか。御贄（→23紀伊70）を供することに従事。延喜主税式上93志摩潜女条（弘仁式も同じ）に、志摩国潜女の食料は毎年伊勢国正税をもって支給とある。その前段階か。僧・沙弥も志摩国か。天平十六年七月国分寺・国分尼寺稲の設置では、志摩国分は尾張国にあてている（三代格）。

8年料春白米　→06尾張39年料春税

伯弐拾束
納*大炊寮酒料赤米弐伯伍拾玖斛　充穎稲
伍阡壱伯捌拾束
*番匠壱拾捌人起正月一日尽十二月卅日合参
伯伍拾伍日　単陸阡参伯玖拾人　*正粮壱伯
弐拾漆斛捌斗　*儲粮参拾漆斛捌斗
合壱伯陸拾伍斛陸斗　充穎稲参阡参伯
壱拾弐束
*官奴婢食料米弐伯肆拾斛　充穎稲肆阡
捌伯束
依*民部省天平六年八月廿五日符送斎宮寮米
参伯斛　充穎稲陸阡束
*読金光明経幷最勝王経*供養料稲参拾束捌把陸
分
*講説最勝王経斎会三宝幷衆僧弐拾参口供養

10大炊寮酒料赤米　大炊寮に納入する酒の原料米。のち酒米料貢進国は畿内のみに(造酒式2年料醸酒条)。支出命令の官省符を記さないのは定例だからか。赤米→02大倭35赤舂米
12番匠　→06尾張29匠丁粮
13正粮　所定の食粮。本項および15但馬21番匠丁粮米によれば人別一日米二升。
14儲粮　正粮に対する予備。これがあるのは番匠が当国出身の、優遇すべき技術者だからか。
17官奴婢食料米　→04和泉35
19民部省天平六年八月廿五日符　他にみえず。→06尾張40依民部省符送斎宮
21読金光明経幷最勝王経　正月十四日の斎会か。→09駿河125金光明経幷最勝王経
21供養　→02大倭252
23講説最勝王経斎会(133)　臨時の斎会。天平六年出雲国計会帳に「応説最勝王経状」の太政官符がある(大古一588)。諸国に開催を命じたか。

25布施　→02大倭253
26雑任国司　ここでは新任国司を指す(08駿河1)。→27薩摩62新任国司
26史生　国司であるが「官人」ではない。
27若湯坐宿祢小月(176)　当年着任。神亀五年五月外従五位下(続紀)。
27食料稲四百六束　七月四日～八月卅日(五六日)・日別一束三把(国司巡行食法→20周防96食法)、九月一日～十二月卅日(一一九日)・日別二束八把(公廨食法→27薩摩65食法)と推定可能。
27於忌寸人主　前年着任。当年着任の27若湯坐宿祢小月と交替。新任国司としての給粮は当年

料参伯伍拾参束
＊布施料稲伍阡弐伯弐拾束
＊雑任国司官人伍人　＊史生一人
介外従五位下勲十二等＊若湯坐宿祢小月＊食料稲四百六束
前介正六位上勲十二等＊＊於忌寸人主＊＊食料稲六百五十一束五把
掾正七位下勲十二等＊＊佐伯宿祢毛人＊＊食料稲五百卅一束
大目正八位下＊伊吉連大魚食料稲四百一束二把
少目正八位下＊＊大蔵忌寸子虫食料稲四百一束二把
史生従八位上＊御手代直男綱＊食料稲八十六束七把
＊錦并綾生伍拾陸人食料稲伍伯玖拾捌束肆把
錦生肆人織綿＊参匹＊単壱伯壱拾肆日食
料稲壱伯捌拾弐束肆把　日別一束六把
綾生伍拾弐人織綾伍拾弐匹単壱阡肆
拾日食料稲肆伯壱拾陸束　日別四把
（継目裏書）
（第十紙）
＊醸酒穎稲参伯伍拾束
＊年料馬蓑弐拾領直稲捌拾束　領別四束
＊田蓑壱伯領　直稲伍拾束　領別五把
年料＊荏肆斛　直稲捌拾束　束別五升

八月末日分まで。天平九年九月外従五位下、同十年八月摂津亮（続紀）。
27食料稲六百五十一束五把　日別二束八把（公廨食法→27薩摩65食法）では割り切れず。未詳。
28佐伯宿祢毛人　前年着任。天平神護元年正月、従四位上大宰大弐にして前年の藤原仲麻呂の乱に連座、多褹嶋守に左遷（続紀）。
28食料稲五百卅一束　正月一日～八月卅日（二三六日）、日別二束二把五分（公廨食法→27薩摩65食法）と推定可能。
28伊吉連大魚　前年着任。他にみえず。当年度朝集使を勤める（176）。
28食料稲四百一束二把（29）　正月一日～八月卅日、日別一束七把（公廨食法→27薩摩65食法）と推定可能。
29大蔵忌寸子虫　前年着任。他にみえず。
29御手代直男綱　当年九月十八日着任と推定。他にみえず。
29食料稲八十六束七把　着任日～十二月卅日（一〇二日）、日別八把五分（公廨食法→27薩摩65食法）と推定可能。
30錦并綾生　錦（→54）・綾（→79）の織手。
31綿　「錦」の誤りか。綿は真綿（マワタ）。
31匹　絹・絁の丈量単位。疋とも作る。賦役令1調絹絁条に長五丈一尺・広二尺二寸を一疋とするが（大宝令も同じか）、変遷が多い。正倉院伝来の天平期調絁は一疋長六丈・広一尺九寸。
35醸酒　醸酒料は通例酒一斛につき穎稲一四束なので（→03摂津32酒）、本項は酒二五斛分。
36年料馬蓑　定例で貢進する馬蓑。→45馬蓑
37田蓑　農作業用の蓑。雨具として汎用か。本項一字下がりは前項「年料」をうけている。
38荏　→99荏子

胡*麻子肆斛　直稲壱伯弐拾束　斗別三束
稗*伍斛　直稲伍拾束　束別一斗
葟*子弐斛　直稲肆拾束　束別五升
糯*米弐拾斛　穎稲肆伯束
進*上交易白*貝内鮨*壱斛伍斗　直稲参拾束　束別五升
進上交易苧*漆拾斤*　直稲弐伯壱拾束　斤別三束
依*官符交易馬*蓑参拾伍領直稲壱伯肆拾束　領別四束
造蘇*壱斗参升　納壺七口　大*壺三口々別納三升　*小壺四口々別納一升
用*度稲弐伯束
進上交易鹿*皮肆拾張　卌張洗*韋　十張不熟*　直稲肆伯束
進上交易募*夫料雑鮨伍拾斛　直稲壱阡陸伯
陸拾陸束陸把　束別三升　納缶*壱伯伍拾弐口
直稲壱伯伍拾弐束
合壱阡捌伯壱拾捌束陸把
進上交易匏*壱拾肆口　直稲玖束捌把　口別七把

39胡麻子　↓98
40稗　↓100稗子
41葟子　↓101
42糯米　↓97
43進上交易　「年料」(36ほか)・「依官符交易」(45)との関係は未詳。
43白貝内鮨・鮨　↓102
44苧(62)　カラムシ。茎の皮から繊維がとれるイラクサ科の多年草。民部式下63交易雑物条に尾張国の交易雑物として苧一一〇斤。
44斤　↓用語[斤・両]。ここでの一斤は大制。
45依官符交易(104依符交易)　年料(36・37)とは別の臨時貢上。
45馬蓑(36・104)　内蔵式54諸国年料条・民部式下63交易雑物条等に尾張以外からの貢納あり。
46蘇　牛乳を煮つめて造る食品(民部式下59諸国貢蘇条)。民部式下58貢蘇番次条は天平期の実例とは必ずしも一致せず。
46大壺・小壺　大は三升、小は一升を納れる(15但馬157大・小、20周防164小)。
47用度稲　民部式下59諸国貢蘇条では取乳の日の乳牛の秣稲頭別日四把とあり、15但馬157・20周防164は四把を二〇日支給。本項も同じか。
48鹿皮　民部式下63交易雑物条に尾張国の交易雑物として鹿革二〇張・鹿皮一〇張。皮から毛を除去したのが革。革をなめしたものが韋。
48洗韋　↓15但馬50
48不熟　充分になめしていない皮。
49募夫料雑鮨　何らかの雇役者用の種々の鮨(↓102鮨)。15但馬23に難波宮雇民用の雑鮨がみえ、価格も本項とほぼ同じ。
50缶　↓96
53匏　瓢箪の中身を刳り抜き乾かしてつくった

54 錦*参匹料紫糸捌絇**参両壱分　染料紫壱拾
55 壱斤　直稲参伯参拾束 斤別卅束
56 依太*政官天平六年正月十三日符造罇漆口 大二 小五
57 調度価稲肆伯伍束
58 料漆壱斗弐升　直稲弐伯肆拾束 升別廿束
59 校*漆料絹*壱丈　直稲壱拾参束
60 綿*弐屯*　直稲弐拾陸束 屯別十三束
61 鐶*幷廻等料鉄壱拾漆斤　直稲壱伯弐束 斤別六束

（C断簡）*○紙面に「尾張国印」あり。　（正集巻十五・第十一紙）

…………………………（継目裏書）

（第十二紙）

62 着苧*壱条 長三丈五尺 広一尺七寸　直稲弐拾肆束
63 依太*政官天平六年六月廿四日符造木賛椀陸拾口
64 料漆陸升　直*壱伯弐拾束 升別廿束
65 自*陸奥国進上御馬肆匹飼糠*米弐斛壱斗玖升参
66 合 三日々別馬別一斗八升三合　穎稲参拾陸束陸把 束別六升

容器。賦役令29蘘藍条の雑用品・民部式下61交易雑器条の品目に畿内からの貢進物としてみえるが、尾張国からはない。

54錦　二色以上の彩糸を用いて模様を織り出した絹織物の総称。31の錦生の織ったもので、本項はその糸を染めるのに要した紫草の費用。
54絇　絇（絢）は糸の重量単位。令制では一絇＝小一六両＝大五両一分二銖（→用語〔斤・両〕）。
54参両壱分　→用語〔斤・両〕
56太政官天平六年正月十三日符　他にみえず。
59校漆料絹　「校」は「絞」に通じる。漆を絞るための絹。内匠式15御太刀条には「絞漆料帛」。
59絹　平織りの絹織物のうち、精緻なもの。粗製は絁だが、区別は曖昧。
60綿　罇の製造に要した綿（真綿）。未詳。
60屯　→20周防197
61鐶幷廻等料鉄　罇の鐶（耳の輪）と廻（箍。たが）などに用いた鉄。
C断簡　国印・継目裏書などからB断簡と直接接続。ただし右端にもとB断簡左端である極小紙片（第十一紙）が存在する。復元帳は「第十一紙」の表記がない。
62苧　罇を包んだか。→44苧
63太政官六年六月廿四日符　他にみえず。
64直　下に「稲」字脱か。
65自陸奥国進上御馬　左右馬式1御牧条の貢上御馬に陸奥国はない。延喜式にみえずに天平期に御馬を進上した国は他に出羽（12越前26）・阿波（23淡路64）が判明。東山道陸奥国からの向京に尾張国を通過（→09駿河19従陸奥国）。
65糠米　秣ではなく糠米支給は貢上御馬に対する優遇。67父馬と比べて二倍以上の費用。

下*上野国*父馬壹拾匹秣弐拾伍束 二日々*別馬別一束二把五分

*営造兵器用度価稲陸伯玖拾肆束玖把

*挂甲陸領料稲陸伯束　壹領料稲壹伯束

*横刀鞘壹拾陸口料稲壹拾玖束弐把壹口

料稲壹束弐把 生糸*一分二銖直

弓肆拾張料稲陸束　壹張料稲壹把伍分

*握纏鹿韋一枚 長六尺一寸　広二尺五寸 張別方五寸直

*箭伍拾具料稲漆束伍把　壹具料稲壹把伍分 生糸一銖直

*胡禄伍拾具料稲肆拾伍束　壹具料稲玖把

生糸三銖直稲四把五分　緒鹿 洗革長二尺広三寸　直稲四把五分

*靫肆拾巻料稲壹拾漆束弐把　壹巻料稲

肆把参分 鹿韋長九寸　広五寸　直稲三把*三分　緒鹿洗 皮長二尺三寸　広五分　直稲一把

修理*綾*綜*壹拾漆具料糸壹拾陸斤捌両

直稲玖伯玖拾束 斤別六十束

*少宝花有綾文弐*具料糸参斤

67上野国　左右馬式1御牧条によれば、上野国に御牧あり。上野国は東山道だが尾張国を通過。

67父馬　種馬のこと。天平六年出雲国計会帳に、出雲国から進上する公文「種馬帳一巻」がある（大古一598）。

67別　寧遺は「別」字脱。

68営造兵器　諸国は毎年一定の兵器を製造し、各種一点は「様（ためし）」として貢進（続紀霊亀元年五月条・兵部式75諸国器仗条）。材料費支出は[08]駿河19～38、[09]駿河131～147、[10]伊豆1・2、[20]周防191～204にあるが、製造だけでなく修理（営繕令8貯庫器仗）も含むか。

69挂甲　鉄・革の細長い小板（こざね）を組緒や革紐でつづり合わせて作った甲（よろい）。衛府の儀礼用にも使用（衣服令14武官朝服条）。六領は兵部式75諸国器仗条と一致。

70横刀鞘　[09]駿河136には横刀鞘製作用として鉄・馬皮・糸がみえる。本帳は糸代のみ記すので修理用であろう。[08]駿河30大刀も横刀のことで、同じく糸代のみ記す。

71一分二銖　↓用語〔斤・両〕

73握纏鹿韋　弓を握る部分に巻く鹿のなめし皮（[09]駿河139弓握纏韋）。

74箭　矢。[09]駿河140には箭の製作に要する材料として鉄がみえるが、本帳では生糸のみ。修理用か。

75胡禄　やなぐい。矢を盛って背に負う具。

77靫　なめしがわ。鞆の意と解され、弓を射る時、弦から守るために左手首内側にとりつける具（[08]駿河37鞆・[09]駿河143・[10]伊豆1）。本項は緒も含めた材料費。

78三分　大古・寧遺は「二分」に作るが誤り。

79綾　綾紋（斜文様）に限らず一色の彩糸を用い

*无綾文綜参具料糸参斤
*散花有綾文綜弐具料糸弐斤捌両
无綾文綜伍具料糸参斤捌両
*少車牙无綾文綜弐具料糸弐斤
*礒形无綾文綜参具料糸弐斤捌両
*出挙弐拾弐萬伍阡漆伯肆束
*債稲身死伯姓二百五十三人　*免稲九千九百卅七束

（継目裏書）
（第十三紙）

定納本弐拾壱萬伍阡漆伯陸拾漆束
利十万七千八百八十三束五把
合参拾弐萬参阡陸伯伍拾束伍把
*売不用伝馬壱拾壱匹　直稲伍伯陸拾束
一十匹別五十束　一匹六十束
*死馬皮壱拾張　直稲壱伯伍拾束　張別十五束
*天平四年未納　徴納壱伯玖拾束

て模様を織り出し後染めした絹織物。

79綜　綜絖（かけい）。織物製造の際に緯糸を通す杼道をつくるため経糸を上げさせる用具。主税式上77織綾料度条に綜料糸の規定あり。綾の文様によって綜料糸の量が異なる。

79壱拾漆具　内訳は81～86。

81少宝花有綾文　少宝花の花紋のある綾組織（経糸と緯糸を規則的に異なる組織として、両者の浮き沈みで斜文様に織り出す）の織物。主計式上2諸国調条の「小花綾」にあたるか。

81弐具　上に「綜」字脱か。

82无綾文　綾組織の81有綾文に対して、平地（平織組織）を指す。正倉院に「近江国調小宝花綾壹疋无綾紋」墨書銘の平地綾紋の綾が伝わる。

83散花　主計式上2諸国調条に「散花単綾」とある。散花は花散らしの文様。

85少車牙　主計式上2諸国調条に「小車牙綾」。御所車などを配した文様を車文・車形文と呼称。和名抄147は「輪」を「於保和、一云輪牙」とするので、ここは輪だけの紋様か。

86礒形　文様の種類だが未詳。他にみえず。

87出挙・88債稲身死・免稲　→用語〔出挙〕

92売不用伝馬（110売不用馬・135）老・病のため乗用に堪えない伝馬は売却し、官物によって買替えた（廐牧令20駅伝馬条。伝→03摂津32）。価格は五〇束が通例で六〇束は例外（08駿河57加伝馬不用・09駿河167加伝不用馬・10伊豆52不用伝馬・12越前2不用馬・20周防220不用馬）。

94死馬皮　→08駿河58加伝馬死皮

95天平四年未納徴納　天平四年の出挙未納を徴収し、正税に加えたもの。

*(F断簡)○紙面に「尾張国印」あり。　(正集巻十五・第十七紙)

96 ＊＊缶*価弐拾束

97 糯*米穎捌拾束

98 胡*麻子価壱拾伍束

99 荏*子価壱拾束

100 稗*子価壱拾束

101 葟*子価陸束

102 交易白貝*内鮨*価壱拾束

103 雑*掌粮伍拾参束弐把陸分

104 依符交易馬蓑価弐拾束

105 運*雑物夫粮料壱阡伍伯陸拾肆束

……………… (継目裏書)

*(H断簡)○紙面に「尾張国印」あり。　(正集巻十五・*第二十紙)

106 修*理堤防□

107 出挙参萬弐阡肆拾束 債稲身死卅六人 免稲一千六百四束

F断簡　裏面利用から海部郡部と推定。中間表示の雑用で、首部38〜50にほぼ対応する。

【96〜166】復元帳と断簡配列・行番号が異なる(→凡例五2)。

【96】本行の翻刻は目録による。

96缶(50)モタイ。醬や種々の醬漬・滓漬物を納れる容器。諸祭祀に使用。主計式上1畿内調条には須恵器で、五斗入り。また神祇式に散見。50での容量(三斗三升弱)は、15但馬171のそれとほぼ同じ。→17隠岐25缻

97糯米(42)餅料の米。米飯用の粳米と区別。本項・42とも「価」や「直稲」ではなく「穎」とあるので、穎稲に糯があったか。

98胡麻子(39)ゴマの実。食用油を取る。民部式下63交易雑物条に尾張国の交易雑物として胡麻子四石。

99荏子　エゴマの実。食用油を取る。民部式下63交易雑物条に尾張国の交易雑物として荏子四石。38は荏とする。

100稗子　ヒエの実。民部式下63交易雑物条に尾張国の交易雑物として稗子五石。40は稗とする。

101葟子(41)ミノゴメのことで、ムツオレグサを指す。和名抄220に和名を「美乃」。湿地に生えるイネ科の草。麦に似ているのでタムギともよぶ。主水式15七種粥料条に供御の粥の料。

102白貝内鮨(43)白貝について、和名抄238は弁色立成の「於富」を引く。ウバ貝・バカ貝の類か。内膳式42年料御贄条に尾張国から二担四壺。内鮨の意味は未詳。

102鮨(43)熟れずし(塩を用いて固く凝固させた魚肉・宍肉を米飯と共に漬け込み発酵させる)または酢に漬けた肉。

103雑掌　朝集雑掌(→03摂津33)か。

定納本参萬肆伯参拾陸束　利一万五千二百一十八束
合定肆萬伍阡陸伯伍拾肆束
売*不用馬壱匹直伍拾束
皮壱張直壱拾伍束
古稲伍萬弐阡肆伯漆拾漆束壱把伍分
自中嶋郡来壱阡肆伯捌拾弐束
当年租穀壱阡伍伯参拾伍斛陸斗壱升捌合
都*合定穀参萬伍伯伍拾参斛伍升玖合
振*入弐阡漆伯漆拾漆斛伍斗伍升

（正集巻十五・第十四紙）

（D*断簡）○紙面に「尾張国印」あり。
主帳外大初位上勲十二等額田部　病*
主帳外少初位上勲十二等爪*工連　病
主帳无位尾*張連「田主」
中嶋郡

105運雑物　運搬先は都のほか斎宮（06尾張40）の可能性もあり。
H断簡　裏面利用から海部郡と推定。内容からみてFの後になる。
第二十紙　復元帳は第十九紙とする。
106修理堤防　堤防修理費として正税が支出されたことを示す。なお天長二年に国の等級に応じた修理池溝料を設置（貞観交替式天長三年七月十五日官符）。

110売不用馬　92・135によれば売不用伝馬とあるべきもの。
115都合定穀　当年度当郡穀の決算残高。未振量。
116振入（143）→用語〔振入〕
D断簡　某郡部末尾と中嶋（中島）郡部冒頭。某郡は海部郡か。民部式・和名抄61では海部郡（筆頭）・中嶋郡の順。和名抄76では中嶋郡（筆頭）・海部郡の順だが、本帳では中嶋郡が筆頭ではない。
117病　署名できない理由。
118爪工連　たくみのむらじは、新撰姓氏録左京・和泉の神別、信濃国調布「小県郡海野郷戸主爪工部君調」などにみえる。
119尾張連田主　他にみえず。→06尾張22尾張連石弓

121 天*平五年定穀参萬玖阡捌拾漆斛漆斗玖升捌合
122 　不動弐萬玖阡参伯壱拾肆斛玖斗参升肆合
123 　動用玖阡漆伯漆拾弐斛捌斗陸升肆合
124 正税穀参萬漆阡肆伯弐拾肆斛参斗玖升捌合
125* 郡*稲□*阡肆伯□拾参斛参□陸升

（正集巻十五・第十八紙）

（G*断簡）○紙面に「尾張国印」あり。

126 合壱拾□
127 古*糒伍伯弐拾壱斛玖斗
128 醬*壱斛捌斗玖升
129 酒壱斛漆斗伍升肆合　滓*壱斛（今醸酒四斛*　滓一斛）
130 合伍斛漆斗伍升肆合　滓弐斛
131 雑用壱萬漆阡参拾壱束捌把玖分　酒肆斛玖斗
132 肆升　滓壱斛
133 講*説最勝王経布施料弐阡伍伯弐拾束

121天平五年定穀　前年度から繰越の中嶋郡の穀の全量。内訳は122不動と123動用、また124以下の合計でもあるから、125郡稲以外にも混合された官稲が存在（→2定穀）。
〔125〕本行の翻刻は目録による。
125郡稲　→用語〔官稲〕
125□　大古・寧遺は三文字の空白とする。
G断簡　I断簡と同郡であり（→127・147）、中嶋郡部（→145）。内容からみてG・Iの順。
127古糒（147・163）→06尾張18糒。本項と147の量が一致するので、G断簡とI断簡は同一郡。
128醬　→10伊豆18
129滓（132）　酒かす（12越前7滓）。本項によると酒四に対して滓一が残る。酒糟（→04和泉73）とも記す。
129今醸酒　今年醸造した酒。一斛につき稲一四束の支出（→03摂津32酒）が欠損部に存在したはず。131の支出を予定したか。
133講説最勝王経　→23

134 年*料白米穎参阡参伯束

……………（継目裏書）

……………（第十九紙）*

（*I断簡）○紙面に「尾張国印」あり。　　（正集巻十五・第二十一紙）*

135 売不用伝馬参匹直稲壱伯伍拾束　匹別五十束

136 皮肆張直陸拾束

137 古稲玖萬陸阡肆伯肆拾漆束陸把陸分

138 造*穀壱阡弐伯壱拾壱束漆把

139 得穀壱伯弐拾壱斛壱斗漆升

140 遺玖萬伍阡弐伯参拾伍束玖把陸分

141 当年租穀壱阡伍伯玖拾玖斛伍斗陸升

142 都*合定穀肆萬捌伯捌斛伍斗弐升捌合

143 振入参阡漆伯玖斛捌斗陸升捌合*

144 定参萬漆阡玖拾捌斛陸斗陸升

145 不動*二*万六千六百卌九斛九斗四升
動用一万四百卌八斛七斗二升

134年料白米　→06尾張39年料春税

第十九紙　復元帳はG断簡を第十八紙単独とするが、134に続いて第十九紙（墨付きなし）がある。

I断簡　145の不動穀量がD断簡の中嶋郡部122の不動穀量（未振量）を振定量に変換した額となるので、中嶋郡部。

第二十一紙　復元帳は第二十紙とする。

138造穀　→05伊賀5為穀

142都合定穀　年初（121）・139得穀・141租穀の合計による年度末の穀量なので、I断簡は中嶋郡。

143捌合　実際の振入計算では「陸合余」だが、145を升単位とするため数字を操作。

145不動　振定量であるこの穀量を未振量にする（11/10倍）と122と同量になる。

145二万六千　寧遺は「二万六万六千」に作るが六万は衍。

146 穎稲壱拾伍萬壱阡伍伯壱拾伍束玖把陸分
147 古糒*伍伯弐拾壱斛玖斗

(E断簡)*　○紙面に「尾張国印」あり。　(正集巻十五・第十五紙)
148 □従八位下尾張連　向京*
149 □八位上勲十二等甚目□**「多希麿」
150 □外大初位上勲十二等中嶋連*「東人」
151 [主]帳外大初位上勲十二等国造族*　向京
152 主帳外大初位上勲十二等□「正月」
153 主帳外少初位下勲十二等他田*「弓張」
154 葉栗郡
155 天平五年定穀壱萬捌阡陸伯伍拾漆斛捌斗漆升 正税*
156 不動壱萬壱阡参伯漆拾弐斛伍斗漆升
157 動用漆[阡]*弐伯捌拾伍斛参斗
158 穎稲*捌萬弐阡玖伯玖拾漆束伍把

147古糒　当年度残高。年間の増減なし。→127糒

E断簡　某郡部末と葉栗郡部。某郡は民部式・和名抄61の記載で葉栗郡の前の中嶋(中島)郡か。

148向京　署名できない理由。上京中。

149甚目□多希麿　他にみえず。

149甚目□　大古・寧遺とも「甚□」とし、寧遺は□に「目カ」と傍注するがともに誤り。

150中嶋連東人　他にみえず。

151国造族　「挨」は「族」の異体字。御野国戸籍に「国造族」が散見し、「尾治国造族」がみえる(大古一64)。

153他田弓張　他にみえず。

155正税　当郡には、2定穀・121天平五年定穀と違って、官稲混合(→用語「官稲」)で混合した雑官稲の穀は存在しないことの注記。

157阡　大古・寧遺に従う。なお、155から156を減せば「阡」が妥当。

158穎稲　内訳は159～162。官稲混合(→用語「官稲」)によって成立した新しい正税の穎稲。

159 正税参萬肆阡捌拾肆束弐把
160 □*稲弐萬捌阡漆伯漆束捌把
161 [　]*稲壱萬伍阡弐*拾参束
162 □*用稲伍阡壱伯捌拾弐束伍把
……………（継目裏書）（第十六紙）
163 古糯壱伯陸拾斛
164 醤壱斛弐斗陸升
165 酒弐斛陸斗漆升
166 雑用稲陸[　]

（J*断簡）〇紙面に「尾張国印」あり。（正集巻十五・第*二十二紙）
167 倉*陸間
……………（継目裏書）（第二十三紙）*
168 都*合定参拾参間 不動穀倉七間　糯倉一間　屋五間　空倉四間 / 動用穀倉六間　穎倉六間　倉下三間*　空屋一間
169 郡司少領外従八位上勲十二等和尓部臣*「若麻呂」
170 主帳外少初位上勲十二等伊福部*「大麻呂」
171 謹*件収納天平六年正税雑充用之状具注如件仍

160□稲　6・125にならえば、郡稲。前年度の残高。
161[　]　大古・寧遺は二字欠損とするが、影印では三字分か。02大倭37官奴婢食料稲・22紀伊37官奴婢食料税を参照すると、「官奴婢稲」か。当尾張国は官奴婢食料米を支出する(17)。
161弐　大古・寧遺ともに空白とする。
162□用稲　17隠岐28ほか・22紀伊37・天平六年出雲国計会帳(大古一597)にみえる公用稲か。前年度の残高。160〜162の官稲は官稲混合で正税に混合された(→2・用語(官稲))。
J断簡　某郡部末と正税帳末の書き止め部分。某郡は民部式・和名抄61の記載で尾張国最後の智多(知多)郡か。
第二十二紙・第二十三紙　復元帳は第二十一紙・第二十二紙とする。
167倉陸間　透過光写真による。大古はこの下を[　]に作るが、未詳。
168都合　倉屋の収納物による内訳。分注は段ごとに右から読む。屋・倉下の収納物は穎稲か。
168倉下　→06尾張19
169和尓部臣若麻呂　他にみえず。和尓部・和尓部臣は尾張国智多郡に分布。天平元年の調木簡に同郡の郷長として和尓部臣がみえる(平城宮一318)。
170伊福部大麻呂　他にみえず。
171謹件収納…以解　→02大倭282以前収納…謹解

172 付*守従五位下勲十二等多*治比真人多夫勢進上以
173 解
174 天平六年十二月廿四日史生従八位上丹*比新家連「石萬侶」
175 守従五位下勲十二等多*治比真人「佽世」　正七位下行掾勲十二等佐*伯宿祢「毛人」
176 外従五位下行介勲十二等若*湯坐宿祢「小月」　正八位下行大目伊*吉連　朝集使

172付守　→05伊賀14付史生
172多治比真人多夫勢　天平元年八月、従五位下（続紀）。175に「佽世」。
174丹比新家連石萬侶　他にみえず。0継目裏書は「石麻呂」。
175多治比真人佽世　→172多治比真人多夫勢
175佐伯宿祢毛人　28に雑任（当年着任）国司。
176若湯坐宿祢小月　27に雑任（当年着任）国司。
176伊吉連　伊吉連大魚。28に雑任（当年着任）国司。朝集使として向京のため署名を欠く。

08 駿河国正税帳　天平九年度

（継目裏書）*「駿河国正税目録帳天平九年史生大初位下*秦達布連広嶋」

（正集巻十七・第一紙）

*（A断簡）○紙面に「駿河国印」あり。

*雑任国司目正八位下*川原田宿祢忍国始十月壱日迄十二月
参拾日合捌拾玖日食稲伯弐拾肆束陸把 *日別一束四把
*去年任国司史生従八位下*岸田朝臣継手始正月壱日*迄
七月弐拾玖日合弐伯陸日食稲伯陸拾肆束捌把 *日別八把
去年*朝集雑掌*丈部大嶋*半布臣広麻呂合弐人始正月
壱日迄四月弐拾玖日合伯拾捌日為単弐伯参拾陸日食稲
漆拾束捌把 人別単三把
当年朝集雑掌*半布臣嶋守*盧原君足礒合弐人始十一
月一日迄十二月卅日合伍拾玖日為単伯拾捌日食稲参
拾伍束肆把 人別単三把

継目裏書　三か所。便宜ここに掲示。「正税目録帳」(→19周防0)は、十年度帳は「正税帳」(09駿河0)。

0秦達布連広嶋　長屋王家木簡や滋賀県永田遺跡出土木簡ほかに「秦達布連廣嶋」「秦廣嶋」として散見(平城京二2338・一186ほか)。

A断簡　首部の中間表示の一部。

1雑任国司　→07尾張26・27薩摩62新任国司

1川原田宿祢忍国　天平九年十月一日着任。天平十年二月、朝集使として上京中(→91)。09駿河0・112では一階上の正八位上。

2日別一束四把　中・下国目の公廨田穫稲五〇〇束の日割り額に相当。→27薩摩65食法

3去年任　07尾張26では雑任に含める。

3岸田朝臣継手　09駿河30・38に従八位上で防人・俘囚部領使。天平宝字八年十月藤原仲麻呂追討の功により正六位上から従五位下(続紀)。

3迄七月弐拾玖日　養老八年正月格(田令34在外諸司条集解所引)では五月一日以降着任の場合翌年八月末日まで給粮なので、天平八年五月以降着任。ただし駿河国では給粮は七月(閏七月)末日まで(09駿河110ほか)。

4日別八把　国史生の公廨田六段穫稲三〇〇束の日別額。→27薩摩65食法

5朝集雑掌　→03摂津33雑掌

5丈部大嶋　他にみえず。

5半布臣広麻呂　他にみえず。半布臣氏は、本帳8・09駿河56ほかにみえる。駿河国安倍郡に埴生(はふ、はにふ)郷がある。

8半布臣嶋守　09駿河114・116に去年・当年朝集雑掌。半布臣氏→5半布臣広麻呂

8廬原君足礒　09駿河114に去年朝集雑掌。廬原君氏は廬原国造家で廬原郡の豪族。

（B断簡）＊　○紙面に「駿河国印」あり。　（正集巻十七・第二紙）

□□ ＊十人別三斗三升
＊御履皮弐張直稲弐伯玖拾束 一張直百卌束 一張直百五十束
＊豉料大豆漆斛伍斗直稲漆拾伍束 斛別十束
＊醸酒拾参斛料稲伯捌拾弐束 斛別十四束
＊買塩漆斗捌升直稲弐拾陸束 々別充塩三升
＊買伝馬拾捌匹直稲陸阡肆伯束 ＊中二匹別四百五十束中六匹別四百束下三匹別三
百五十束下六匹別三百束 下一匹二百五十束
布弐伯段＊直稲弐阡束 段別充十束
造器仗鉄弐伯肆拾伍斤＊直稲阡伯弐束伍把 一斤別充四束五把
＊
（継目裏書）
＊挂甲参領料鉄伯弐拾斤 一領別充卌斤
（第三紙）
＊大刀漆口料鉄伍＊拾捌斤伍両壱分弐銖 一口別充八＊斤五両一分二銖
＊箭肆拾具料鉄陸＊拾陸斤拾両弐分肆銖 一具別充一＊斤十両二分四銖
＊器仗料糸弐斤漆両参分＊直稲伯肆拾玖束壱把 ＊一分別充

B断簡　首部。A断簡との前後関係不明。
11十人別三斗三升　大古・目録による。
12御履皮　↓20周防166御履料牛皮。延喜式に駿河国の御履牛皮貢進規定なし。
13豉料大豆　豉（くき）は、大豆と海藻から造る、今日の寺納豆・嘗め味噌の類（大膳式下18造雑物法条）。延喜式に駿河国の大豆貢進規定なし。
14醸酒（48醸加・61醸加）↓03摂津32酒
15買塩（51買加・64買加）↓10伊豆14塩…価
16買伝馬　↓03摂津32伝・20周防171市替伝馬
16中　「上」の誤りか。
18段　↓02大倭253三端一段
〔19〜38〕　材料別造器仗記事（後欠）。本帳（天平九年度）と09駿河（十年度09駿河131〜147）とは記事の形式が違う。↓07尾張68営造兵器
19斤　↓用語〔斤・両〕
20挂甲　↓07尾張69。三領は兵部式75諸国器杖条と一致。
21大刀漆口　09駿河134では横刀漆刃。兵部式75諸国器仗条と一致。
21伍拾捌斤伍両壱分弐銖　大制。小制の一七五斤（↓用語〔斤・両〕）と同値。本帳の斤両制は糸（23〜31）以外は小制で記す。
21八斤五両一分二銖　大制。小制の二五斤。09駿河134の横刀では「刀別八斤五両」で136に鞘料鉄があるが本帳にはみえず。
22箭肆拾具　兵部式75諸国器杖条と一致。
22陸拾陸斤拾両弐分肆銖　大制。小制の二〇〇斤。
22一斤十両二分四銖　大制。小制の五斤。09駿河141では「具別一斤十一両」。
23器仗料糸　糸の斤両制は一般的に小制。
23直稲　この下に「壱」字脱か。

24 *九把五十三 分之廿
25 挂甲参領料組糸拾壱両参分　一領別充三両三分四銖
26 挂甲参領料*頸牒錦絁壱丈弐尺陸寸織糸捌両 一領 別四
27 尺二寸一両別織得 一尺五寸四分之三
28 挂甲参領料端*裏*緋絁壱丈弐尺陸寸織糸捌両 一領別 四尺二
29 寸一両別織得一尺 五寸四分之三
30 大刀漆口料*糸漆両　一口別一両
31 箭肆拾具料糸伍両　*一具別三銖
32 挂甲参領料*綿壱斤拾弐両直稲参拾陸束漆把 一領別*九両 一分二銖一
33 両別*一束三把 八分之一
34 挂甲参領料*粉陸升充稲陸把　*一領別二升*把別粉一升
35 挂甲参領料*袋布弐段捌尺直稲弐拾壱束 *一領二丈
36 *器仗料馬皮弐張直稲弐拾束　一張別十束
37 *鞆肆拾勾 別長九寸 *広五寸　料皮壱張半 一張長四尺広三尺 一張長三尺広二尺　直稲拾伍束 一張直十束 一張直五束
38 大刀漆口 別鞘長二尺五寸 広四寸　料皮半張 長二尺八寸 広二尺五寸　直稲伍束

23一分　大古は「一具」に作るが誤り。
24五十三分之廿　23「弐斤漆両参分」は一五九分。稲一四九束一把を一五九で除して九把と余りが60/159(20/53)となる。
26頸牒　鎧の頸筋の部品。兵部式上26挂甲条に挂甲の頸牒を縫う工程があり、主税式上76戎具料度条に「縫頸牒料糸」あり。
28裏　つつみ。ここは縁取りか。
28絁　和名抄160に「阿之岐沼」。→07尾張59絹
30糸　鞘料か。09駿河137に「口別一分二銖」(大制。小制の一両)の鞘料糸あり。
31一具別三銖　小制。大制「具別一銖」(09駿河140)と同重量。
32綿　甲の下に着用する一種の綿入れである袍の材料か。軍防令45在庫器仗条集解逸文に「古記云……袍、謂甲下之袍也。或綿袍、或布袍也」(政事要略五四器仗戎具事)。
32九両　大古は「五両」に作るが誤り。
33一束三把八分之一　端数を切り上げている。
34粉　下に「米」字脱か。09駿河132は「粉米」。
34一領別二升　09駿河132は「領別一升」。
34把別粉一升　稲一把は米五合が基準(→用語「稲」)なので、ここでの換算基準は不明。
35袋布　挂甲収納用袋。出雲国計会帳に節度使符「甲一領袋式料表布絁綿状」(一595)あり。
35一領二丈　09駿河131では領別一丈。09駿河132では袋としてさらに鹿の洸(韋)を用いる。
36器仗料　馬皮を使う37鞆と38大刀(鞘)。鞘料馬皮は、09駿河136・10伊豆2・20周防204にあり。
37鞆　→07尾張77釬・09駿河143釬
37広五寸　大古・復元帳は「広九寸」に作る。

*（C断簡）○紙面に「駿河国印」あり。

39 定陸斛壱斗弐升
40 *頴稲陸萬陸阡参拾弐束弐把
41 *糒漆伯参拾漆斛
42 *全肆伯捌拾漆斛
43 *簸弐伯伍拾斛　々別損六升
44 損拾伍斛
45 *遺弐伯参拾伍斛
46 定漆伯弐拾弐斛
47 酒弐升捌合
48 *醸加弐斛
49 并弐斛弐升捌合　雑用一斛九斗五升九合
50 塩壱升肆合陸勺伍撮
51 *買加玖升

（継目裏書）
（正集巻十七・第四紙）

C断簡　益頭郡部。初表示の後半から末表示の前半。59の当年度の穀残高と、09駿河235の益頭郡の前年からの繰越高が一致する。

40頴稲　前年度から繰越の当九年度年初益頭郡の頴稲額。

41糒（78・85）→06尾張18

42全　43簸との対比で、全体が備わっていてふるう必要がない糒。21長門11全稲と同様の用語。

43簸　劣化などがあり、ふるって損分を除くべき量。この斛別損六升は倉庫令復原7倉貯積条の経年による耗とは別基準。→01左京8除耗

45遺　43からその6/100である44を減じた額。

48醸加（14醸酒・61）当年度醸造して加えた酒。ほぼ同量を支出している（49雑用）から、支出をみこして醸造したか、支出後にそれを補塡したか。

51買加（15買塩・63）当年度買って加えた塩。ほぼ同量を支出している（52雑用）から、支出をみこして加えたか、支出後にそれを補塡したか。

52 幷壱斗肆合陸勺伍撮　雑用八升一合八勺五撮
53 *雑用漆阡弐伯陸拾玖束捌把
54 *出挙弐萬漆阡玖伯束　*債稲身死伯姓四百六十四人　*免稲九千四百五十六束
55 定納本壱萬捌阡肆伯肆拾肆束　利九千二百廿二束
56 幷弐萬漆阡陸伯陸拾陸束
57 *加伝馬不用壱匹直伍拾束
58 *加伝馬死皮壱張直拾束
59 *都合定穀肆萬肆阡伍伯拾参斛陸斗　*振入四千卌六斛六斗九升　斛別入一斗

---

60 酒弐斗伍升漆合

………………*（D断簡）○紙面に「駿河国印」あり。

61 醸加弐斛
62 幷弐斛弐斗伍升漆合　雑用一斛五斗五升五合
63 塩伍升壱合伍撮
64 買加玖升

…………………（継目裏書）
（正集巻十七・第五紙）

53雑用　天平九年度の益頭郡の雑用支出。すべて穎稲。本帳では郡部の雑用支出は合計額だけを記載。→09駿河215
54出挙・債稲身死・免稲　→用語〔出挙〕
57加伝馬不用　→07尾張92売不用伝馬
58加伝馬死皮（70）　伝馬が死ねば皮を取り（厩牧令26官馬牛条）、買換え費（厩牧令20駅伝馬条）に充当。26で皮の売却数と同じ四匹の伝馬を購入。売却費は、本項・04和泉9死伝馬皮・09駿河166加伝馬死皮・10伊豆53死伝馬壱匹皮・12越前3死馬皮・20周防219伝馬死皮・27薩摩99死馬皮は張別一〇束、07尾張94死馬皮は一五束。
59都合　天平九年度益頭郡の稲穀の決算額の未振量（→用語〔振入〕）。この数字は天平十年度当初に引き継ぐ（09駿河235）。天平九年度には稲穀の出入りなし。これ以降欠損部には某郡72以下に相当する記事が存在していた。
59振入（71・75）→用語〔振入〕
D断簡　所属郡未詳。60以下は益頭郡47以下に相当するので、益頭郡以外の郡であり、また天平九年度末の71以降が、安倍郡十年度初の09駿河251以降と違うので安倍郡でもない。

65 并壱斗肆升壱合伍撮　雑用六升三合一勺
66 雑用壱萬阡弐伯肆拾陸束陸把
67 出挙参萬漆阡肆伯束　債稲身死伯姓四百五十七人 免稲一万千八十二束
68 定納本弐萬陸阡参伯拾捌束　利一万三千百五十九束
69 并参萬玖阡肆伯漆拾漆束
70 加伝馬死皮伍張直伍拾束　張別十束
71 都合定穀伍萬陸阡伍伯伍拾参斛漆斗壱升　振入五千百卌一斛二斗五升 斛別入一斗
72 定伍萬阡肆伯拾弐斛肆斗陸升
73 不動肆萬漆阡玖伯玖拾斛漆斗参升
74 動参阡肆伯弐拾壱斛漆斗参升
75 粟伯玖拾壱斛　振入十七斛三斗六升 斛別入一斗
76 定伯漆拾参斛陸斗肆升
77 穎稲拾壱萬伍阡陸伯参拾肆束肆把
78 糒玖伯玖拾捌斛
79 *酒漆斗弐合

79酒　当年度某郡の決算高。60酒に61醸加を足し、62雑用を引いた量。

80塩　当年度某郡の決算高。63塩に64買加を足し、65雑用を引いた量。

〔**81~83**〕　検校によって判明した欠穀の記事(後欠)。09駿河に対応記事あり。09駿河188・228・246には神亀二年の按察使による検校記事があるの

80 塩*漆升漆合玖勺伍撮
81* 和*銅五年検校欠穀阡玖伯参拾壱斛参合肆勺漆撮
82 霊*亀元年検校欠穀陸阡伍伯捌拾弐斛肆升捌合
83 養*老四年検校欠穀参阡弐拾斛参斗参升陸合壱勺捌撮

(正集巻十七・第六紙)

(E*断簡)○紙面に「駿河国印」あり。

84 税*屋参間
85 都合定肆拾弐間　不動穀倉廿一間　動用穀倉二間　糒倉二間　粟倉一間
穎稲倉十三間　穎稲税屋三間
86 郡司少領外従八位上壬生直*「信陀理」
87 主政无位金刺舎人*「祖父萬侶」
88 謹*件収納天平九年正税幷雑充用之収*具注
89 如件付*守従五位下勲十二等下*毛野朝臣帯
90 足申上以解
91 天平十年二月十八日正八位下行目川原田宿祢*　朝集使*
92 従五位下行守勲十二等下毛野朝臣「帯足」　正七位上行掾久米朝臣*「湯守」

で、以下の欠損部には神亀二年検校欠穀の記事が続く。首部には検校者・欠損責任者を明記し(09駿河181〜190)、郡部は当郡の欠損額のみ記す。補填せず。当年度収支に無関係。

81和銅五年　和銅五年に実施した検校で判明した当郡欠穀(09駿河224)。巡察使(続紀同年五月)によるか。

82霊亀元年　新任国守による検校→09駿河182

83養老四年　新任国守による検校→09駿河185

E断簡　某郡部末および本帳の最末尾。民部式・和名抄61の郡の配列によれば駿河郡(→86壬生直信陁理)。

84税屋　85穎稲税屋と同一なら穎稲のみを収納する屋か。駿河国のみにみえる(9駿河192)。

86壬生直信陁理　天平宝字四年銘の駿河国駿河郡からの堅魚貢納木簡に専当郡司として「郡司大領外正六位□(上)生部直□□(信陁)理」とあり(平城宮五7901)、本帳の少領から大領に転じている。

87金刺舎人祖父萬侶　他にみえず。

88謹件収納…以解　→02大倭282以前収納…謹解

88収　「状」の誤りか。

89付守　→05伊賀14付史生

89下毛野朝臣帯足(92)　神亀五年五月正七位下から外従五位下、天平八年正月外従五位下から従五位下(続紀)。

91川原田宿祢　→1

91朝集使　署名できない理由。朝集使として上京中のため。

92久米朝臣湯守　09駿河110によれば天平九年五月以降(→3始正月)に駿河国に赴任。同帳では本帳より一階上の従六位下。天平二十年二月正六位上から従五位下(続紀)。

[09]駿河国正税帳　天平十年度

（継目裏書）*
「駿河国正税帳天平十年目正八位上川*原田宿祢忍国」

（D断簡*）〇紙面に「駿河国印」あり。（正集巻十七・第十二紙）

*
別一日食為単*壱拾弐日 *従六口 □
山*梨郡*散事*小長谷部練麻呂 *上一口 従一口　六郡*別一日食為単壱拾
弐日 上六口 従六口
相摸国進上橘子*　御贄*部領使*餘綾郡*散事丸子部大国*
上 三郡*別一日食為単参日 上

（A断簡*）〇紙面に「駿河国印」あり。（正集巻十七・第七紙）

□ 従卌八口
下総国印波郡*采女*丈部直広成 上一口 従二口　六郡別一日食為単壱拾捌日 上六口
従十二口

継目裏書　六か所。便宜ここに掲示。
0川原田宿祢忍国　→112、[08]駿河1・91
D断簡　首部。内容的に現存諸断簡の冒頭。〔1〜26〕駅伝使以外の公的旅行者への給粮。
1単　のべ二口が六郡各一日だから単一二日。
1従　→[04]和泉43将従
2山梨郡　当駿河国通過の使者への給粮。山梨郡から書き出すので甲斐国の記事の続き。
2散事　→43
2小長谷部練麻呂　他にみえず。
2上　当国の食法（→[20]周防96）は上・従二区分。
2六郡別一日食　駿河国横断は六郡で各一食（半日食）給粮。一日食は二回給粮の意で、二回通過（向京・下向）して年内に甲斐国に帰還。
4橘子　ミカンの類。相模国の橘子貢進は宮内式45例貢御贄条ほかに規定。
4御贄　→[23]紀伊70
4部領使　人や物資の移動に同行監督する官人（軍防令20衛士防人条、獄令13流移人条ほか）。
4餘綾郡　相模国。和名抄傍訓「与呂木」。
4丸子部大国　他にみえず。
5三郡別一日食　相模国から当駿河国府（安倍郡）を往復し、駿河国三郡で半日食二回給粮。橘子は国府からは当国部領使が遠江国へ逓送。
A断簡　欠損部をはさんでD断簡に接続。
7印波郡采女　采女は郡領の形容端正な姉妹・女からなる後宮下級女官（後宮職員令18氏女采女条）。下総国印幡（旛）郡大領に丈部直氏がみえる（続紀天応元年正月条）。
7丈部直広成　他にみえず。現存正税帳にみえる唯一の女性名。六郡別一日食（→2）は年度内に往復し帰京。

*部領使左弁史生少初位下*文忌寸奈保麻呂（上一口 従一口）　六郡別一日食為単壱拾
弐日（上六口 従六口）
依病下*下野国那須湯従四位下*小野朝臣（上一口 従十二口）　六郡別一日食為単漆拾捌
日（上六口 従七十二口）
*覔珠玉使*春宮坊少属従七位下*大伴宿祢池主（上一口 従八口）　六郡別一日食
……………（継目裏書）
（第八紙）
為単伍拾肆日（上六口 従卌八口）
従上総国進上*文石使大初位下*山田史広人（上一口 従二口）　六郡別一日食為単
壱拾捌日（上六口 従十二口）
*検校正税下総国下兵部省大丞正六位上*路真人野中（上一口 従三口）　*六郡別半
日食為単壱拾弐日（上三口 従九口）
*従陸奥国進上　御馬部領使*国画工大初位下*奈気私造石嶋（上一口 従二口）
六郡別一日食為単壱拾捌日（上六口 従十二口）
*従甲斐国進上　御馬部領使山梨郡散事*小長谷部麻佐（上一口 従一口）　六
郡別一日食為単壱拾弐日（上六口 従六口）
下総常陸等国*国師*賢了（上一口 従三口）　六郡別半日食為単壱拾弐日

9 部領使　7の采女に同行したか。→4。
9 文忌寸奈保麻呂　他にみえず。
11 下野国那須湯　温泉として著名。本項が初見。東山道下野国へ東海道を経ている。
11 小野朝臣　小野朝臣牛養か。名を記さないのは敬意を示す。鎮狄将軍、皇后宮大夫など歴任し、天平十一年十月従四位下で卒（続紀）。
13 覔珠玉使　珠玉の調達のため某国を往復。同年筑後国では白玉等を進上する（25筑後29）。
13 春宮坊　皇太子の家政機関。天平十年正月に立太子した阿倍内親王のためのもの。
13 大伴宿祢池主　天平勝宝年間に越中掾などを歴任（万葉一七3946ほか）。天平宝字元年七月に橘奈良麻呂の乱で投獄後不明（続紀）。従は珠玉の選別加工などの専門技術者を含むか。
15 文石　文様のある石。メノウの類か。
15 山田史広人　天平勝宝七歳正月に山田御井宿祢を賜姓。天平宝字八年従五位下参河守（続紀）。
17 検校正税　検税使（→21長門55）。
17 路真人野中　他にみえず。
17 六郡別半日食　駿河国横断の片道の給粮。年度内には帰京せず。
19 従陸奥国　東山道陸奥国からの進上で東海道駿河国を通過（07尾張65自陸奥国進上御馬）。
19 国画工　官職としては他にみえず。
19 奈気私造石嶋　他にみえず。
21 従甲斐国　左右馬式3年貢御馬条では甲斐国は毎年御馬六〇疋を進上する。
21 小長谷部麻佐　他にみえず。
23 国師　→42。本項は国師の二国兼務の例。
23 賢了　他にみえず。

24 上三口従九口
25 *下野国造薬師寺司*宗蔵上一口従九口　*助僧二口　六郡別半日食為単参
26 拾陸日上三口従廿七口　助僧六口
27 ** *旧防人部領使遠江国少掾正六位下*高橋朝臣国足上一口従二口　*三郡別一日食
28 為単玖日上三口従六口
29 防人部領使史生従八位上*日置造石足上一口従一口　三郡別一日食為単陸日上三口従三口
30 * 当国防人部領使史生従八位上*岸田朝臣継手上一口従一口　三郡別一日食為
31 単陸日上三口従三口
32 防人*部領*安倍団少毅従八位上*有度部黒背上一口従一口　三郡別一日食為
33 単陸日上三口従三口
34 *従陸奥国送摂津職俘囚部領使相摸国*餘綾団大毅大初位下*丈
35 部小山上一口従一口　三郡別一日食為単陸日上三口従三口
36 俘囚部領*大住団少毅大初位下*当麻部国勝上一口従一口　三郡別一日食為単
37 陸日上三口従三口
38 当国俘囚部領使史生従八位上岸田朝臣継手上一口従一口　三郡別一日食為

25下野国造薬師寺司　下野国薬師寺の造営・整備のための組織。
25宗蔵　他にみえず。
25助僧　僧綱などに仕える従僧（玄蕃式43従僧条）の類か。食法は「助僧」とするが「上」か。
〔27〜41〕　人間集団の逓送部領使記事。
〔27〜29〕　遠江国から当駿河国への逓送使。
27旧防人　天平九年九月、筑紫にいる防人を停めて本郷に帰す（続紀。㉕筑後9、⑳周防14・173）。その部領使への給粮。旧防人へは79。
27高橋朝臣国足　天平十五年五月外従五位下、十八年四月従五位下、同年閏九月越後守（続紀）。
27三郡別一日食　遠江国から駿河国府（安倍郡）を往復し、遠江国寄り駿河国三郡で往復給粮。
29日置造石足　平城京木簡に「□人日置石足浄」（平城京三4834）とあるのは同人か。
〔30〜33〕　当国から以東諸国への逓送使。
30岸田朝臣継手　前年着任（08駿河3）。
32部領　一行を部領する官人の二人目だが「使」でないのは身分が低いためか（36・40）。29史生は二人目であっても部領使。
32安倍団　安倍郡所在の軍団。他にみえず。
32有度部黒背（40）**・34丈部小山・36当麻部国勝**　他にみえず。
34従陸奥国送摂津職　34〜37は相模国から当駿河国への、38〜41は当国から遠江国への、当国内での給粮。伊豆国司は関与していないか。俘囚への給粮は87。
34餘綾団　相模国余綾郡所在の軍団。他にみえず。
36大住団　相模国大住郡所在の軍団。宮城県大崎市三輪田遺跡出土木簡に「大住団」の名と兵士四人の名が記載（木研二〇）。

……………………（継目裏書）
（第九紙）

単陸日上三口従三口
俘囚部領安倍団少毅従八位上有度部黒背上一口従一口　三郡別一日食為
単陸日上三口従三口
巡行部内*国師*明喩上一口童子一口*沙弥一口　*六郡別一日食為単壱拾捌日上十二口従六口
齎官符遠江国使**磐田郡*散事*大湯坐部小国上　*三郡別二度
各一日食為単陸日上
*小長谷部国足上　三郡別二度各一日食為単陸日上
*物部石山上　三郡別二度各一日食為単陸日上
*敢石部角足上　三郡別三度各一日食為単玖日上
*肥人部広麻呂上　三郡別一日食為単参日上
*礒部飯足上　三郡別一日食為単参日上
*小長谷部善麻呂上　三郡別一日食為単参日上
*矢田部猪手上　三郡別一日食為単参日上
当国使*安倍郡散事*常臣子赤麻呂上　三郡別五度各一日食

42国師（23）国内の僧尼の統轄、経典の講義、後には国分寺造営などにあたった僧官（20周防85筑紫国師）。延暦十四年八月講師と改称（三代格）。国師の部内巡行の例は他にみえず。
42明喩　他にみえず。
42沙弥　見習い僧。食法は「上」。
42童子　近親郷里から取って僧に供侍した一六歳以下の少年（僧尼令6取童子条）。
42六郡別一日食　国分寺所在の安倍郡を除いた六郡か。
〔**43〜78**〕公文逓送使記事。
〔**43〜51**〕当駿河国へ官符逓送の遠江国使への給粮記事。全一三回。
43磐田郡散事（58）この肩書はこれ以降51までの使にもかかる。磐田郡は遠江国府所在郡。郡散事は出身郡ごとに行き先などを分担か。
43散事　散仕とも。郡ごとに選ばれて国衙に上番し、文書・物資の逓送などの雑務に従事。傜丁か。
43大湯坐部小国（58）他にみえず。
43三郡別二度　遠江・駿河間の使者を二度務めた意。
45小長谷部国足　64小長谷部足国と同一人か。他にみえず。
46物部石山（63）・**47敢石部角足**（65）・**48肥人部広麻呂**・**49礒部飯足**・**50小長谷部善麻呂**・**51矢田部猪手**（60）他にみえず。
〔**52〜57**〕官符を当駿河国府から隣国へ逓送した当国使への給粮記事。全一三回。遠江国から来た官符逓送使の回数と一致するから（〔43〜51〕）、すべて相模国府との往復か。この場合、伊豆・甲斐両国あて官符の扱いは未詳。
52安倍郡散事（67）この肩書は54〜57の使にも

53 為単壹拾伍日上
54 *横田臣大宅上　三郡別二度各一日食為単陸日上
55 *伊奈利臣千麻呂上　三郡別二度各一日食為単陸日上
56 *半布臣子石足上　三郡別二度各一日食為単陸日上
57 *丈部牛麻呂上　三郡別二度各一日食為単陸日上
58 *齋省符使*遠江国磐田郡散事*大湯坐部小国上　三郡別十一
59 度各一日食為単参拾参日上
60 矢田部猪手上　三郡別十度各一日食為単参拾日上
61 *生部牛麻呂上　三郡別六度各一日食為単壹拾捌日上
62 *税部古麻呂上　三郡別六度各一日食為単壹拾捌日上
63 物部石山上　三郡別三度各一日食為単玖日上
64 *小長谷部足国上　三郡別六度各一日食為単壹拾捌日上

（正集巻十七）

………………

（*B断簡）○紙面に「駿河国印」あり。

（継目裏書）

………………

（第十紙）

65 敢石部角足上　三郡別六度各一日食為単壹拾捌日上

52常臣子赤麻呂　他にみえず。かかる。安倍郡は駿河国府所在郡。

54横田臣大宅（70）他にみえず。

55伊奈利臣千麻呂　74伊奈利臣牛麻呂と同一人か。他にみえず。

56半布臣子石足・57丈部牛麻呂（68）他にみえず。

〔58〜66〕当駿河国へ省符逓送の遠江国使への給粮記事。全五三回。

58遠江国磐田郡散事　この肩書はこれ以降65までの使にもかかる。→43磐田郡散事

58大湯坐部小国・61生部牛麻呂・62税部古麻呂　他にみえず。

64小長谷部足国　45小長谷部国足と同一人か。他にみえず。

B断簡　A断簡と僅かな欠損で接続する。目録によれば、B断簡右端に継目裏書が僅存し、続々修第三十四帙第二巻第二断簡背の右端に継目裏書が左文字で附着している。

66 ＊佐益郡散事＊丈部塩麻呂上　三郡別五度各一日食為単壱拾伍日上
67 ＊当国使＊安倍郡散事＊旱部若槌上　三郡別二度各一日食為単陸日上
68 丈部牛麻呂上　三郡別四度各一日食為単壱拾弐日上
69 ＊半布臣足嶋上　三郡別四度各一日食為単壱拾弐日上
70 横田臣大宅上　三郡別十度各一日食為単参拾日上
71 ＊丈部多麻呂上　三郡別四度各一日食為単壱拾弐日上
72 ＊半布臣石麻呂上　三郡別四度各一日食為単壱拾弐日上
73 ＊半布臣虫麻呂上　三郡別一日食為単参日上
74 ＊伊奈利臣牛麻呂上　三郡別一日食為単参日上

＊（C断簡）〇紙面に「駿河国印」あり。　（正集巻十七・第十一紙）

75 ＊当国使＊有度郡散事＊＊他田舎人広庭上　三郡別四度各一日食為
76 単壱拾弐日上
77 ＊川邊臣足人上　三郡別二度各一日食為単陸日上
78 ＊他田舎人益国上　三郡別二度各一日食為単陸日上

66佐益郡　民部式・和名抄61・万葉二〇4325防人歌左注などに遠江国佐野（サヤ）郡、静岡県袋井市坂尻遺跡出土土器墨書に「佐野厨」。遠江国内の駿河国寄りに位置。

66丈部塩麻呂　他にみえず。

〔67～74〕　当駿河国から相模国への省符逓送使記事（後欠）。現存部は三〇回分なので、当国止まりの省符がなければ、これ以降に二三回分の記事が続いたか（58）。

67安倍郡散事（52）この肩書きはこれ以降74までの使にもかかる。

67旱部若槌・69半布臣足嶋・71丈部多麻呂・72半布臣石麻呂・73半布臣虫麻呂　他にみえず。

74伊奈利臣牛麻呂　55伊奈利臣千麻呂と同一人か。他にみえず。

C断簡　欠損部をはさんでB断簡に接続。欠損部には74の続きの当国から相模国への省符逓送使のほか、75に接続する当駿河国へ来た逓送使の記事が存在したか。

75当国使　当駿河国の逓送使。公文逓送使の最後であり、国府所在郡より遠江国寄りの有度郡散事が担当するから、遠江国への逓送か。

75有度郡散事　この肩書きはこれ以降78までの使にもかかる。

75他田舎人広庭上三郡　人名は目録に、「上三郡」は大古に従う。

75他田舎人広庭・77川邊臣足人・78他田舎人益国　他にみえず。

79旧防人　帰郷する旧防人（→27）への給粮。この部領使への給粮記事は27～33。20周防173～190によると天平十年には少なくとも一八七七人の

旧*防人伊豆国弐拾弐人　甲斐国参拾玖人　相摸国弐伯参
拾人　安房国参拾参人　上総国弐伯弐拾参人　下総国
弐伯漆拾人　常陸国弐伯陸拾伍人　合壱阡捌拾弐人
六郡別半日食為単参阡弐伯肆拾陸日上
*依病退本土仕丁衛士*火*頭等相摸国御浦郡衛士土

（正集巻十七・第十三紙）

*（E断簡）○紙面に「駿河国印」あり。

［　　　　］麻呂従　六郡別半日食為単参日従
匠*丁宍*人部身麻呂従　六郡別半日食為単参日従
茨*木郡仕丁旱部友敷従　六郡別半日食為単参日従
従*陸奥国送摂津職俘囚壱伯壱拾伍人従　六郡別半日食為単
参伯肆拾伍日従
従*相摸国逓送官*奴黒秦従　六郡別半日食為単参日従
*巡行部内国司漆拾人守*二口 史生十口 掾九口 従卌三口 目六口　一郡十二日食守一口 史生一口 目一口 従六口
七*郡別四日食守一口 史生三口 掾三口 従十二口　七郡別三日食掾四口 史生三口 目一口 従十三口　三郡別

旧防人が帰国。本項では伊豆国以東の東海道諸国七か国一〇八二人が通過。残る約八〇〇人は遠江・駿河両国と東山道諸国への帰国か。
〔83～86〕病によって帰郷する仕丁などへの給粮記事（中間欠）。天平十年十二月に帰郷する仕丁に給粮すべきことを規定（続紀）。
83衛士　選ばれた軍団兵士が宮都警衛に上京。
83火頭　衛士・丁匠などの炊事担当者。
E断簡　欠損部をはさんでC断簡に接続。
85匠丁　向京の粮は出発国負担。→06尾張29匠丁粮
85宍人部身麻呂　他にみえず。86が茨木郡から記すから、常陸国出身者か。
86茨木郡仕丁　常陸国茨木郡出身。仕丁の向京の粮は出発国負担だからここは帰郷中。茨木郡は多く茨城郡に作る。
87従陸奥国送摂津職俘囚　俘囚は公民に準ずるとされた蝦夷。諸国へ移住させた。本項は東山道陸奥国から摂津職へ移送される俘囚への給粮記事。その後一部は周防国を通って（20周防1）筑後国へ行く（25筑後14）。この部領使への給粮記事は34～41。
89従相摸国逓送官奴　相模国へ逃亡した官奴が京に連れ戻されたものか。別の職務で隣国を往復する郡散事等が国毎に逓送したか。
89官奴黒秦　他にみえず。
〔90～109〕国司巡行（→15但馬122）記事。うち95までは郡数・日数によるまとめ。このような書式は本帳のみ。→20周防96食法
90守二口　守の巡行は二回。以下この分注は同様にのべ回数。
91七郡　駿河国の全郡。郡域の狭広などに関わらず各郡同日数。

三日食掾一口従二口　七郡別二日食掾一口　目四口史生一口　従八口　七郡別一日食史生一口従一口　六郡
別一日食史生一口従一口　為単壱阡参伯参拾人上三百廿口　史生百八十六口　従八百廿四口　食稲
肆伯肆拾玖束陸把　塩弐斗弐升肆合捌勺酒肆斛陸斗捌
升捌合*上別日稲四把　塩二勺　酒一升　史生別日稲四把　塩二勺酒八合　従別日稲三把　塩一勺五撮
*春夏正税出挙国司掾一口　史生一口　従三口　七郡別二度各三日食為単弐
伯壱拾日掾卌二口　史生卌二口従百廿六口
*責計帳手実国司掾一口　目一口　史生一口　従五口　七郡別三日食為単壱伯
陸拾捌日掾廿一口　目廿一口史生廿一口　従一百五口
*検校調庸布国司目一口従一口　七郡別二度各二日食為単伍拾陸日目廿
八口　従廿八口
*収納正税国司守一口従二口　七郡別四日食為単壱伯壱拾弐日守廿八口従八十四口
依恩*　勅賑*給高年等穀国司掾一口従一口　七郡別二日食為単弐拾捌日掾十四口従十四口
*向京調庸布国司守一口　目一口　史生一口従六口　一*郡十二日食為単壱伯捌日守十二口　目十二口史生十二口　従七十二口
*二寺稲春夏出挙国司目一口従二口　七郡別二度各二日食為単捌拾肆日目廿八口従五十六口
*二寺稲収納国司史生一口従一口　七郡別二日食為単弐拾捌日史生十四口従十四口

95 **上別日稲**　→20周防96食法

96 **春夏正税出挙**　貸付の監督のための巡行。二度とも同じ官人が担当。→用語〔出挙〕

98 **責計帳手実**　→15但馬138

100 **検校調庸布**　→15但馬147検校庸物。二度とも同じ官人が担当。正倉院に駿河国調布が現存するが、主計式上19駿河国条には駿河国の調に布はみえず(庸布はある)。

102 **収納正税**　→15但馬150収納当年官稲

103 **恩勅**　天平十年正月、阿倍内親王の立太子に伴うもの(続紀、120～122、20周防144～150、23淡路28～31)。

103 **賑給**　→04和泉110

104 **向京調庸布**　100検校調庸布は目が各郡を巡っているのに対し、本項では目・史生を従えた守が一郡に長期滞在。調庸布の点検や国印押捺(賦役令2調庸物条)などを監督したか。

104 **一郡**　国衙所在郡の安倍郡か。

105・106 **二寺稲**　大安寺と薬師寺の出挙稲(主税式上5出挙本稲条・大安寺伽藍縁起幷流記資財帳・薬師寺旧流記資財帳)。出挙・収納とも正税(96・102)とは別。

F断簡　欠損した四～七回分の国司巡行記事をはさんでE断簡に接続。

107 **検校水田**　→15但馬142検校田租

108 **幣帛**　→04和泉226。和泉監へは朝使の祭幣帛使が派遣され監司が従って部内を巡ったが、109

（継目裏書）

（正集巻十七）
（第十四紙）

検*校水田国司掾一口 従二口　七郡別三日食為単陸拾参日掾廿一口 従卌二口
幣*帛奉国司史生一口 従一口　六*郡別一日食為単壱拾弐日史生六口 従六口
巡**察使従史生一口 従一口　七郡別一日食為単壱拾肆日史生七口 従七口
去**年任国司掾従六位下久*米朝臣湯守始正月一日迄*閏七月廿九日合
弐伯参拾陸日食稲肆伯壱束弐把　日別一束七把
去*年国司目正八位上川*原田宿祢忍国始正月一日迄閏七月廿九日合弐
伯参拾陸日食稲参伯参拾束肆把　日別一束四把
去年朝*集雑掌半*布臣嶋守盧*原君足礒合弐人　始正月一日迄四月廿九 日合百十八日
為単弐伯参拾陸日食稲漆拾束捌把人別単三把
当年朝集雑掌半布臣嶋守旱*部今子合弐人始十一月一日迄十二月卅 日合五十九日
為単壱伯壱拾捌日食稲参拾伍束肆把　人別単三把
綾**羅*合弐拾漆匹織*生弐拾漆人日弐拾箇日為単伍佰肆拾日
食稲弐伯壱拾陸束人別単四把

（F*断簡）〇紙面に「駿河国印」あり。

巡察使従の表記からみて、当駿河国には祭幣帛使は来訪しなかったか。

108 六郡　国府所在郡の安倍郡を除く六郡、あるいは式内社（神名式）が所在しない志太郡を除く六郡か。

109 巡察使　地方行政監察のために太政官から派遣された使者。常置せず（職員令2太政官条）。天平十年十月七道諸国に派遣（続紀）。一郡一日で国内全郡を巡行。本帳は巡察使には給粮していないので、その食馬は駅を利用したか（↓20周防136）。

109 巡察使従　巡察使に随行した国司（20周防136〜139）。

110 去年任国司　08駿河1〜3にならえば本項の直前は当年着任の「雑任国司」記事。それがないので当年着任国司は存在しなかったか。

110 去年任国司掾　08駿河1の前に新任国司としての給粮記事が存在したか。

110 久米朝臣湯守　↓08駿河92

110 迄閏七月廿九日　着任は天平九年五月以降。↓08駿河3迄七月弐拾玖日

112 去年国司　年の下に「任」字脱か。

112 川原田宿祢忍国　天平九年十月一日着任↓08駿河1・91

114 朝集雑掌　↓03摂津33雑掌

114 半布臣嶋守　天平九年度（在京九年十一月〜十年四月。08駿河8）、十年度（在京十一月から翌年）の二年連続で朝集雑掌（116）。

114 盧原君足礒　↓08駿河8

116 旱部今子　他にみえず。

118 綾　↓07尾張79

118 羅　薄い網目状の織物。

118 織生　綾生に同じ。↓07尾張33

（G断簡）*○紙面に「駿河国印」あり。　（正集巻十八・第一紙）

*[惸]七百廿二人　独四人　不能自存八百卌三人

給*稲壱萬壱阡弐伯弐拾肆束　一人卌束*　二人別廿束　卌六人別十束　四百卌四人別六束　三百七十一人

別五束　七百卌四人別四束　四百九十一人　別三束　九百六十三人別二束

元*日拝朝刀祢*拾壱人　国司史生已上三口　*軍毅少毅已上二口　郡司主帳已上六口　食稲弐束弐

……（継目裏書）

（第二紙）

把　酒壱斗壱升　人別稲二把　酒一升

正*月十四日転読　金*光明経幷最勝王経壱拾捌巻壱箇日

仏*聖僧幷僧拾捌口合弐拾口供養料稲漆拾捌束漆把

食料捌束　口別四把

塩*弐升肆合　四合口別二勺　二升雑菜料口別一合　直稲捌把　々別三合

醤*伍升壱合陸勺　口別二合五勺八撮　直稲弐拾束陸把　升別四束

末*醤弐升伍合陸勺　口別一合二*[勺][□][撮]　直稲漆束陸把　升別三束

（H断簡）*○紙面に「駿河国印」あり。　（正集巻十八・第三紙）

G断簡　首部。ほかの断簡との前後関係は不明。〔120～122〕前欠の賑給記事（→103恩勅）。

120 廿　復元帳□とするが、透過光写真で確認。

120 卅　透過光写真による。大古・寧遺・復元帳は「卌」とする。

121 給稲　賑給（→[04]和泉110）で穀ではなく稲を給する確実な例（→[27]薩摩28穎稲）。

123 元日拝朝　儀制令18元日国司条に基づく元日拝朝の儀式およびその後の設宴（[12]越前15・[15]但馬44・[23]淡路34・[27]薩摩41）。

123 刀祢　職務に預かる官人。ここでは参列する国司・郡司・軍毅を指す（[12]越前15・[27]薩摩41）。

123 軍毅　大毅・少毅の総称。

125 正月十四日　諸国恒例の経典講読斎会。持統八年五月に、諸国に金光明経百部を送り、毎年正月上玄に読ませ、布施は当国官物を充てる（書紀）が淵源（[04]和泉27・[23]淡路37・[27]薩摩30）。

125 金光明経幷最勝王経　金光明経は北涼の曇無識が漢訳した四巻本と隋の宝貴が漢訳した八巻本あり。正月十四日の斎会で用いられたのは、[10]伊豆3と[23]淡路37は四巻本、[04]和泉27・[09]駿河125・[12]越前17・[15]但馬26・[27]薩摩30は八巻本。[07]尾張21は不明。最勝王経は金光明最勝王経。唐の義浄が漢訳した一〇巻本。

126 仏聖僧　→[02]大倭252

128 塩　→[10]伊豆14塩…価

129 醤・130 末醤　→[10]伊豆18醤・19末醤

130 [勺][□][撮]　大古は「勺□撮」とし、復元帳は「勺[八]撮」とする。

H断簡　欠損部をはさんでG断簡に接続。首部の末に近い年間収支のまとめ。

131* 直稲参拾玖束肆把 一斤直廿一束* 布*壱段*肆尺 領別一丈 直*稲□
132 束陸*把 一段直十二束 粉米参升 領別*一升 料穎陸把 升別二把 袋*鹿洗□
133 参枚 長各四尺五寸広二尺四寸 直*稲弐拾肆束 枚別八束
134 横*刀漆刃料鉄伍拾捌斤参両 刃別八斤五両 直稲弐伯陸拾壱
135 束玖把 一斤直四束五把
136 鞘料鉄弐斤壱拾両 口別六両 直稲壱拾壱束捌把 一斤直四束五把
137 馬皮半枚 長二尺八寸 広二尺五寸 鞘別充長二尺五寸 広四寸 直稲伍束 糸弐両壱分弐銖
138 口別一*分二銖 直稲伍束玖把 一斤直六十束
139 弓*肆拾張弓*握纏韋壱張 長四尺 広二尺五寸 弓一張別方五寸 直稲捌束
140 箭*肆拾具料糸壱拾両 具別*一銖 直稲陸束弐把 一斤直六十束
141 鉄陸拾漆斤捌両 具別*一斤十一両 直稲弐伯捌拾捌束壱把 一斤直四束五把
142 胡*禄肆拾具料鹿洗韋弐枚 長各四尺 広三尺 一具別長二尺広三寸 直稲壱拾捌束 枚別九束
143 靫*肆拾巻料馬皮壱枚半 一長四尺 広三尺 一長三尺 広二尺 巻別長九寸 広五寸 直稲壱拾
144 伍束 一枚十束 一枚五束
145 靫*手牛革壱枚 長五尺 広三尺四寸 巻別長四寸五分広一寸五分 直稲漆拾束縫糸捌拾

〔**131～147**〕前欠の年料器仗(→07尾張68営造兵器)製作費記事。材料費は08駿河と小異。131～133は08駿河32～35に対応する挂甲三領製作(→08駿河20)。

131 斤　→用語〔斤・両〕

131 布　08駿河26頸牒錦絁と28端裏緋絁の合計か。布一段は商布二丈六尺(続紀和銅七年二月条)。挂甲収納袋なら08駿河35では領別二丈。

131 段　→02大倭253三端一段

131 直稲　価格と単位からみて綿(→08駿河32)。

132 陸把　段別一二束の割合では陸把の端数は生じず、計算に誤りあるか。

132 領別一升　08駿河34では領別二升。

132 袋鹿洗□　挂甲を収納する袋。□は革または韋か。→15但馬50・20周防202

133 直稲　大古は「稲直」に作るが誤り。

134 横刀漆刃　→08駿河21大刀漆口

138 一分二銖　大制の単位。08駿河30一両は小制(大制の1／3)なので、実質同重量。

139 弓肆拾張　兵部式75諸国器仗条と一致。

139 弓握纏韋　→07尾張73握纏鹿韋

140 箭肆拾具　兵部式75諸国器仗条と一致。

140 具別一銖　大制の単位。08駿河31具別三銖は小制なので、実質同重量。07尾張76も一具は「生糸三銖」。ただし「具別一銖」は四〇具で一〇両にならず、「一銖」は「一分」の誤りか。

141 具別一斤十一両　08駿河22は具別一斤一〇両二分四銖。

142 胡禄　矢を盛って背に負う具。やなぐい。四〇具は兵部式75諸国器仗条と一致。

143 靫　→07尾張77。寸法等は08駿河37鞆に同じ。

145 靫手　緒洗韋とともに鞆の両端に縫いつけた。→10伊豆1

146 条 卌条別長二尺四寸 巻別長短各一条 卌条別長一尺五寸 成*斤壱両直稲参束漆把一*斤
（第四紙）
147 直六十束 緒洗韋半枚 長二尺三寸 広二尺 巻別長二尺三*寸広五分 直稲肆束
148 中*宮職交*易絁直幷運担夫庸*稲玖阡参伯捌拾束
149 絁捌拾匹直稲玖阡参伯束 五十匹別百廿束 卅匹別百十束
150 運担夫肆人庸*賃捌拾束 人別廿束
151 皇*后宮交*易雑物直幷運担夫庸稲壱阡玖伯捌拾束
152 煮*堅魚参伯弐拾斤納肆拾籠 々別八斤 直稲壱阡肆伯捌拾
153 束 籠別卅七束
154 味*葛煎弐斗納缶弐口 々別一斗 直稲弐伯束 缶別百束
155 運担夫壱拾弐口庸賃参伯束 人別廿五束
156 出*挙壱拾捌萬弐阡伍伯束 債*稲身死伯姓三百五十三人 免*稲八千六百九十一束
（継目裏書）
157 定納本壱拾漆萬参阡捌伯玖束 利八万六千九百四束五把
（第五紙）
158 幷弐拾陸萬漆伯壱拾参束伍把
159 当*年租穀壱萬壱伯陸拾斛参斗
160 封*壱阡捌拾陸斛肆斗参升

146 成斤壱両　大制の一両。糸は普通は小制。

146 一斤直六十束　一両が三束七把ならば一斤（一六両）は五九束二把。切り上げて六〇束。

147 三　大古・寧遺・復元帳も同じ。しかし第一画は「二」の上に付いた墨点の可能性あり。

148 中宮職　皇后・皇太后などの家政事務を掌る官司（職員令4中宮職条）。この中宮職は当時、皇太夫人であった藤原宮子に付属。

148 交易絁　中宮職に交易進上する絁。交易・運京に正税を用いる理由は不明。↓168

148 庸稲　運担夫に支給する功直。

150 庸賃（155）　復元帳は「庸債」に作る。

151 皇后宮　宮の下に「職」字脱か。↓06尾張31

151 交易雑物　皇后宮職に交易進上する雑物の交易・運京に正税を用いる理由は不明。↓168

152 煮堅魚　カツオの切身を煮た後に乾し固めたいわゆるカツオ節。現在の煮た後に薫製化する工程とは異なる。主計式上19駿河国条に調の品目として煮堅魚と堅魚（麁堅魚）。また斎宮式78調庸雑物条にも駿河国からの煮堅魚の貢納がある。↓10伊豆103麁堅魚

154 味葛　アマズラ（甘葛）。ツタ類の樹液を煮てつくる甘味料。宮内式の45例貢御贄条に駿河国ほかからの甘葛煎（あまづらのいろり）の貢納がみえる。↓27薩摩66甘葛煎

156 出挙・債稲身死・免稲　↓用語〔出挙〕

159 当年租穀　天平十年度の駿河国全郡の全田租額。

160 封　食封の租のこと。内訳は161半給と162全給。食封（封戸）は位階（慶雲三年以後四位以上）、官職（天平三年以後参議以上）に賜与される公戸で、調庸の全額と田租の半分が封主に支給（賦役令8封戸条）。和銅七年正月には長親王以下

161 半給玖拾肆斛 主給卌七斛 納官卌七斛
162 全給玖伯玖拾弐斛肆斗参升
163 官*玖阡漆拾参斛捌斗漆升
164 合*官納玖阡壱伯弐拾斛捌斗漆升 *振入八百廿九斛一斗六升 斛別入一斗
165 定捌阡弐伯玖拾壱斛漆斗壱升
166 加伝*馬死皮肆張直肆拾束 張別十束
167 加伝*不用馬伍匹直弐伯伍拾束 匹別五十束
168 加*中宮職税壱萬肆伯肆拾弐束漆把半
169 都*合定穀参拾伍萬肆阡玖伯陸拾陸斛伍斗玖升 *振入三万二千二百六十九斛六斗八升 斛別入一斗
170 定*参拾弐萬弐阡陸伯玖拾陸斛玖斗壱升
171 不動弐拾捌萬伍阡捌伯玖拾漆斛参斗壱升
172 動参萬陸阡漆伯玖拾玖斛陸斗
173 粟*肆伯捌拾弐斛伍斗陸升 振入卌三斛八斗四升 斛別入一斗
174 定肆伯参拾捌斛漆斗弐升
175* 穎稲陸拾萬参阡肆伯玖拾参束玖把半

五人の皇親に封租全給が許され(続紀)、天平十一年五月に全給が原則となる(続紀)。本帳では半給と全給の封戸が並存。

163官　公戸の納めた全田租額。159当年租穀から160封を減じたもの。

164合官納　封戸租納官分(161)と公戸(163)の田租を合わせた全官納田租。未振量(→用語〔振入〕)

164振入　→用語〔振入〕

166伝馬死皮　→08駿河58

167伝不用馬　→07尾張92売不用伝馬

168加中宮職税　中宮職(→148)税は中宮湯沐(禄令10食封条)の出挙稲で封戸の所在地に保管か(→15但馬106中宮職捉稲使・18播磨4中宮職美作国主稲)。それを正税に加えていることが、中宮職・皇后宮職の交易雑物の調達・運京に正税を用いた(148・151)理由か。

169都合　当天平十年度の駿河国全郡の稲穀の決算高。未振量。

169振入　正確な1/11は末尾「九升」で割り切れる。ここで末尾を「八升」とするのは、170〜172の数値が先にあったからであろう。

170定　169から振入を引いた振定量。内訳は171不動と172動。

173粟　当年度当国粟穀の決算高。未振量。振入を引いて振定量174定になる。

〔175〜180〕　品目ごとの当国年度末の決算高。

176 糒*伍阡伍伯壱拾肆斛伍斗陸升
177 酒伍斛肆斗
178 醬玖斛漆斗盛瓱*伍口　四口別受二斛　一口受一斛七斗
179 未醬弐斛捌斗盛瓱弐口　々別受一斛四斗
180 酢壱斛玖斗盛瓱壱口

（I*断簡）○紙面に「駿河国印」あり。（正集巻十八・第六紙）

181* 目正八位上林連安人等時欠*
182 霊*亀元年検校国司守従六位下巨*勢朝臣足人
183 欠穀壱萬肆伯伍拾捌斛参斗捌升玖合伍勺　国司守従六位上田口*朝臣御負　掾従七位上笠志史君足*
184 目正八位上林連安人等時欠
185 養*老四年検校国司守従六位上矢口*朝臣黒麻呂
186 欠穀肆阡肆伯壱拾漆斛玖斗漆升捌合壱勺肆撮
187 糒肆拾斛捌斗　国司守従五位下巨勢朝臣足人　掾従六位下秦忌寸稲粟*　目正八位上桑原史千山等時欠*
188 神*亀二年検校按*察使正五位上勲七等大*伴宿祢山守

176 **糒**（187・195ほか）↓06尾張18
178 **瓱**（179）↓10伊豆80
I断簡　欠損部をはさんでH断簡に続く。首部の末表示（200まで）および志太郡部の初表示。
〔181～190〕検校によって判明した欠穀の記事（前欠）。前年某郡（08駿河81～83）によれば、この前に和銅五年検校記事あり。検校者・欠損責任者を記すのは首部のみ。
〔181〕本行の翻刻は目録による。
181 **林連安人**（184）他にみえず。
182 **霊亀元年検校**（226・258）新任国守による検校。
182 **巨勢朝臣足人**（187）養老二年正月従五位下。同四年十月任式部員外少輔（続紀）。霊亀元年より養老四年まで駿河守に在任か（↓185）。
183 **田口朝臣御負・183 笠志史君足**　他にみえず。
185 **養老四年検校**（227）新任国守による検校。
185 **矢口朝臣黒麻呂**　他にみえず。大古・寧遺は「矢田」に作るが誤り。
187 **秦忌寸稲粟**　長屋王家木簡（城27）の「正七位上秦連稲粟」は同人か。大古・寧遺・復元帳は名を「稲粟」とするが誤り。
187 **桑原史千山**　他にみえず。
188 **神亀二年検校**（228・246）按察使による検校。
188 **按察使**　↓11越前145
188 **大伴宿祢山守**　養老三年七月、正五位上遠江国守として、駿河・伊豆・甲斐三国を管する按察使に任命（続紀）。
189 **下毛野朝臣**　石代か。養老四年九月に従五位下で征夷副将軍（続紀）。敬意としての闕名か。
190 **従六**　下に「位」字脱。
190 **路真人宮守**　天平九年九月外従五位下、十八

欠穀肆萬弐阡陸伯壱拾捌斛陸斗 国司守従五位下勲八等下*毛野朝臣闕
掾従*六下勲十二等路*真人宮守 目従八位上勲十二等*林連加麻呂等時欠
正*倉弐伯捌間 土倉七間 *凡倉二百一間 新*造弐間 凡倉 修理伍間 凡倉
税*屋弐拾間 新造一間
借*倉壱拾弐間
借*屋壱拾間
都合定弐伯伍拾間 不動穀倉百十五間 動用穀倉十四間 動用穀借屋七間 糒倉九間 糒借倉四間 粟倉二間 粟借倉五間 頴稲倉五十六間 頴稲税屋十六間 頴稲借倉一間 頴稲借屋三間 空倉十二間 空税屋四間 空借倉二間
鎰*壱拾陸勾 不動鎰七*勾 糒倉鎰一勾 不動*匕一口 *常鎰七勾 塩倉鎰一勾 *正倉印一口
右不動鎰漆勾蔵納樻匕付去天平七年正*税
帳*使故目従七位上土*師宿祢佐美麻呂申送已
訖 （正集巻十八・第七紙）
……………………（継目裏書）
志*太郡天*平九年定穀参萬伍阡伍伯参拾陸斛肆斗捌升 振入三千二百卅斛五斗九升 斛別入一斗 （第八紙）
定*参萬弐阡参伯伍斛捌斗玖升

年四月従五位下（続紀）。
190林連加麻呂　他にみえず。
191正倉（229・247）↓[02]大倭13
191凡倉　土倉に対する板倉の意か。寧遺は「瓦倉」に作るが誤り。↓229
191新造　税屋二〇間に含まれる。
192税屋（196・230・233・248ほか）↓[08]駿河84
193借倉・194借屋　↓[06]尾張11借倉
197鎰　鑰と通じる「カギ」。扉の穴に差し込み内側の「くるる」を動かして扉を開閉する鈎か。糒倉・塩倉の鎰は他にみえず。
197七勾　一郡一勾。不動鎰は京進が原則（↓職員令3中務省条集解古記・中務式55不動倉鑰条、[17]隠岐30・[21]長門72）。本項は現在国にない鎰・匕も記載している。
197常鎰　動用倉の鎰か（[10]伊豆96・[17]隠岐30・[19]周防25・[20]周防263）。[22]紀伊41に動の鎰、主税式下1正税帳条に動用鑰がみえる。
197不動匕　198によれば不動鎰を収納した樻（櫃）の匙。樻とともに不動匙も京進（↓198・[10]伊豆97・延喜交替式天平宝字七年三月官符）。
197正倉印　倉印か。[10]伊豆98・[17]隠岐30は「正倉印」、[21]長門71は「印」。一国一口であり、因幡倉印（大古一318）・常陸倉印（大古一308、ただし印を注せず）の使用例によれば、国印に準じる公印として用いられた。
198正税帳使　この使者名は当帳が初見。
〔199・200〕　正集巻十八は第六紙と第七紙を分けるが、本来は連続する一紙。
199土師宿祢佐美麻呂　他にみえず。
201志太郡　以下、志太郡部初表示から中間表示。
201天平九年定穀　前年度からの繰越高。未振量。
202定　201から振入を引いた振定量。

不動弐萬玖阡陸伯伍拾参斛漆升
動弐阡陸伯伍拾弐斛捌斗弐升
*粟壱拾壱斛陸斗壱升 振入一斛五升 斛別入一斗
定壱拾斛伍斗陸升
*穎稲伍萬捌阡弐伯肆拾肆束
*糒伍伯弐拾玖斛
*酒肆斗伍升
*醸加弐斛伍斗
幷弐斛玖斗伍升 *雑用一斛九斗八升七合
*塩肆升捌合肆勺弐撮半
*買加壱斗捌升陸合伍勺
幷弐斗参升肆合玖勺弐撮半 *雑用一斗八升五合六勺五撮
*雑用参阡壱伯伍拾壱*束把半
出挙壱萬捌阡漆伯束 債稲死百姓五十四人 免稲*千六百廿二束
定納本壱萬漆阡漆拾捌束 利八千五百卅九束

205粟　粟穀の前年度からの繰越高。未振量。
207穎稲　前年度からの繰越高。
208糒　前年度からの繰越高。
209酒　前年度からの繰越高。
210醸加　→08駿河48
211雑用　当年度支出した酒。
212塩　前年度からの繰越高。
213買加　→08駿河51
214雑用　当年度支出した塩。
215雑用　当年度志太郡部の穎稲の雑用支出。本帳では郡部の雑用支出は合計額だけ記載。→08駿河53
215束把半　○把半のこと。束に続けて「半」とすると五把の意味になるので、このように表記(02大倭18)。→04和泉264把之伍分・27薩摩9拾分把之
216千　大古・寧遺は「一千」に作るが誤り。→02大倭253仟伯拾

（J＊断簡）○紙面に「駿河国印」あり。

218 粟＊壱拾壱斛陸斗壱升〔斛別入一斗＊〕＊

219 定壱拾斛伍斗陸升

220 穎稲陸萬弐阡陸拾玖束玖把半

221 糒伍伯弐拾玖斛

222 酒＊玖斗陸升参合

223 塩＊肆升玖合弐勺漆撮半

224＊ 和銅五年検校欠穀壱阡捌拾玖斛捌斗肆升伍合玖勺弐撮

225 穎稲弐阡伍伯肆束

226 霊亀元年検校欠穀弐阡参伯漆拾肆斛捌斗漆升漆合半

227 養老四年検校欠穀肆伯参拾伍斛弐斗漆合弐勺

（正集巻十八・第九紙）

（K＊断簡）○紙面に「駿河国印」あり。

228 神亀二年検校欠穀玖伯陸拾壱斛参斗

（正集巻十八・第十紙）

J断簡　欠損部をはさんでI断簡に接続。205と218、208と221は一致するので志太郡の末表示の一部。首部173以降と対応。

218粟　当年度決算高。205と同じなので年度内収支なし。

218〔　〕　205と同文、振入一斛五升であろう。

218斗　この下に文字の痕跡があるが正税帳とは無関係。

222酒　当年度決算額。209〜211の結果。

223塩　当年度決算額。212〜214の結果。

〔224〜228〕　検校によって判明した欠穀の記事。181〜190、08駿河81〜83に対応記事。

K断簡　J断簡に直接接続。志太郡部の末表示の最終部と益頭郡部の初表示の一部。民部式・和名抄61の配列によると志太郡・益頭郡の順。

正倉弐拾肆間 土倉一間 凡倉廿三間* 新造*壱間 凡倉 修理*参間 凡倉 *

税屋壱間

借倉*壱間

借屋*弐間

都合*定弐拾捌間 不動穀倉一十三間 動穀倉二間 穎稲倉六間 糒倉一間 穎稲税屋一間 穎稲借屋一間 粟借倉一間 穀借屋一間 空倉二間

郡司*少領外従七位下栬前*舎人 「向京*」

益*頭郡天平*九年定穀肆萬肆阡伍伯壱拾参斛陸斗 振入四千卌六斛六斗九升 斛別入一斗

定肆萬肆伯陸拾陸斛玖斗壱升

(O*断簡)○紙面に「駿河国印」あり。　(正集巻十八・第十四紙)

定肆萬壱阡漆伯陸拾参斛肆斗参升

不動参萬肆伯肆拾玖斛肆斗玖升

……………（継目裏書）（第十五紙）

動壱萬壱阡参伯壱拾参斛玖斗肆升

粟陸斛漆斗参升 振入六斗一升 斛別入一斗

定陸斛壱斗弐升

〔229〜233〕志太郡部倉屋記事。首部〔191〜196〕と同書式。

229凡倉（191・247）普通の倉の意味だが、当駿河国では土倉以外、10伊豆87では法倉以外、主税式下1正税帳条は法倉（甲倉と板倉）・土倉以外に対してよぶ。03摂津12は全部が、21長門66は新倉が凡倉。

229新造・修理　上記正倉二四間に含まれる。

231借倉・232借屋　→06尾張11借倉

233都合　229正倉・230税屋・231借倉・232借屋の合計。

234郡司少領　当志太郡（推定）、有度郡（260、推定）とも郡部末尾の署名が少領一人で、かつ向京中で自署を欠く。元日拝朝への郡司の列席が全七郡で六口である（123）。当年の駿河国諸郡の体制は不備だったか。

234栬前舎人　栬前・梔前部は天平神護二年越前国司解（大古五606）・上野国佐位郡貢納の庸布銘・静岡県浜松市伊場遺跡出土木簡（木研一）などにみえる。梔前は檜前に通じるか。

234向京　署名がない理由。調庸貢納の綱領などで上京中か。

235益頭郡　以下、益頭郡部。

235天平九年定穀　08駿河59と一致。

O断簡　241と08駿河39、243と08駿河46は一致するので益頭郡の末表示。

242 穎稲陸萬陸阡捌拾壱束陸把半
243 糒漆伯弐拾弐斛
244 酒弐斗参升捌合
245 塩肆升伍合参勺
246 神亀二年検校欠穀伍阡壱伯肆拾漆斛
247 正倉弐拾参間（土倉一間 凡倉廿二間）
248 税屋弐間

（正集巻十八・第十二紙）

（M断簡）* ○紙面に「駿河国印」あり。

249* 定伍萬捌阡参伯弐拾陸斛□*
250 不動伍萬参阡伍伯肆拾壱斛捌升
251 動肆阡漆伯捌拾伍斛陸斗捌升
252 粟弐拾漆斛壱斗壱升（振入二斛四斗六升 斛別入一斗）
253 定弐拾肆斛陸斗伍升
254 穎稲漆萬陸阡弐拾伍束弐把

M断簡　裏面の利用などからみて有度郡部。末表示の一部。
〔249～269〕復元帳と断簡配列・行番号が異なる（→凡例五3）。
249□　250・251から欠損部は「漆斗陸升」と推定可能。

255 糒陸伯陸拾陸斛
256 酒漆斗参升壱合
257 塩漆升陸合参勺弐撮半
258 霊亀元年検校欠穀参伯壱斛伍斗陸升捌合

（L断簡）*　○紙面に「駿河国印」あり。　（正集巻十八・第十一紙）

259 都合定参拾玖間 □穀倉*□間□穎 稲税屋四間　穀借屋一間　粟倉一間　空倉二間　空税屋一間空借倉一間
260 郡司少領*外正八位上有度*君「向京」
261 安倍郡天平九年定穀伍萬玖阡陸伯肆拾伍斛参斗弐升 振入五千四百廿二斛三斗　斛別入一斗
262 定伍萬肆阡弐伯弐拾参斛弐升
263 不動肆萬捌阡漆伯漆拾陸斛漆斗五升
264 動伍阡肆伯肆拾陸斛弐斗漆升
265 粟肆拾捌斛陸斗陸升 振入四斛四斗二升 斛別入一斗
266 定肆拾肆斛弐斗肆升
267 穎稲捌萬伍伯伍拾捌束肆把

L断簡　後半は安倍郡部の初表示の一部。民部式・和名抄61の郡の配列によると259・260は有度郡部末表示の最後。
259穀倉□間　復元帳に従う。
260郡司少領　→123郡司主帳已上六口
260有度君　駿河国に有度氏の存在は、万葉二〇4337に駿河国防人有度部牛麻呂の歌、静岡市元宮川神明原遺跡出土木簡に有度郡「他田里戸主宇刀マ真酒」（木研七）の名あり。

268 糒玖伯捌拾斛伍斗陸升
269 酒参斗伍合

270 動伍阡肆伯肆拾陸斛捌斗捌升

*（N断簡）〇紙面に「駿河国印」あり。　（正集巻十八・第十三紙）

271 粟伍拾漆斛伍斗玖升　振入五斛二斗三升 斛別入一斗
272 定伍拾弐斛参斗陸升
273 穎稲漆萬玖阡肆伯伍拾玖束捌把
274 糒伍伯玖斛捌斗
275 酒肆斗玖升捌合
276 醸加弐斛伍斗
277 并弐斛玖斗玖升捌合　雑用一斛八斗八升五合
278 塩参升参合肆勺

N断簡　某郡の初表示の一部。蘆原郡・富士郡・駿河郡のどれか。

⑩ 伊豆国正税帳　天平十一年度

*（継目裏書）「伊豆国天平十一年正税并*神税帳目従八位下*林連佐比物」

（継目裏書）（正集巻十九・第一紙）

*（A断簡）○紙面に「伊豆国印」あり。

*軒壱拾口料*軒手牛皮壱条 長四尺五寸 広一寸五分 価稲*捌束
*鞘壱口料馬皮壱条 長二尺五寸 広四寸 価稲弐束伍把
*毎年正月十四日読*金光明経四巻又*金光明最勝王経
十巻合壱拾肆巻*供養料*稲肆拾玖束
*仏聖僧及読僧十四口合壱拾陸軀供養料稲漆束
伍把弐分
*大豆餅卅二枚　*小豆餅卅二枚　*煎餅卅二枚　*阿久良
形卅二了　*布留卅二枚并壱伯陸拾枚料*稲陸
束肆把
*麦形卅二了料麦六升四合　*餅交料小豆六升四合

継目裏書　五か所。便宜ここに掲示。
0神税帳　本帳は正税帳と神税帳とを併載。神税部を載せない正税帳は、神税帳を独立した巻としたのであろう。
0林連佐比物　雑物にも作る。天平勝宝八歳十月正六位下因幡掾で東大寺田地を点定（東南院文書二291）。神護景雲元年正月外従五位下。同年七月上野介。同三年二月宿祢姓を賜る。宝亀二年九月主計助（続紀）。
A断簡　首部中間表示後半部。紙面2～9・18・19に裏文書の裏書き（三次文書）あり。→断簡整理・表裏対照表
1軒　→07尾張77
1軒手　→09駿河145
1捌束　透過光写真による。
2鞘　→08駿河38。ここまで兵器料（→07尾張68営造兵器）。
〔3～20〕　正月十四日（→09駿河125）斎会。
3金光明経・金光明最勝王経　→09駿河125金光明経并最勝王経
4供養　→02大倭252
4稲肆拾玖束　内訳を合計すると二分不足→27稲伍拾伍束
5仏聖僧　仏と聖僧（→02大倭252）。読僧一四口と合わせて一六軀。
7大豆餅・小豆餅・煎餅　→30
7阿久良形　→31阿具良形
8布留　→31
8稲陸束肆把　各種の餅は一枚に付き米二合となる（→23淡路42～52）。
10麦形　→33
10餅交料小豆　→33

幷壹斗弍升捌合価稲弍束伍把陸分
餅*交料大豆三升二合　煎*料大豆三升二合　幷陸升
　肆合価稲壹束弍把捌分
塩*壹升玖合弍勺価稲陸把肆分
胡麻油玖合陸勺 煎餅阿具*良形麦形等料 価稲捌束陸把肆
　分
飴*捌合 布留料 価稲参束弍把
醬*肆升壹合弍勺捌撮価稲壹拾弍束参把捌分
末*醬弍升肆勺捌撮　価稲肆束壹把
酢壹升壹合伍勺弍撮価稲弍束参把
依太*政官天平十一年三月廿四日符講説最勝王経*
　調度価稲壹仟肆伯玖拾伍束
布*施物買価稲壹仟肆伯肆拾束
生*絁壹匹価稲壹伯束
糸伍拾伍絇*価稲陸伯陸拾束

12餅交料大豆・煎料大豆　↓35
14塩…価　稲一束で塩三升。これは[08]駿河15買塩・[09]駿河128塩・[21]長門22塩に同じ。[15]但馬155塩は一束で一升。[12]越前71塩は一束で二升。20周防155塩は一束で六升。
15阿具良形　↓31
17飴（40）糖とも記す。大麦その他の穀類の芽と澱粉質とを混ぜ合わせ、適温に保って糖化させたもの。甘味料。
18醬（41・82・125）ヒシホ。大膳式下18造雑物法条では、大豆に麦を混ぜ、米を麴として塩水・酒に混ぜて発酵させた調味料。斎会の供養料用の醬はそのつど調達（本項・[09]駿河129・[15]但馬11）。[17]隠岐・[21]長門・[26]豊後各正税帳では醬の増減がみられず。
19末醬（43・83・126）ミソ。大豆の穀醬。本来は本帳ほか正倉院文書に散見する「末醬」。転じて「未醬」に作る。和名抄213には「未醬」は高麗醬で「俗用味醬」とあり、現在の味噌（大豆に米麴を加えた米味噌）の前身か。現存税帳では、[06]尾張8・[10]伊豆19・[17]隠岐13が「末醬」、[09]駿河130・[15]但馬10が「未醬」に作るが、大古・寧遺は全て「末醬」に作る。斎会の供養料用の末醬はそのつど調達（本項・[09]駿河130・[15]但馬10）。
〔**21～44**〕臨時斎会の費用。
21太政官天平十一年三月廿四日符　他にみえず。臨時の講説最勝王経斎会（21）開催命令。
23布施　内訳は24～26。定例の斎会（3）には支給せず。↓[02]大倭253
24生絁　練っていない絁糸（↓[08]駿河28）の糸（[11]越前104絁糸）。
25絇　↓[07]尾張54

布参拾肆*端価稲陸伯捌拾束

（継目裏書）（第二紙）

供養料*稲伍拾伍束

仏聖僧及講師聴衆僧十二口沙弥三口*合壱拾捌

軀供養料稲捌束肆把陸分

*大豆餅卅六枚　*小豆餅卅六枚　*煎餅卅六枚

*阿具良形卅六了　*布留卅六枚并壱伯捌拾

枚料稲漆束弐把

*麦形卅六了料麦*六升八合　*餅交料*小豆六升

八合并*壱斗参升陸合価稲弐束漆把弐分

*餅交料大豆三升六合　*煎料大豆三升六合并漆升

弐合価稲壱束肆把肆分

塩弐升壱合陸勺価稲漆把弐分

胡麻油壱升捌勺　煎餅阿具良形麦形等料　価稲玖束漆把

弐分

飴玖合　布留料　価稲参束陸把

26端　→02大倭253三端一段

27稲伍拾伍束　内訳を合算すると二分多い。年間の供養料（4と27の合計）としては整合。

28合壱拾捌軀　仏一・聖僧一・講師一・聴衆僧一二・沙弥三の合計一八軀。

30大豆餅（7）大豆（12・35）を混ぜた餅。「万米毛知比」（⑮但馬31）。

30小豆餅（7）小豆（10・33）を混ぜた餅。

30煎餅（7）「伊利毛知比」（⑮但馬33）。穀類を粉末にしてこね、油で熬るか揚げ、糖をつけたもの。本帳では稲・大豆・胡麻油（38）を記す（㉓淡路46）。

31阿具良形（15・38）アグラカタ。阿久良形（7）、呉床餅（㉓淡路50）、阿来良（⑮但馬34糫餅）。餅を細く伸ばし、ひねってB形等にして胡麻油（15・38）で煎るか揚げたもの。形から「万加利」（和名抄208）とも。践祚大嘗祭式27供神雑物条に「勾餅」あり。

31布留（8）フル。浮餾餅（㉓淡路48）。米を熬り蜜で和えたもの。当帳では蜜ではなく飴（17・40）を使用。

33麦形（10）ムギカタ。小麦を練ったものを紐状にし、両端をねじり合せて輪状とし胡麻油（15・33）で揚げたもの（㉓淡路52）。

33六升八合　10（餅一枚に付き麦二合）からは七升二合になる。

33餅交料小豆　30小豆餅の材料。

33六升八合　10・㉓淡路55（餅一枚に付き小豆二合）からは七升二合になる。

34壱斗参升陸合　麦と小豆の合計。

35餅交料大豆（12）30大豆餅の材料。

35煎料大豆（12）30煎餅の材料。

41 醬肆升陸合肆勺*肆撮価稲壱拾参束玖把

42 　参分

43 末醬弐升参合肆撮価稲肆束陸把

44 酢壱升弐合玖勺陸撮価稲弐束伍把玖分

45* 依*太政官去天平九年三月十六日符書写*大般若経調

46 　度価稲陸仟玖伯漆拾玖束把*伍分

47 浄*衣料布参拾参段*価稲参伯参拾束

48 紙継料大豆漆升捌合価稲壱束伍把伍分

49 筆壱伯伍拾捌管価稲壱伯伍拾捌束

50 墨肆拾玖廷価稲壱伯陸拾参束参把

51 写大般若経肆*伯弐拾漆巻　用紙七千八百*八十一張

（B*断簡）○紙面に「伊豆国印」あり。

（正集巻十九）（継目裏書）（第三紙）

52 不*用伝馬壱匹売得稲伍拾束

53 死*伝馬壱匹皮壱張売得稲壱拾束

41肆勺肆　大古は「肆肆勺」に作るが誤り。

〔45〜51〕 大般若経書写事業費（後欠）。

45太政官去天平九年三月十六日符　三月丁丑（三日）詔で、国ごとに釈迦仏像一軀、挟侍菩薩二軀を造り、大般若経一部を写せしめる（続紀）。それを伝える官符。

45大般若経　大般若波羅密多経の略。唐玄奘訳六〇〇巻。この時期、金光明経と同様の銷災致福の経として、書写のみでなく毎年の転読なども実施。

46把伍分　○把五分のこと。束に続けて「五分」とすると五把の意味になるおそれがあるため、こう表記した。↓⑨駿河215束把半

47浄衣　ここでは写経従事者が着る清浄な衣服。

47段（105）↓⑫大倭253三端一段

51肆伯弐拾漆巻　未詳。六〇〇巻のうち一七三巻は前年度までに書写をおえていたか。

51八十一張　大古・寧遺ともに「一」を欠く。

B断簡　首部中間表示末部から末表示、神税帳、田方郡部初表示。

52不用伝馬　↓⑰尾張92売不用伝馬。伊豆国への伝馬（↓⑬摂津32伝）設置（兵部式にはみえず）を示す。

53死伝馬壱匹皮　↓⑱駿河58加伝馬死皮

54 兵*家稲天平十年定壱萬肆仟弐伯捌拾弐束　依*兵部省天平十一年
55 九月十四日符混合
56 出*挙伍仟束　債*稲身死伯姓一人免*稲百束
57 定納本肆仟玖伯束
58 利弐仟肆伯伍拾束　依*兵部省天平十一年六月七日符悉免之
59 合定兵家稲壱萬肆仟壱伯捌拾弐束
60* 都*合定穀漆萬陸仟肆伯漆拾斛壱斗玖升陸合
61 簸*振量定伍萬弐仟弐伯肆*拾斛肆升陸合　五万一千六百卌七
62 斛*五斗九合斛*別入七升　五百九十二斛五斗三升七合斛*別入一斗　合振*入参仟肆伯参拾
63 弐斛陸斗漆升陸合
64 定*肆萬捌仟捌伯漆斛参斗漆升
65 未*簸弐萬肆仟弐伯参拾斛壱斗伍升　一万一千三百卌九斛六升二合
66 斛別入七升　一万二千八百八十一斛八升八合斛別入一斗　合振入壱仟玖伯壱拾参
67 斛肆斗漆升
68 定弐萬弐仟参伯壱拾陸斛陸斗捌升

54兵家稲天平十年　兵家稲は本帳のみにみえる。軍団に関わる財源か。出挙により運用。本項は昨天平十年度兵家稲の決算上の穎稲量。

54兵部省天平十一年九月十四日符　兵家稲を正税に混合する命令なので、兵家稲は兵部省所管。天平十一年五月の兵部省符によって、一部を除いて諸国兵士を停止していること（三代格延暦二十一年十二月太政官符所引）に伴うか。実際に混合された兵家稲の量は59。

56出挙・債稲身死・免稲　本項は兵家稲の出挙。出挙量・一人あたりの借り受け量（免稲量）からみて、予算を立てて特定の対象者に強制貸付か。→用語〔出挙〕

58兵部省天平十一年六月七日符　他にみえず。天平十一年五月に今年の出挙正税の利を免除している（続紀）のに準じたもの。

〔60～98〕　当天平十一年度当伊豆国の決算である首部末表示。

60都合定穀　当年度稲穀の決算残高。内訳は61簸振量定と65未簸。

61簸振量定　→㉖豊後12振量未簸

61肆拾　大古・寧遺は「肆」字を脱。

62斛（二か所）　寧遺は「斗」に作るが誤り。

62斛別入七升（66）正税稲穀を振入斛別入七升（7／107）と入一斗（1／11）とに区分。入七升は本帳のみ。他に入六升（⑭佐渡2）・入八升（㉓淡路7振入）がある。入一斗以外は、正税保有量の少ない国の不動穀であり、倉内部の構造などに関係するか。→用語〔振入〕

62振入（66・112・116）→用語〔振入〕

64定　61簸振量定から62振入を減じた値。

65未簸　→㉖豊後12振量未簸

69 *合定実漆萬壱仟壱伯弐拾肆斛伍升
70 　不動陸萬漆仟玖伯弐拾玖斛漆斗参升
71 　動用参仟壱伯玖拾肆斛参斗弐升
72 穎稲壱拾陸萬参伯玖拾弐束陸把
73 糒*参仟壱伯伍拾斛肆斗壱升
74 　国儲弐仟漆伯捌拾肆斛漆斗玖升
75 　*兵備参伯陸拾伍斛陸斗弐升
76 酒壱拾捌斛漆斗壱升壱合

（継目裏書）
（第四紙）

77 醸*加酒清*濁并壱拾斛
78 合酒弐拾捌斛漆斗壱升壱合
79 　雑用参斛玖斗壱升陸合　三斗七升*織錦幷神明膏萬病膏等酢分
80 　遺弐拾肆斛漆斗玖升伍合　*不動十一斛二斗伍升　*盛瓱壱拾壱
81 　　口　不動三口
82 醤弐斗弐升伍合　盛*甅壱口
83 末醤壱斗伍升　盛甅壱口

69合定実　64定と68定の合計で、振定量での当年度稲穀の決算残高。内訳は70不動と71動用。
73糒(123)　内訳は74国儲と75兵備。糒をこのように二分するのは本帳のみ。両者とも国司の所管であるが保管場所が異なるか。当国に糒倉は四間(92)。→[07]尾張127
75兵備(123)　[22]紀伊42軍団糒と同様に軍団に保管したか。
77醸加　当年醸造して加えた量。→[03]摂津32酒
77清濁　新醸酒を漉したりせずにそのまま、の意か。
79織錦幷神明膏萬病膏等酢分　織錦と酢の関係は未詳。後段は膏薬を造るのに古くなった酒を酢として加えたの意。
80不動　酒の不動。→[21]長門14酒
80瓱　主に酒を入れる甕。主計式上1畿内調条は須恵器で、池由加と同じく五石入りの大甕([04]和泉93・[09]駿河178・[19]周防4・[20]周防254)。→82甅
82甅　80瓱に対して小型の甕。主計式上1畿内調条には須恵器で、一石二斗入り。

84 酢伍斗弐升伍合　盛𤭖壱口
85 正*倉捌拾伍間
86 法倉壱拾間　在礎八間*　无礎二間*
87 凡倉漆拾伍間　无礎
88 穀倉参拾弐間
89 不動倉弐拾陸間
90 動用倉陸間
91 穎倉参拾漆間
92 糒倉肆間
93 空倉壱拾弐間
94 鎰*壱拾弐勾
95 不動倉鎰陸勾
96 常鎰陸勾
97 匙*弐口不動　一口以神亀元年十二月廿九日附史生大初位上勲十一等林*連毛人進上　一口以天平元年正月廿一日附史生従七位下*広瀬臣光進上
98 正*倉印壱枚

85正倉　→02大倭13。内訳は86法倉(→04和泉135)と87凡倉(→09駿河229)。収蔵物別では88穀倉・91穎倉・92糒倉・93空倉。
86在礎・无礎　礎石のことだろうが、その有無を注記するのは本帳のみ。
94鎰壱拾弐勾　この時期伊豆は三郡なので、不動倉鎰・常鎰ともに郡別二勾か。→09駿河197
97匙弐口　09駿河198では不動鎰を収納した櫃とその櫃の匕(匙・さじ)を京進しているから、本項も同じか。現在国に存在していない匙(および不動倉鎰)を税帳に記載していることになる。二口あるのは、伊豆国府が東海道駅路との関係で国内最北端に偏在したので、南部に別府が置かれたためとする説がある。
97林連毛人　他にみえず。
97広瀬臣光　他にみえず。
98正倉印　→09駿河197

99 *弐*処神戸天平十年定穎壱萬肆仟伍伯伍拾束
100 割用壱伯肆拾束神祭祀酒食料 春七十束 夏七十束
101 遺壱萬肆仟肆伯壱拾束

（継目裏書）（第五紙）

102 当年租肆伯玖拾壱束
103 調麁*堅魚壱伯陸拾弐斤*壱拾弐両**売得稲壱伯
104 肆拾束 以十一斤*十両買稲十束
105 庸布伍段壱*丈肆尺売*得稲*伍拾伍束 以一段買稲十束
106 合*定穎壱萬伍仟玖拾陸束
107 納*倉玖間
108 屋*壱間
109 鎰壱勾 常
110 田*方郡天平十年定正税穀伍萬玖拾弐斛壱斗伍升漆合
111 簸振量定参萬伍仟漆伯捌斛伍斗玖升漆合 三万五千四百
112 七十九斛六升斛別入七升 斛五斗三升七合斛別入一斗 二百廿九 合振入弐仟参伯
113 肆拾壱斛玖斗弐升漆合

〔99〜109〕「神税帳」（→0）部分。
99弐処神戸　大同元年牒に伊豆国に神戸があるのは伊豆三嶋神（静岡県三島市三嶋大社）と大和国の鏡作神（→02大倭179鏡作）。伊豆三嶋神は、一三戸が全て伊豆国にあるが、奉充年代が「天平宝字二年十月二日九戸、同十二月四戸」とあり、これによれば本帳の時期には神戸がないことになる。鏡作神は、一八戸の神戸の内訳が「大和二戸。伊豆十六戸」とあり、奉充年代は不明。
103麁堅魚　荒堅魚とも。生カツオを細く割いて干したものか。延喜式では煮堅魚に対して単に堅魚に作る。主計式上20伊豆国条で調の主要品目に挙げられ、斎宮式78調庸雑物条にも伊豆国からの堅魚の貢納がある。→09駿河152煮堅魚
103斤・両　→用語〔斤・両〕
103売得　神戸調を国司の責任で売却して穎稲に替え、神税穎に加える。
104十一斤十両　大制。天平期の調堅魚貢納木簡にみる正丁一人の貢納量。令制の調堅魚の正丁一人の貢納量小三五斤（賦役令1調絹絁条）を大制に換算した十一斤十両二分四銖を丸めた値。
105壱丈肆尺　半段に等しい→02大倭253三端一段
105売得　神戸庸を国司の責任で売却して穎稲に替え、神税穎に加える。
105稲　大古・寧遺ともに欠くが誤り。
106合定　天平十一年度の神税の決算額。穎稲しかない。99定穎から100酒食料を引き、102租・103調・105庸を足す。
107納倉　神税倉なので正倉とは呼ばない。
108屋　→04和泉95
110田方郡　これ以降、国府所在郡である田方郡部初表示。現存部の書式の枠組みは、首部末表示60〜83に同じ。

定参萬参仟参伯陸拾陸斛陸斗漆升

未簸壹萬肆仟参伯捌拾参斛伍斗陸升 六千三百八十 二斛一斗二升

二合斛別入七升 三升八合斛別入一斗 八千一斛四斗 合振入壹仟壹伯肆拾

肆斛玖斗弐升伍合

定壹萬参仟弐伯参拾捌斛陸斗参升伍合

合定実肆萬陸仟陸伯伍斛参斗伍合

不動肆萬伍仟玖拾伍斛陸升

動用壹仟伍伯壹拾斛弐斗肆升伍合

穎稲玖萬肆仟弐伯弐*拾漆束伍把

糒*壹仟弐伯肆拾肆斛捌斗漆升 国儲八百七十九斛二斗五升 兵備三百六十五斛六斗二升

酒陸斛弐斗弐升漆合

醤弐斗弐升伍合

末醤壹斗伍升

122 弐拾　大古・寧遺は「弐」字を欠く。
123 糒（73）国儲は一部が、兵備（75）は全部が当田方郡に所在。

11 越前国大税帳　天平二年度

0　「（継目裏書）＊越前国大税帳天平三年二月廿六日史生大初下阿刀造佐美麻呂＊」

（続々修三十五帙巻六背・第二十三紙）

（F＊断簡）○紙面に「越前国印」あり。

1＊　穎＊稲陸拾漆萬参仟漆伯漆□

2　雑＊用壱萬肆仟肆伯肆拾伍束

3　春＊米料稲壱萬弐伯陸拾束

（正集巻二十七・第二紙）

（A＊断簡）○紙面に「越前国印」あり。

4　残＊玖仟漆伯捌斛玖斗肆升

5＊　合＊定大税穀弐拾弐萬漆仟壱伯参拾玖斛漆斗陸升漆合漆勺（振入＊斛別＊一斗不動＊穀八万九千七百一十三斛一斗）

6　穎＊稲漆拾壱萬陸仟壱伯玖拾参束伍把

7　糒＊玖仟漆伯捌斛玖斗肆升（為裏＊一万九千四百一十七裏別五斗余四斗四升）

8　正＊倉弐伯捌拾肆間　破漆間　遺弐伯漆拾漆間

継目裏書　五か所。便宜ここに掲示。
0大税　→用語〔官稲〕
0阿刀造佐美麻呂　12越前0にみえる。
F断簡　各項目の数量から首部（→用語〔正税帳〕）と推定。1～3は丹生郡部24～26・江沼郡部91～93に対応。寧遺未収。
〔1〕　本行の翻刻は透過光写真による。本行左にやや小さく「□□元年定大」とみえるが、本来の税帳本文としては疑問が残る。
1穎稲　→用語〔稲〕
2雑用　当年度穎稲の雑用の合計。内訳は3以降に続く（欠損）。
3春米（26・74・93）→06尾張39年料春税。民部式下49年料租春米条で越前国は内蔵寮に五〇石、大炊寮に六五四石を納める。本項は春米五一三斛分。
A断簡　F断簡より後の首部。
4残　糒（→06尾張18糒）の当年収支の残高。
〔5～12〕　丹生郡部43～48・江沼郡部113～117に対応する首部の末表示。
5合定　当年度の穀の残高。振定量。
5振入（16・40ほか）→用語〔振入〕。本帳は振入「斛別一斗」（5）と「斛別入一斗」（40）とを区別して用いる。→05伊賀6斛別一斗
5斛別一斗（16・43・113・130）本項「合定」はすでに斛別一斗を減少済。
5不動穀（16・43・113・130）大税穀の内に含まれている不動穀（→用語〔官稲〕）だけ記載。動用穀は未成立。→06尾張1不動
6穎稲　当年度末の決算残高。
7糒　4と同量。年度末の在庫量（129）。
7裏　→18
8正倉（19・46ほか）→02大倭13

新造倉玖間 格倉*五間　屋*壱拾弐間　新造屋壱間

倉*下参間　借*倉壱拾壱間　借*屋参拾間　合*参

伯肆拾参間 不動穀倉*卌一間　穀倉*八十八間　倉下二間／屋八間　穎倉八十五間　倉下一間　屋卅四間

糒倉廿間　空倉六十三間／屋一間

敦賀郡

天*平元年定大税穀伍仟捌伯伍拾壱斛玖斗参升弐合陸勺

（B*断簡）○紙面に「越前国印」あり。　（正集巻二十七・第三紙）

糒弐伯玖拾弐斛漆斗玖升

合定大税穀陸仟弐伯玖拾伍斛漆斗漆升弐合陸勺 振入斛別一斗不動穀二千九／百五十二斛六斗五升

穎稲壱萬伍仟参伯参束漆把

糒弐伯玖拾弐斛漆斗玖升 為裹*五百八十五裹別／五斗　余二斗九升

正倉壱拾伍間　借倉壱間　合壱拾陸間 不動*

穀倉二間　穀倉七間　穎倉三間／糒倉一間　空倉三間

郡司少領外従八位上勲十二等角鹿直*「綱手」

9格倉（46・116・133・149）現存する他国税帳にみえず。校倉式の倉庫か。↓[04]和泉269甲倉
9屋　↓[04]和泉95
10倉下（47・66・84）↓[06]尾張19
10借倉・借屋　↓[06]尾張11借倉
10合　8遺・9新造倉・屋・新造屋・10倉下・借倉・借屋の合計。分注は収納物ごとの内訳。縦に読むから、倉下二間・屋八間は穀、倉下一間・屋三四間は穎、末尾の屋一間は空。
11不動穀倉・穀倉（48・66ほか）↓[06]尾張15穀倉
14天平元年定大税穀　前年度から繰越の当敦賀国の大税穀の全量。振定量（↓用語〈振入〉）。
B断簡　敦賀郡部の中間の大部分である欠損部をはさんで、A断簡に接続。敦賀郡部の最後まで、丹生郡部、足羽郡部初表示まで。民部式・和名抄63でも敦賀郡・丹生郡の順。本帳の郡の順は[12]越前と同じ。
18裹（7・45・82・115・132）ふくろ。写経所文書にみえる「俵」（大古五242・一五196ほか）と同一か。これらはすべて一裹（俵）五斗であり、本項と一致。雑式27公私運米条に公私の運米は五斗を一俵とすると規定。
19不動　次行「穀倉二間」に続く。
21角鹿直綱手　[12]越前90にみえるほか、平城京木簡（城25）に敦賀郡「江祥里戸主角鹿直綱手」とある。角鹿直氏は敦賀郡の豪族で、角鹿国造の系統をひく。

*丹生郡
天平元年定大税穀伍萬伍仟壱伯陸斛肆斗伍升壱合玖勺
穎稲漆萬壱仟弐伯陸拾捌束陸把
*雑用肆仟陸伯弐拾伍束
舂米料稲参仟伍伯捌拾束
*匠手粮料壱仟肆拾伍束
残陸萬陸仟陸伯肆拾参束陸把
*出挙弐萬漆仟陸伯陸拾弐束
*身死人負稲参仟捌伯肆拾束
残弐萬参仟捌伯弐拾弐束
利壱萬壱仟玖伯壱拾壱束

（継目裏書）
（第四紙）

并参萬伍仟漆伯参拾参束
*古稲参萬捌仟玖伯捌拾壱束陸把
*輸田租穀参仟参拾壱斛肆斗漆升 *欠去年四百九十五斛三升
*食封租壱仟壱拾肆斛玖斗陸升 三百六十七斛五斗全給一所 六百卌七斛四斗六升二分之一給八所

〔22～53〕丹生郡部。完存。
25雑用　内訳は26舂米と27匠手粮。
27匠手粮　→06尾張29匠丁粮
29出挙・30身死人負稲　→用語〔出挙〕
34古稲　28残から29出挙を差し引いたもの。
35輸田租　当年輸した全田租。内訳は36食封と37公租。未振量（→用語〔振入〕）。
35欠去年（63・107）去年の未収田租。当年度徴収し、本項輸田租に含まれるか。未収田租の全額か部分かは不明。63・107もほぼ同比率だから、毎年一定比率で回収したか。
36食封（64・108）食封の田租のうち、封主分。分注は内訳で、封主に全給と封主に半給がある。→09駿河160封

公*租弐仟壱拾陸斛伍斗壱升
納*加賀郡弐伯漆拾捌斛漆斗参升
納*当郡壱仟漆伯参拾漆斛漆斗捌升
振入壱伯伍拾漆斛玖斗捌升*斛別入一斗
納定壱仟伍伯漆拾玖斛捌斗
糒壱仟陸伯斛参升
合*定大税穀伍萬陸仟陸伯捌拾陸斛弐斗伍升壱合玖勺振入斛別一斗不動穀二万二千六百廿四斛三斗六升
穎*稲漆萬肆仟漆伯壱拾肆束陸把
糒壱仟陸伯斛参升為裏三千二百裏別五斗　余三升
正倉伍拾弐間　破肆間　遺肆拾捌間　新造格
倉壱間　倉下壱間　借倉壱間　合伍拾壱間
不動穀倉九間　穀倉一十三間　倉下一間
穎倉八間　糒倉四間　空倉一十六間
郡司少領外正八位下勲十二等佐味君*「浪麻呂」
主政外従八位上勲十二等矢原連*「与佐弥」
主政外大初位下勲十二等生江臣*「積多」

37公租　35輸田租から36食封を引いた田租公納額。公戸の租と半給封戸の納官分。
38納加賀郡　当丹生郡に輸された田租穀を加賀郡へ納めた。郡を越えた口分田班給によるか(↓06尾張47納春部郡)。
39納当郡　37公租から38納加賀郡を引いた、当丹生郡へ納入の田租。
40斛別入一斗(97・110)　前項の一斛一斗に対して一斗を減少させる。本帳では「斛別一斗」(5)と区別して用いる。
43合定大税穀　当丹生郡当年度穀の決算残高。振定量。年初23から田租41だけ増加。
44穎稲　当年度穎稲の決算残高。24穎稲から25雑用・29出挙を引き、33弁を足す。
49佐味君浪麻呂　本項では少領外正八位下勲十二等であるが、12越前107には大領「外従位下勲十二等」としてみえる。
50矢(笑)原連与佐弥　他にみえず。
51生江臣積多(154)　他にみえず。生江臣氏は足羽郡を本拠地とする越前国の豪族。

52 主帳外少初位上勲十二等坂本連*「宿奈麻呂」
53 主帳无位丹生直*「伊可豆智」
54 足羽郡
55 天平元年定大税穀肆萬弐仟捌伯肆拾玖斛参斗肆升弐合弐勺
56 穎*稲参萬壱仟捌伯捌拾参束伍把
57 出挙壱萬参仟伍伯参拾肆束
（継目裏書）
58 身死人負稲壱仟肆伯弐拾弐束
（第五紙）
59 残壱萬弐仟壱伯壱拾弐束
60 利陸仟伍拾陸束
61 并壱萬捌仟壱伯陸拾捌束
62 古稲壱萬捌仟参伯肆拾玖束伍把
63 輸田租穀弐仟壱伯壱拾陸斛漆斗漆升欠去年三百五十二斛二斗三升
64 食封租伍伯陸拾漆斛壱斗伍升三百七十四斛五斗二升全給二所　一百九十二斛六斗三升二分之一給四所

52 **坂本連宿奈麻呂**　他にみえず。
53 **丹生直伊可豆智**　他にみえず。
56 **穎稲**　前年度繰越の当足羽郡穎稲。他郡記事では出挙の前に雑用を記すので、それによれば当年度の雑用は存在せず。

（C断簡）*○紙面に「越前国印」あり。　（続々修十九帙巻八背・第三十五紙）

65* 壱拾壱間　借倉壱間　借屋弐間　合伍拾

66 玖間　不動穀倉四間　穀倉一十三間　倉下一間　屋三間　穎倉廿二間　屋九間　糒倉二間　空倉四間屋一間

67 郡司大領外従七位上勲十二等生江臣*「金弓」

68 少領外正八位下勲十二等阿須波臣*「真虫」

69 主帳外少初位上勲十二等山君*「大父」

70 坂井郡

71 天平元年定大税穀弐萬玖仟弐伯伍拾壱斛参斗壱合捌勺

72 穎稲捌萬漆仟壱伯捌拾束玖把

73 雑*用壱仟壱伯弐拾束

74 春米料稲壱仟束

75 粟*陸斛料稲壱伯弐拾束

76 残捌萬陸仟陸拾束玖把

77 出挙壱萬参仟弐伯捌拾束

78 身死人負稲弐仟伍伯陸拾束

C断簡　某郡部末から坂井郡部前半。某郡は、民部式・和名抄63の郡の配列で坂井郡の前である大野郡であろう。大古が足羽郡の続きであろうとするのは誤り。

〔65〕本行の翻刻は透過光写真による。

67生江臣金弓　他にみえず。

68阿須波臣真虫　他にみえず。「阿須波」は足羽に同じ。

69山君大父　他にみえず。

73雑用　内訳は74春米料と75粟料。

75粟　粟を購入する記事は他にみえず。稲一束で五升は、春米と同じ。

79 残壱萬漆伯弐拾束

（正集巻二十七・第六紙）

80 （D断簡）* ○紙面に「越前国印」あり。

四百一十七斛四斗

81 穎稲*捌萬捌仟捌伯陸拾束玖把

82 糒壱仟肆伯伍斛 為裏二千八百一十 裏別五斗

83 正倉肆拾参間　破参間　遺肆拾間　新造倉弐

84 間　屋壱間　倉下壱間　借倉陸間　借屋壱拾

85 肆間　合陸拾肆間 不動穀倉一十間　穀倉一十八間　屋二 間　穎倉一十二間　倉下一間　屋一十三

（継目裏書）

86 間　糒倉三間 空倉五間

（第七紙）

87 郡司大領外正八位下三国真人*

88 少領外正八位下勲十二等海直*「大食」

89 江沼郡

90 天平元年定大税穀弐萬玖仟陸伯玖拾肆斛肆斗伍升参合

91 穎稲捌萬肆仟肆拾玖束肆把

D断簡　欠損部をはさんでC断簡に続く。坂井郡部末表示から江沼郡部、加賀郡部冒頭まで。
81穎稲　当年度坂井郡穎稲の決算残高。72穎稲から73雑用と77出挙を支出し、収納した本利稲（一六〇八〇束と推算可能）を足した額。
87三国真人　未詳。名を記さない理由を注記しないのは異例。越前国坂井郡の郡司として三国真人がいたことは大古六603などで判明。
88海直大食　→12越前136

92 雑用壱仟漆伯束
93 　春米料稲壱仟束
94 　依*民部省符給*下等兵士壱拾肆人漆伯束
95 *残捌萬弐仟参伯肆拾玖束肆把
96 *為穀稲陸仟伍伯肆拾捌束参把得穀陸伯伍拾肆斛捌斗参升（*束別得一斗）
97 　振入伍拾玖斛伍斗参升（斛別入一斗）
98 　納定伍伯玖拾伍斛参斗
99 出挙参萬壱仟陸伯漆拾束
100 身死人負稲伍伯伍拾束
101 残参萬壱仟壱伯弐拾束
102 　利壱萬伍仟伍伯陸拾束
103 弁肆萬陸仟陸伯捌拾束
104 **縁民部省符買*絁糸価稲伍仟束
105 *残肆萬壱仟陸伯捌拾束
106 *古稲肆萬肆仟壱伯参拾壱束壱把

94民部省符　未詳。
94下等兵士　兵士を上(中)下の二(三)等に分けた例は他にみえず。兵士は自弁が原則であるから、本項では民部省符により特に給稲したものか。当国の兵士か否かも不明。
95残　91穎稲から92雑用を引いた、現在高。
96為穀　↓[05]伊賀5・用語〔稲〕
96束別得一斗　穎一束と穀一斗とは公式的に等価。↓[05]伊賀5・[02]大倭16替依稲
104縁民部省符　穎稲の支出だが、92雑用に括られていない。↓105残
104民部省符　未詳。
104絁糸　↓[10]伊豆24生絁
105残　103弁から104縁民部省符を引いた残り。104の支出は当年の出挙収納稲からおこなっている。当年度の雑用はいったん95残で締めており、104縁民部省符はその後の支出の扱い。
106古稲　95残から96為穀と99出挙を引いた残り。

107 輸田租穀壱仟参伯捌拾壱斛伍升（欠去年二百一十一斛五升）
108 食封租参伯壱拾捌斛弐斗漆升（一百一十七斛五斗七升全給一所／二百斛七斗二分之一給二所）
109 公租壱仟陸拾弐斛漆斗捌升漆合（加七合*）
110 振入玖拾陸斛陸斗壱升漆合（斛別入一斗）
111 納定玖伯陸拾陸斛壱斗漆升
112 糒壱仟玖伯肆拾伍斛

（継目裏書）（第八紙）

113 合定大税穀参萬壱仟弐伯伍拾伍斛玖斗弐升参合*（振入斛別一斗不動穀一／万九百卌七斛九斗）
114 穎稲*捌萬伍仟捌伯壱拾壱束壱把
115 糒壱仟玖伯肆拾伍斛（為裏三千八百九十／裏別五斗）
116 正倉肆拾弐間　新造倉参間（格倉一間）　合肆拾
117 伍間（不動穀倉三間　穀倉一十三間　穎倉一十三間／糒倉一間　空倉一十五間）
118 郡司主政外従八位上動*十二等膳*「長屋」
119 主政外大初位下勲十二等江沼臣*「大海」
120 主帳外少初位上勲十二等江沼臣*「入鹿」
121 主帳无位財造*「住田」

109 加七合　公租に余分の七合を加える、振入計算を簡便にするための帳簿上の操作。これにより斛別入一斗に端数が生じず。本帳では振入の対象となる未振量はすべて一一で割って端数が生じない数字となっている。→用語〔振入〕

113 合定大税穀　当年度大税穀の決算残高。90天平元年定・98納定・111納定の合計。振定量。

114 穎稲　当年度穎稲の決算残高。105残と106古稲の合計。

118 動　「勲」字の誤り。

118 膳長屋　他にみえず。

119 江沼臣大海　他にみえず。江沼臣氏は江沼国造の系を引く江沼郡の豪族。

120 江沼臣入鹿　他にみえず。

121 財造住田　他にみえず。

122 加賀郡
123 天平元年定大税穀参萬捌仟捌拾斛弐斗伍升肆合弐勺
124 穎稲弐拾肆萬捌仟陸拾玖束弐把
125 出挙陸萬参仟参伯漆拾束
126 身死人負稲壱仟漆伯漆拾肆束
127 残陸萬壱仟伍伯玖拾陸束

（正集巻二十七）
……………（継目裏書）
（第九紙）

……………
＊（E断簡）○紙面に「越前国印」あり。

128 ＊送渤海郡使人使等食料伍拾斛
129 ＊残弐仟漆伯参拾漆斛壱斗弐升
130 合定大税穀肆萬漆伯参拾漆斛漆斗陸升肆合弐勺 振入斛別一斗不動穀一万八千一百五十四斛六斗九升
131 ＊穎稲弐拾漆萬漆仟玖拾参束弐把
132 糒弐仟漆伯参拾漆斛壱斗弐升 為裏五千四百七十四 裏別五斗　余一斗二升
133 正倉参拾伍間　新造格倉弐間　新造屋
134 壱間　借倉弐間　借屋壱拾肆間　合伍拾肆

E断簡　欠損部をはさんでD断簡に続く。加賀郡の中間表示から末表示および本帳全体の末尾。大古が石川郡であろうとするのは誤り。石川郡は弘仁十四年三月に越前国加賀・江沼二郡が加賀国として分国し、六月に加賀郡から分かれた郡名（日本紀略）。

128送渤海郡使人使等食料　続紀によれば天平二年八月に遣渤海使（神亀五年二月任命、六月拝辞の送渤海客使引田虫麻呂。出発時は一行六二人）らが来帰（京着か）している。本項は、他郡の例（15・42ほか）から推して糒（→06尾張18）を食料として供給したもので、現存税帳では糒を使用した唯一例。

129残　糒の中間決算で、年度末132と同額。

131穎稲　当年度加賀郡穎稲の残。年初の124穎稲から125出挙を支出し、収納した本利稲（九二三九七束と推算可能）を足した額。当年度当郡からの穎稲の雑用支出は存在せず。

136道君　名を記さない理由を注記しないのは異例。道君氏は加賀郡の豪族。後の加賀国石川郡味知郷が本拠地。ここでは郡司のうち三者が同氏の連任。三等以内の親ならば選叙令7同司主典条の例外。

137道君五百嶋・138大私造上麻呂・139道君安麻呂・140丸部臣人麻呂　他にみえず。

141以前天平二年収納…以解　→02大倭282以前収納…謹解

141正税　本帳継目裏書および本文（一一か所）はすべて大税（→用語〈官稲〉）。本帳を順次作成していって、その最終段階の天平三年二月に、最新の用語「正税」を用いたか。→05伊賀14史生・

135 間不動穀倉七間　穀倉九間　屋三間　穎倉一十六間屋一十二間
糒倉五間　空倉二間

136 郡司大領外正八位下勲十二等道君*

137 主政外従七位下道君*「五百嶋」

138 主政外従八位下勲十二等大私造*「上麻呂」

139 主帳外少初位上勲十二等道君*「安麻呂」

140 主帳无位丸部臣*「人麻呂」

141 以*前天平二年収納正*税穀并穎稲雑

142 用如件仍付*史生大初位下阿*刀造佐

143 美麻呂申上以解

(第十紙)

144 天平三年二月廿六日従八位上行少目林連*班田*

145 従四位下行按察*使兼守大*伴宿祢「邑治麻呂」　正七位上行掾勲九等坂合部宿祢*監開*

146 正六位上行介勲十二等大蔵伊美吉*「石村」　従七位上行大目勲十二等土師宿祢*朝集使

（『大*日本古文書』未収）○紙面に「越前国印」あり。

（正集巻二十七・第十一紙）

147 穎稲漆萬肆仟漆伯壱拾肆束陸把

16天平三年二月七日

142付史生　↓05伊賀14

142阿刀造佐美麻呂　↓0

144林連　名は上麻呂。天平神護二年十月廿一日越前国司解（大古五562）に天平三年七月当時の国司少目としてみえる。

144班田　署名できない理由。天平元年が班田年に相当。三年二月にまだ班田のために出張していたことになる。このときの班田は口分田を全収再班するなど特殊な班田（続紀天平元年三月・十一月条、万葉三443）。

145按察使　養老三年七月、地方行政監察制度として創設（三代格）。一人の国守が周辺数か国の行政を監督（06尾張2・09駿河188）。

145大伴宿祢邑治麻呂　おおじまろ（祖父麻呂）。吹負の子、古慈斐の父。養老四年十月式部少輔を経て、天平三年正月従四位下（続紀）。

145坂合部宿祢　名は葛木麻呂。天平神護二年十月廿一日越前国司解（大古五562）に天平三年七月当時の国司掾としてみえる。天平五年も掾（↓12越前36）。

145監開　「開」は関の意味で使用。関司（考課令49）として三関の一つ愛発関に出張中。軍防令54置関条に三関は鼓吹軍器を設けて国司が分当して守固せよとある。

146大蔵伊美吉石村　天平神護二年十月越前国司解（大古五562）に天平三年七月当時の国司介としてみえる。大古は「伊吉美」とするが誤り。

146土師宿祢　他にみえず。

『大日本古文書』未収　大古・寧遺・復元帳に未収。147～156はB断簡の44～53と同文。同内容の本帳が二部以上京進されたことが判明する（↓凡例五4）。

糒壱仟陸伯斛参升 為裹三千二百裹別五斗　余三升
正倉伍拾弐間　破肆間　遺肆拾捌間　新造格
倉壱間　倉下壱間　借倉壱間　合伍拾壱間
不動穀倉九間　穀倉一十三間　倉下一間
穎倉八間　糒倉四間　空倉一十六間
郡司少領外正八位下勲十二等佐味君「浪麻呂」
主政外従八位上勲十二等矢原連「与佐弥」
主政外大初位下勲十二等生江臣「積多」
主帳外少初位上勲十二等坂本連「宿奈麻呂」
主帳无位丹生直「伊可豆智」

12 越前国郡稲帳　天平四年度

*(継目裏書)「越前国郡稲帳天平五年潤三月六日史生大初位下阿刀造*佐美麻呂」

（正集巻二十八・第七紙）

*（E断簡）〇紙面に「越前国印」あり。

遺*肆萬弐仟伍伯玖拾捌束漆把玖分*

不*用馬壱匹直稲*伍拾束

死*馬皮捌張直稲捌拾束　張別一十束

都*合定稲玖萬参仟玖伯陸拾捌束漆把玖分

雑*用壱萬伍仟壱伯壱拾伍束伍把捌分

遺*漆萬捌仟捌伯伍拾参束弐把壱分

酒*参拾参斛陸斗参升弐合　*汁廿八斛六斗三升二合 *滓五斛

用壱拾肆斛弐斗肆升弐合　汁九斛二斗四升* 二合滓五斛

遺*壱拾玖斛参斗玖升

塩壱斛参斗捌合参勺伍撮

継目裏書　五か所。便宜ここに掲示。
0阿刀造佐美麻呂　11越前0にみえる。
E断簡　首部。冒頭の前年度からの繰越と出挙を欠く。中間表示の雑用は合計のみ記し（5・8・11）、正倉記事でいったん完結（〜14）。その後に雑用の明細を、食料費（15〜・C断簡・D断簡・A断簡・B断簡）、物品費（F断簡74まで）に分けて記載。
1遺　当年郡稲穎の出挙残か。本帳は残について首部は「遺」（6・9・12）、郡部は「残」（78ほか）とする。他にも13屋など、首部と郡部の表記の違いあり。
1分　目録による。
2不用馬　→03摂津32伝・07尾張92売不用伝馬
2稲　本帳では「穎」字は用いず。他帳では穎稲とする項でも「稲」とする。本帳に「穀（稲穀）」が存在しないことによるか。
3死馬皮（79・96・125・141）→08駿河58加伝馬死皮。本項の八張は、丹生郡96が三張、他の五郡が各一張。
4都合定稲　当天平四年度越前国郡稲の穎稲の中間決算高。
5雑用　内訳は酒（8）・塩（11）も合わせて、15〜74。
6遺　当天平四年度越前国郡稲の穎稲の決算残高。4都合定稲から5雑用を引いた数字。
7酒　当年年初の酒全量だが、59醸酒を含んでいる。
7汁　濁酒から滓を除いた清酒のことか。
7滓（8・101ほか）→07尾張129
8二斗四升　大古は「二斗　升」とする。
9遺　当天平四年度越前国郡稲の酒の決算残高。7酒から8用を引いた数字。

11 用陸斗漆升捌合肆勺伍撮
12 遺*陸斗弐升玖合玖勺
13 正*倉伍間 空四間 実壱間　屋*参間 空 納借*倉伍拾参間
14 屋*壱拾伍間　并陸*拾玖間
15* 元*日刀*祢郡司及軍*毅并参拾弐人食料稲陸束肆把
16 塩参合弐勺酒壱斗陸升 人別稲二把塩一勺酒五合 丹*生郡
17 読*誦*金光明経捌巻金*光明最勝王経壱拾巻斎会
18 之日用稲参拾壱束*陸把

（正集巻二十八）
（継目裏書）
（第四紙）

（C断簡）* ○紙面に「越前国印」あり。

19* 二人各稲四把塩二勺酒一人一升一人八合 三人各稲三把塩一勺五撮
20 敦賀大野弐箇郡各経参箇日食料稲伍束
21 壱把塩弐合伍勺伍撮酒伍升肆合
22 丹生足羽坂井江沼肆箇郡各経伍箇日食料稲
23 捌束伍把塩肆合弐勺伍撮酒玖升

12遺　当年度越前国郡稲の塩の決算残高。
13正倉（89・121ほか）→02大倭13
13屋　→04和泉95屋
13借倉・14屋　→06尾張11借倉
14陸拾玖間　使用中の倉屋。「空」を含めず。
〔15～53〕首部末の雑用食料支出記事。15・17からみると支出日順。
15元日　→09駿河123元日拝朝
15刀祢郡司及軍毅　国司の食料は郡稲ではなく大税支出とする説があるが、17隠岐にその支出はみえず。本項刀祢は国司を意味するか。
15軍毅　→09駿河123。天平宝字二年八月、越前国丹生団がみえる（大古四287）。
16丹生郡　本項を支出した郡。国府所在郡。郡部では当郡の支出合計額を記すのみ。
17読誦　→09駿河125正月十四日
17金光明経・金光明最勝王経　→09駿河125金光明経并最勝王経
18拾壱束陸把　この文字は目録による。正倉院の軸頭「小乗本充」（本断簡裏文書関係）銘往来軸に附着する紙片にみえる。
C断簡　首部。欠損部をはさんでE断簡に接続する。
〔19～25〕国司巡行（→15但馬122）の一度分。食法（→20周防96）によれば掾か目一人・将従二人、史生一人・将従一人が三〇日で当国の全七郡を廻る。日数・食料ごとに郡を表示する。
26出羽国進上御馬　左右馬式に出羽国の貢馬の規定なし。臨時的な進上か。東山道出羽国からの向京に北陸道越前国を通過。
26秣　復元帳は「秣」とする。
27江沼郡　当国横断の使者は大野郡以外の六郡

24 加賀郡経肆箇日食料稲陸束捌把塩参
25 合肆勺酒漆升弐合
26 従*出羽国進上御馬伍匹経玖箇日飼秣*料稲玖拾
27 束〈匹別日二束〉江*沼郡
28 向京当国相撲*人参人経*弐箇日食料稲弐束肆把
29 塩壱合弐勺酒陸*升〈人別日稲四〉敦賀郡

（正集巻二十八・第五紙）

…………

30* （D*断簡）○紙面に「越前国印」あり。
肆*勺〈把塩二勺〉
31 敦賀丹生弐箇郡肆拾肆人各経壱
32 箇日食料稲壱拾漆束陸把塩捌
33 合捌勺
34 足羽坂井江沼加賀肆箇郡陸人各経壱箇
35 日食料稲弐束肆把塩壱合弐勺
36 領*催調庸掾従六位上勲九等坂*合部宿祢葛木

…………（継目裏書）
（第六紙）

で各一日食支給（↓47）だが、この御馬の飼秣は一郡が支出。速度として経九日は優遇。日二束も優遇（↓07尾張65・67）。

28相撲人　七月七日の相撲節会に諸国から貢進された力士。養老三年七月四日に抜出司を設置し（続紀）、七日に天覧相撲がおこなわれたと推定されるのが始まり。本帳や20周防20・22、天平六年出雲国計会帳（大古一605）によれば天平年間には特定の国から一国二、三人を進上。相撲人は年度内に京を往復して帰国。

28経弐箇日　当国通過の使者は一郡一日食（二食）なので（↓42・47）、敦賀郡で往復各一日給粮。

29酒陸升　大古・寧遺・目録に「酒壱升」、復元帳に「酒陸升」。残画および類例人別酒量（↓40・46）からみて復元帳が妥当。

D断簡　首部。他断簡とは直接接続せず。C断簡相撲人（28）は六月、36領催調庸は秋の準備、A・B断簡は支出日順の雑用の最後なので、C断簡とA断簡の間。

30　国府（丹生郡）まで四四人で来て、うち六人がその先の某国へ移動。稲四把で酒がない食法（↓20周防96）は官人と将従の中間。帰国する旧防人（↓09駿河27旧防人部領使）あるいは仕丁・火頭とする説がある。

30肆勺　透過光写真による。

36領催調庸　国司巡行（↓15但馬122）の「検校唐物」（↓15但馬147）に同じか。通常、巡行記事では国司名を記さないが、それは官稲混合（↓用語（官稲））後の正税帳の書式で、郡稲帳である本帳は違うか。

36坂合部宿祢葛木　名は「葛木麻呂」。「麻呂」は後欠。11越前145に正七位上行掾としてみえる。本項では二階昇進。

(A断簡)* ○紙面に「越前国印」あり。　(正集巻二十八・第一紙)

37 月*廾*月至十二月卅日合玖拾箇日食料稲弐伯

……………… (継目裏書)

38 伍拾弐束 日別三*束八把　大*野郡　(第二紙)

39 検*船使従六位上弟*国若麻呂肆剋伝*符壱枚食料

40 稲陸束肆把塩参合弐勺酒肆升 一人別稲四把 塩二勺酒一升

41 三人別稲 四把塩二勺

42 敦賀丹生弐箇郡各経弐箇日食料稲参

43 束弐把塩壱合陸勺酒弐升

44 赴*新任所能登国史生少初位上大*市首国勝壱*拾剋

45 漆封伝符壱枚食料稲漆束弐把塩参合

(B断簡)* ○紙面に「越前国印」あり。　(正集巻二十八・第三紙)

46 陸勺酒陸升 一人別稲四把塩二勺酒 一升二人別稲四把塩二勺

47 敦*賀丹*生足*羽坂*井江*沼加*賀陸箇郡各経壱

A断簡　首部中間表示。D断簡より後だが直接には接続せず。

37月廿九月(日)至十二月卅日　九月着任の新任国司介への給粮記事(→27薩摩62新任国司)。同様の記事は49にもみえる。同年の暦ではこの期間は九一日なので、「玖拾箇日」は不審。

37廿九月　「廿九」は一字分の空間に書く。「月」は「日」の誤り。本帳は誤記とその訂正が多い。

38三　「二」の誤り。二束八把は公廨田二町(上国介・中国守)の穫稲一〇〇〇束の日割り額に相当(→15但馬121公廨田二町准獲稲)。

38大野郡　国府所在郡でも北陸道本道が通る郡でもないので、このような支出を割り振ったか(51も同様)。

39検船使　他にみえず。検校の対象は敦賀津や比楽湊(後に加賀国)などにある船舶か。給粮からみると出張は越前国府まで。天平三・四年頃からの対新羅関係の緊張を示す一例か。

39弟国若麻呂　他にみえず。

39伝符　伝馬利用資格者である伝使(→03摂津32伝)の証。剋のある木札か。位階によって剋数が決定(公式令42給駅伝馬条)。ここは六位なので四剋伝符は規定に一致。一行は四人。

44赴新任所能登国　神亀三年八月以降は新任能登国司に伝符を支給(続紀)。

44大市首国勝　他にみえず。

44壱拾剋漆封伝符　十剋伝符の七剋に封をしたもの。初位に支給する三剋伝符(公式令42給駅伝馬条)が不足していたか。

B断簡　A断簡と直接接続。

47敦賀・丹生・足羽・坂井・江沼・加賀　当越前国の郡の南から北の順。能登国への伝使(44)が通過した経路。当国は他に大野郡があり、郡名を

箇日食料稲壱束弐把塩陸勺酒壱升
*新任大目従七位上勲十二等*中臣高良比連新羅起十一月
十日至十二月卅日伍拾壱箇日食料稲捌拾
陸束漆把（日別*一束七把）　大野郡
*齎太政官逓送符壱拾道従若狭国到来使
壱拾人（留当国符五道更於*能登国逓送符五道）　食料稲壱拾

（正集巻二十八・第八紙）

*（F断簡）〇紙面に「越前国印」あり。

*葷子参斛直稲陸拾束（*以廿束充*一斛）
足羽郡弐拾束　坂井郡肆拾束
*糯米参拾斛料稲陸伯束（斛別廿束）
足羽郡捌拾束　大野郡肆拾束
江沼郡弐伯捌拾束　加賀郡弐伯束
*醸酒料稲参伯伍拾束
丹生郡漆拾束　足羽郡漆拾束

列挙するときは足羽郡の次に入る。

49新任大目　新任国司への給粮記事。↓27薩摩62新任国司

49中臣高良比連新羅　他にみえず。

51一束七把　公廨田一町二段の穫稲六〇〇束の日割り額に相当（↓27薩摩65食法）。目の公廨田一町二段なので当越前国は上国（民部式上4北陸道条では大国）。

52齎太政官逓送符　官符逓送費の年間まとめ。公文の逓送が若狭国・越前国・能登国の順であることが判明。

53能登国逓送符　うち一道は13佐渡11にみえる賑給を命ずる天平四年七月五日官符か。

F断簡　前欠でB断簡に続く。74まで首部末の雑用物品費。品目・数量と支出した郡名を記す。75以下は郡部記載で、敦賀郡・丹生郡と足羽郡の前半。

54葷子　寧遺は「皇子」に作るが誤り。↓07尾張101

54以廿　復元帳は「四十」に作るが誤り。

54一　大古は「二」に作るが誤り。

56糯米　↓07尾張42

59醸酒　60～62の五郡で五斛ずつ醸造し、その郡の酒になっている（100・115・160）。↓03摂津32酒

61 大野郡漆拾束　江沼郡漆拾束
62 加賀郡漆拾束
63 錦*綾*羅*機*合壱拾参具綜*壱伯壱拾肆条
64 錦*機別廿八条羅機*別二条綾機別六条* 料糸壱伯参拾捌斤*捌両*直
65 稲参仟肆伯陸拾弐束伍把 斤別廿五束
66 錦機弐具綜伍拾陸条 機別廿八条 料糸肆拾弐斤
67 羅機弐具綜肆条 機別二条 料糸玖斤
68 綾機玖具綜伍拾肆条 機別六条 料糸捌拾漆斤捌両

（継目裏書）

69 大野郡壱仟捌伯束　江沼郡壱仟陸伯陸拾弐

（第九紙）

70 束伍把
71 塩*漆斗直稲参拾伍束 以*五把充一升
72 敦賀郡伍束　丹生郡壱拾伍束
73 坂井郡伍束　江沼郡伍束
74 加賀郡伍束
75 敦*賀郡*天平三年定郡稲参仟捌拾陸束陸把

63錦 →07尾張54
63綾 →07尾張79
63羅 →07駿河118
63機 織り機。
63綜 →07尾張79
64錦機・羅機・綾機 それぞれ専用の機がある。
64斤・両 →用語〔斤・両〕
71塩 59醸酒とは違い、これらの塩は郡部に記載がない。京進されたか。
71以五把充一升 →10伊豆14塩…価
75敦賀郡 以下郡部。敦賀郡部・丹生郡部・足羽郡部前半。
75天平三年定郡稲 当敦賀郡郡稲の穎稲の前年度から繰越高。

76 出挙壱仟参拾陸束*　利五百一十八束*
77 合納壱仟伍伯伍拾肆束*
78 残弐仟伍拾束陸把*
79 死馬皮壱張直稲壱拾束
80 都合稲参仟陸伯壱拾肆束陸把*
81 用漆伯弐拾陸束伍把*
82 残定弐仟捌伯捌拾捌束壱把*
83 酒参斛肆升捌合
84 用壱斛壱斗参升陸合
85 残壱斛玖斗壱升弐合
86 塩壱斗陸升伍合壱勺
87 用陸升伍合漆勺伍撮
88 残玖升玖合参勺伍撮
89 正倉壱間*　空　借倉壱間
90 郡司　少領外従八位上勲十二等角鹿直*「綱手」
　　　　主帳无位螺江*「比良夫」

76 **出挙・利・77合納**　→用語〔出挙〕。死者の免稲がないのは異例。
78 **残**　75郡稲から76出挙を引いた数字。
80 **都合**　77合納・78残・79死馬皮直の合計。
81 **用**　当郡の雑用穎稲の合計。内訳明細は首部に記す。→⑯隠岐10此中雑用
82 **捌**　大古・寧遺は「捌」を欠き「捌脱カ」と傍注するが誤り。
89 **正倉**（121・135・147）首部13は正倉と屋を区別するが、現存郡部の正倉は屋を含む。
90 **角鹿直綱手**　→⑪越前21
90 **螺江比良夫**　他にみえず。

91 丹生郡天平三年定郡稲壱仟弐伯玖拾肆束伍把肆分
92 出挙壱仟弐伯玖拾肆束伍把肆分 債稲身死人免稲六十束

……………………（継目裏書）（第十紙）

93 ＊定納本壱仟弐伯参拾肆束伍把肆分 利六百十七束二把七分
94 合納壱仟捌伯伍拾壱束捌把壱分
95 従＊加賀郡移弐仟束
96 死馬皮参張直稲参拾束 張別一十束
97 都合稲参仟捌伯捌拾壱束捌把壱分
98 用弐仟肆伯参拾漆束漆把
99 残定壱仟肆伯肆拾肆束壱把壱分
100 酒伍斛参斗壱升捌合 ＊当年醸五斛 古三斗一升八合
101 用弐斛伍斗伍升陸合 汁一斛五斗五升六合 滓一斛
102 残弐斛漆斗陸升弐合
103 塩参斗漆升陸合玖勺
104 用弐＊斗漆升捌合玖勺
105 残玖升捌合

93定納本　本項は出挙の免稲があって出挙本稲が変更になった場合に存在（92債稲身死人免稲）。
95従加賀郡　加賀郡から丹生郡に移された穎稲↓156
100当年醸　↓59醸酒
104弐斗　大古・寧遺ともに「弐斛」に作るが誤り。

106 借倉壱間

107 郡司 大領外従*位下勲十二等佐味君*「浪麻呂」

108 足羽郡天平三年定郡稲壱萬伍仟伍伯玖拾束参把捌分

109 出挙漆仟参伯陸拾束 債稲身死人免稲一百五十束

110 定納本漆仟弐伯壱拾束 利三千六百五十束

111 合納壱萬捌伯壱拾伍束

112 残捌仟弐伯参拾束参把捌分

(正集巻二十八・第十四紙)

(*Ⅰ断簡)○紙面に「越前国印」あり。

113 用参仟漆伯伍束弐把捌分

114 残陸伯陸拾陸束弐把玖分

115 酒伍斛漆斗陸升壱合 古七斗六升一合 当年醸五斛

116 用壱斛漆斗伍升肆合 汁七斗五升四合 滓一斛

117 残肆斛漆合

118 塩捌升壱合漆勺伍撮

107従　[11]越前49に「外正八位下」とあるので、下に「七」脱か。

107佐味君浪麻呂　[11]越前49に少領で外正八位下。二年後の本項では大領で外従(七)位下。

Ⅰ断簡　115酒・118塩の項目の対比などから、大野郡部の後半部分。

119 用参升玖合漆勺伍撮
120 残肆升弐合
121 正*倉弐間 空 借*屋壱間

（G*断簡）○紙面に「越前国印」あり。　（正集巻二十八・第十一紙）

122 定納本参仟漆伯漆拾捌束 利*一千八百八十九束
123 合定納伍仟陸伯陸拾漆束
124 残壱萬弐仟陸伯陸拾束陸把
125 死馬皮壱張直稲壱拾束
126 都合稲壱萬捌仟参伯参拾漆束陸把
127 用捌伯参拾玖束
128 残壱萬漆仟肆伯玖拾捌束陸把
129 酒弐斛玖斗壱升弐合
130 用壱斛参斗伍升弐合
131 残壱斛伍斗陸升

121 正倉 ↓89
121 借屋 ↓06尾張11借倉
G断簡 坂井郡部の大部分と江沼郡部の前半。
122 利一千八百八十九束 透過光写真による。

132 塩壱斗陸升壱合捌勺
133 用漆升弐合
134 残捌升玖合捌勺
135 正倉弐間 空　借倉弐拾間　借屋壱間　幷弐拾壱間
136 郡司 少領外正八位上勲十二等海直「大食」* 主政无位品遅部「廣耳」*
137 江沼郡天平三年定郡稲漆仟弐伯玖拾陸束
138 出挙陸仟弐伯肆拾陸束 利三千一百廿三束
139 合納玖仟参伯陸拾玖束
140 残壱仟伍拾束
141 死馬皮壱張直稲壱拾束

（正集巻二十八・第十二紙）

*（H断簡）○紙面に「越前国印」あり。

142 用弐斛陸斗漆升弐合 汁一斛六斗七升二合 滓一斛
143 残弐斛伍斗壱升肆合
144 塩壱斗漆升壱合玖勺

136海直大食　11越前88に外正八位下。二年後の本項では一階昇進。

136品遅部廣耳　天平宝字元年八月、坂井郡大領外正六位上で墾田一〇〇町を東大寺に寄進（大古五573・626・643・654ほか）。同二年正月にも同じく同郡大領外正六位上（大古四257ほか）。天平神護二年十月には「故大領」（君姓）とあり、既に死亡（東南院二184）。造東大寺司との関係を通じて勢力を増大した郡司として著名。品遅部は品治部（→15但馬88）にも作る。

H断簡　江沼郡部の後半と加賀郡部の前半。

用捌升陸合
残捌升伍合玖勺
正倉弐間空一間　実壱間
郡司大領正八位下勲十二等江沼臣*「武良士」
加賀郡天平三年定郡稲参萬漆伯捌束弐把玖分
出挙壱萬弐仟壱伯壱束捌分債稲身死人免稲三百廿束
定納本壱萬壱仟漆伯捌拾壱束捌分利五千八百九十
束五把四合

（第十三紙）

合納壱萬漆仟陸伯漆拾壱束陸把弐分
残壱萬捌仟陸伯漆束弐把壱分
都合稲参萬陸仟弐伯漆拾捌束捌把参分
移*丹生郡弐仟束
定参萬肆仟弐伯漆拾捌束捌把参分
用壱仟参拾伍束壱把
残参萬参仟弐伯肆拾参束漆把参分

148 **江沼臣武良士**　他にみえず。江沼臣→11越前119・120江沼郡郡司
156 **移丹生郡**　加賀郡から丹生郡に移した穎稲（95）。

酒伍斛漆斗玖升弐合 古七斗九升二合 当年醸五斛

用弐斛肆斗参升陸合 汁一斛四斗三升六合 滓一斛

残参斛参斗伍升陸合

塩壱斗漆升玖合玖勺

用漆升弐合伍勺伍撮

[13] 佐渡国正税帳　天平四年度

（正集巻二十八・第十五紙）

（A断簡）*〇紙面に「佐渡国印」あり。

*定参萬伍仟捌伯伍拾漆斛漆斗伍合捌勺弐撮
玖伯玖拾捌斛伍斗伍升振入九十斛七斗八升 斛別入一斗
定玖伯漆斛漆斗漆升
動*用壱萬伍仟玖伯肆拾伍斛壱斗弐升振入一千四百卌九斛五斗五升 斛別入一斗
定*壱萬肆仟肆伯玖拾伍斛伍斗漆升
合*定実伍萬壱仟弐伯陸拾壱斛肆升伍合捌勺弐撮
不*動参萬陸仟漆伯陸拾伍斛肆斗漆升伍合捌勺弐撮
動*用壱萬肆仟肆伯玖拾伍斛伍斗漆升
穎*稲陸萬参仟捌伯肆拾漆束
雑*用穀参拾弐斛捌斗
依天*平四年七月五日官符賑*給高年及鰥*寡惸独

A断簡　国印により佐渡国。大古は本断簡を天平七年度以降の[14]佐渡の一部とするが、11天平四年官符による賑給があるから天平四年度帳。稲穀の量からみて郡部。初表示から中間表示。また大古が本帳の継目裏書として記す「……去……」は裏文書の継目裏書。

〔1~3〕　この三行は、[14]佐渡3~5・11~13に相当。それにならうと、不動穀の項（欠損）があり、内訳は振入「斛別入六升」（欠損）と、2「斛別入一斗」。「斛別入六升」の振定量が1、「斛別入一斗」の振定量が3。→用語〔振入〕・[14]佐渡2斛別入六升

4動用　前年度から繰越の当郡動用穀。未振量。

5定　振定量での動用穀。4動用から振入を引く。

6合定実　振定量での年初の当郡保有穀全量。不動穀（1・3）と動用穀（5）の合計。内訳は7不動と8動用。

7不動　6の内訳で、1定と3定の合計。

8動用　6の内訳で、5定と同じ。

9穎稲　前年度から繰越の年初の穎稲。

10雑用穀　内訳は11賑給の一件だけ。

11天平四年七月五日官符　続紀天平四年七月条に大赦賑給の詔あり。それを伝える官符。

11賑給　→[04]和泉110

11鰥寡惸独　→[03]摂津19

并*漆拾人*振量穀参拾弐斛捌斗（九十歳二人別八斗八十歳十五人鰥卌一人寡）

（六人惸七人独九人并*六十八人別四斗*其振所入三斛二斗八升返納本倉）

*出挙穎稲壱萬伍仟漆伯漆拾陸束（*債稲身死伯姓卌五人*免稲本二千五百七十束）

12漆拾人　分注の人数および10雑用穀の合計から、「捌拾人」とあるべき。

12振量　籭振量（→17隠岐2）と同義か。

13六十八人　「七十八人」の誤り。→12

13其振所入…返納本倉　→04和泉114返納振入

14出挙・債稲身死・免稲本　→用語〔出挙〕

⑭佐渡国正税帳　天平七年度以降

（A断簡）＊ ○紙面に「佐渡国印」あり。　（正集巻二十八・第十六紙）

1 ＊不動参萬漆仟伍伯漆拾肆斛捌斗肆升弐合弐勺弐撮
2 参萬陸仟伍伯玖拾陸斛弐斗陸升参合弐勺弐撮（振入二千七十一斛四斗四升二合八勺九撮 ＊斛別入六升）
3 定参萬肆仟伍伯弐拾肆斛捌斗弐升参勺参撮
4 ＊玖伯漆拾捌斛伍斗漆升玖合（振入八十八斛九斗六升 斛別入一斗）
5 定捌伯捌拾玖斛陸斗壱升玖合
6 ＊天平七年検校不動穀＊腐所除代償参伯玖拾伍斛玖斗参升
7 壱合漆勺玖撮（振入廿二斛四斗 ＊斛別入六升）
8 定参伯漆拾参斛伍斗参升壱合漆勺玖撮

（B断簡）＊ ○紙面に「佐渡国印」あり。　（正集巻二十八・第十七紙）

9 ＊不動弐萬玖伯玖拾漆斛肆斗伍升玖合

A断簡　国印により佐渡国。断簡AとBは別郡だが、ともに所属郡不明。内容年度は6・14からみて天平七年度以降。↓14天平七年検校

〔**1～8**〕　稲穀記事のうち不動穀部分。

1不動　当郡不動穀の合計。未振量。内訳は2・4・6。振定量での内訳は3・5・8。⑬佐渡1定～3定と同形式。

2振入（10）　実際の計算とは升以下に差異あり。振入計算での端数処理の都合上か。↓用語〔振入〕

2斛別入六升（7）　一斛六升に対して六升（6／106）。振入は一般に未振量の1／11（斛別入一斗）だが、本帳では不動穀の大部分に対して斛別入六升を適用。↓用語〔振入〕・⑩伊豆62斛別入七升

4玖伯漆拾捌斛…　12と同数値。⑬佐渡2もほぼ同じ。いずれも振入斛別入一斗を適用。同規格の小規模な穀倉か。

6天平七年検校　↓14

6腐所除代償（14）　検校で勘出され除去された腐敗不動穀の補塡。補塡財源はここでは不明。

7斛別入六升　新たに倉に入れた穀に適用。これは入六升適用の穀倉に入れたためか。

B断簡　↓A断簡

〔**9～16**〕　A断簡1～8に相当。不動穀関係。これによりA・B断簡は別郡であることが判明。不動穀の振入が斛別入六升と入一斗であることや、腐穀の補塡は当佐渡国全郡に該当しよう。

9不動　当郡不動穀の合計。未振量。内訳は10と12。

10 弐萬壱拾捌斛捌斗捌升*振入一千一百卅三斛一斗二合八勺九撮 斛別入六升
11 *定壱萬捌仟捌伯捌拾伍斛漆斗漆升漆合壱勺壱撮
12 *玖伯漆拾捌斛伍斗漆升玖合振入八十八斛九斗六升 斛別入一斗
13 定捌伯捌拾玖斛陸斗壱升玖合
14 *天平七年検校不動穀腐所除代償参伯漆拾斛玖斗弐
15 升肆合伍勺振入廿斛九斗九升 斛別入六升
16 定参伯肆拾玖斛玖斗参升肆合伍勺
17 動用弐萬肆伯漆拾捌斛漆斗弐升振入一千八百六十一斛七斗 *斛別入一斗
18 定壱萬捌仟陸伯壱拾漆斛弐升
19 *合定実参萬捌仟漆伯肆拾弐斛参斗伍升陸勺壱撮

10振入　実際の計算とは升以下で差異がある。↓2振入
11定　実際の計算とは升以下で差異がある。
12玖伯漆拾捌斛…　↓4
14天平七年検校　検税使（↓21長門55）が実施か。本帳が天平七年度帳なら「当年」とした可能性が高いが、官省符の引用などでは当年であっても年号を記すことが多い。本帳が八年度以降帳と確定はできない。
17斛別入一斗　動用穀に入六升（2・7）はない。
19合定実　稲穀の合計。振定量。11定・13定・16定・18定の合計。この後に内訳である不動・動用の項目が続く。動用穀に斛別入六升・腐所除代償は存在しない。

⑮ 但馬国正税帳　天平九年度

0 （継目裏書）*「従七位下行目坂上*忌寸人麻呂」

（正集巻二十九・第一紙）

（A断簡*）○紙面に「但馬国印」あり。

1 旧塩*壱拾捌斛弐斗肆升玖合

2 旧酒*弐拾伍斛肆斗玖升弐合　*糟捌斛「加末多知*」

3 依天平九年五月十九日恩**　勅賑給*高年「不*」

4 及鰥寡惸独*之徒合壱仟弐伯壱拾

…………（継目裏書）（第二紙）…………

5 壱人穀肆伯捌拾捌斛肆斗 九十歳十人々別八斗 八十歳以下一千二百

6 一人々別四斗

7 * 雑用穎稲弐萬漆仟漆拾弐束捌把

8 酒壱拾斛参斗弐升陸合

9 「加末多知」糟捌斛* 賑給疫病者*一千六百人々別五合

10 末醤*弐升伍合陸勺 供養料*

継目裏書　六か所。便宜ここに掲示。

0坂上忌寸人麻呂　他にみえず。

A断簡　首部初表示（2まで）末から中間表示。本帳現存断簡は、内容からみてすべて首部。

1旧塩　前年度から繰越の塩。

2旧酒　前年度から繰越の酒。

2加末多知　「糟」の読み。和名抄206は「加須」。そのほか本帳の同様な加筆を誰がいつなぜ記したかは未詳。

2糟（9）→04和泉73酒糟

3依天平九年…恩勅　賑給支出。7以下の雑用に含めず（→23紀伊28依恩勅）。

3天平九年五月十九日恩勅　→26豊後29五月十九日恩勅

3賑給（9・37・81）→04和泉110

3不　記入の時期、意味は未詳。

4鰥寡惸独　5分注によれば、これの該当者も年齢で区分されている。→03摂津19

［7〜12］　雑用の品目ごとのまとめ。内訳は13〜178（後欠）で、一部の明細を除き、雑用項目はすべて判明。

9捌斛　年初にあった糟の全量（2）。

9賑給疫病者　疫病者（37疫病之徒）に酒糟を支給する例は他にみえず（27薩摩77で疾病人に薬酒支給）。一六〇〇人は、糟の全量を支給する方針による。

10末醤　→10伊豆19末醤

10供養料（11）　25の正月十四日読経会の供養料。穎稲支出ではないために25以下とは別に記載したもの。→09駿河125正月十四日

醤*伍升壱合陸勺供養料
塩肆斗捌合壱勺
*年*料春白米参伯斛充稲陸仟束
副*庸進春米壱伯斛充稲弐仟束
依民*部省天平九年二月十日符進上嶋宮
奴婢*食米参拾斛充稲陸伯束

（第三紙*）

依民*部省天平九年十一月十二日符進上官*
奴婢食米参拾斛充稲陸伯束
醤*豆弐拾陸斛充稲弐伯捌拾陸束斛別十一束
御*履牛皮弐張充直稲壱伯玖拾束一張百束 一張九十束
「都*我不」番*匠丁粮米壱伯陸斛肆斗充稲弐仟壱伯
弐拾捌束匠丁十二人起正月一日迄九月廿九日合二百六十五日 単三千百八十日食料米六十三斛六斗人別二升

（正集巻二十九・第四紙）

（B*断簡）○紙面に「但馬国印」あり。

造*難波宮司雇民食料雑*鮨伍斛充稲壱

11醤　↓10伊豆18
〔13～178〕雑用の内訳（後欠）。13～24は京進する物品。その運送費用は167～178。
13年料春白米　↓06尾張39年料春税。民部式下49年料租春米条で但馬国は五〇〇石を納入。
14副庸進春米　庸米不足の補塡に京進か。
15民部省天平九年二月十日符　他にみえず。
16奴婢　嶋宮（大倭国）の官奴婢か。
17民部省天平九年十一月十二日符　↓04和泉35
17官奴婢食米　↓04和泉35官奴婢食料米
19醤　下に「大」字脱か（↓174）。醤大豆は醤・未醤の原料に使用する大豆。民部式下63交易雑物条但馬国に醤大豆二六石。
20御履牛皮　延喜式に但馬国の御履牛皮貢進規定なし。↓20周防166御履料牛皮
21都我不　「番」の読み。
21番匠丁粮米　↓06尾張29匠丁粮。21粮米と22食料米の差は四二斛八斗。内訳が次行（欠損）に続くか。あるいは「儲粮」（07尾張14）か。
B断簡　A断簡と直接接続。
23造難波宮司　天平六年九月難波京に宅地を班給（続紀）など、難波宮の大規模造営が一段落した後の維持管理を担当。雇民は主に西国から、その食料は諸国から貢進（171・03摂津7役民料酒・04和泉25難波宮雇民粮米）。
23雑鮨　↓07尾張102鮨
〔25～34〕正月十四日（↓09駿河125）斎会記事。供養（↓02大倭252）料内訳は後欠。穎稲以外の支出↓10未醤・11醤・12塩
25欲　未詳。

24 伯伍拾束　斛別卅束

25* 正月十四日*「欲」読経供養料充稲伍拾弐束玖把

26 読経弐部 *金光明経八巻 最勝王経十巻 *「法志」*読僧壱拾捌口

27 *仏聖僧弐座合弐拾軀供養料

…………（継目裏書）（第五紙）…………

28 飯料米肆斗充稲捌束

29 「*加由」*粥料米陸升充稲壱束弐把

30 「*阿米」*糧料米壱升充稲弐把

31 「*万米毛知比」*大豆餅肆拾枚料米捌升 々別得五枚 充稲壱束陸把

32 *小豆餅肆拾枚料米捌升 々別得五枚 充稲壱束陸把

33 「*伊利毛知比」*煎餅肆拾枚料米捌升 々別得五枚 充稲壱束陸把

34 「*阿来良」*鐶餅肆拾枚料米捌升 々別得五枚 充稲壱束陸把

（正集巻二十九・第六紙）

（*C断簡）○紙面に「但馬国印」あり。

35* 朝来郡*押坂神戸租代卅九束九把同郡*粟鹿神戸租代六十六束二把　*養父郡養父神戸租代百

36 卌五束五把　出石郡*出石神戸租代四百卅五束六把

26金光明経・最勝王経　→[09]駿河125金光明経幷最勝王経

26読僧　→[04]和泉28

26法志　「僧」の読み。

27仏聖僧　→[02]大倭252。読僧一八口で合二〇軀。

29加由　「粥」の読み。和名抄207は「之留加由」。

29粥（89）今日の粥に同じ。職員令53主水司条集解古記に「糟、饘（かたし）。粥、汁」。

30阿米　「糧」の読み。

30糧（89）→29粥・[23]淡路41饘

31万米毛知比　「大豆餅」の読み。

31大豆餅・32小豆餅　→[10]伊豆30

33伊利毛知比　「煎餅」の読み。

33煎餅　→[10]伊豆30

34阿来良　「糫」の読み。「アグラ」。大古・寧遺は「阿米良」に作るが誤り。

34鐶餅　→[10]伊豆31阿具良形

C断簡　供養料明細の続きおよび天平九年十月五日民部省符（→161・[04]和泉37）による神戸租の正税による補塡記事を補えば、B断簡に接続。

〔35・36〕神戸の租の免除分を正税で補塡した内訳。正税は支出、神税は収入になる。

35押坂神戸　大同元年牒に忍坂神三戸（但馬二戸）。

35粟鹿神戸　大同元年牒に粟鹿神二戸。神名式の粟鹿神社（名神大社）。貞観十六年三月正五位上（三代実録）。

35養父神戸　大同元年牒に養父神四戸。神名式の夜夫坐神社五座（名神大社二座、小社三座）。貞観十六年三月正五位上（三代実録、禾鹿社）。

36出石神戸　大同元年牒に出石神一三戸。神名式の伊豆志坐神社（名神大社）。貞観十六年三月正五位上（三代実録）。

37 依*太政官天平九年六月廿六日符賑給疫*
38 病之徒合壱仟肆伯壱拾弐人粥饘「加由阿米」
39 料稲壱仟弐伯弐拾漆束伍把
40 一千卌三人々別一束 三百六十九人々別五把
41 依民*部省天平九年十二月八日符割充年
42 料読経布*施料糸弐拾肆絇*直稲
43 弐伯肆拾束 絇別十束
44 依令元*日設宴充稲伍束弐把
45 酒弐斗陸升
46 拝朝参国司以下軍*毅以上惣廿六人 々別給米一升酒一升
47 年料条*理器仗 短*甲十三領 箭三百卅一具 大*角一口 小*角一口 弓五百五十五張
48 槍七十四柄 振*鼓五面 鑼*一柄 楯四枚 料雑用充稲壱仟壱伯肆拾肆束
49 馬皮壱張 長四尺七寸 広二尺八寸 直稲壱拾肆束
50 鹿洗*韋参拾参張直稲参伯漆拾束
51 十五張別十二束十張別 十一束八張別十束

37太政官天平九年六月廿六日符　類聚符宣抄（第三疾疫事）・拾芥抄にみえる。諸国に流行した疫病（赤班瘡）の治療法等を示し、末尾に「其れ国司は部内を巡行し百姓に告示せよ。若し粥・饘の料なくば、国量りて宜しく官物を賑給すべし」とある。逓送符として当国に到来。↓89
37疫病之徒　本項は一四一二人。9に疫病者一六〇〇人とみえる。
41民部省天平九年十二月八日符割充年料　他にみえず。定例斎会に布施を追加することを命じたか。当年の田租免に関わる補塡か。
42布施　↓02大倭253
42絇　↓07尾張54
44元日設宴　↓09駿河123元日拝朝
46軍毅　本帳には大毅（80）・少毅（88）がみえる。↓09駿河123
〔**47〜66**〕　器仗の修理。営繕令8貯庫器仗条は三年に一度修理とする。本帳の雑用はすべて判明するが（↓〔7〜12〕）、他に記事はないので、年料新造（↓07尾張68営造兵器）も含むか。
47条　「条（原文は條）」は「修」の誤記か。寧遺は「修」に作る。
47短甲　↓57金漆塗短甲
47大角・小角　軍事用の吹奏楽器。軍防令39軍団置皷条に軍団ごとに大角二口、小角四口を置く規定あり。和名抄175が引く楊氏漢語抄に大角は「波良乃布江」、小角は「久太能布江」。
48振鼓　軍事用の打楽器。軍防令39軍団置鼓条には単に「鼓」とあり、軍団ごとに二面を置く規定。当但馬国内に五面以上存在しているから、当国に三軍団以上存在したことを示すか。皮鼓（軍防令44私家鼓鉦条義解）。
48鑼　軍楽器。銅鑼。

（継目裏書）
（第七紙）

緋絁壱匹弐丈捌尺 以六丈為一匹 直稲玖拾捌
束 一匹充六十八束
綿壱拾肆斤*捌両小** 直稲漆拾弐束斤別五束
糸肆拾玖斤小 直稲肆伯玖拾束斤別十束
布肆端*々別四丈 直稲壱伯束端別廿五束
**金漆塗短甲壱拾参領
弐領各用緋八尺八寸　糸四斤十一両　鹿皮三張　布一丈四尺六寸　綿十三両
参領各用緋七尺六寸　糸三斤十四両　鹿皮三張　布一丈三尺七寸*　綿十三両
参領各用緋八尺　糸三斤九両　布一丈二尺　鹿皮三張　綿十三両
参領各用緋四尺七寸　糸二斤十三両　鹿皮二張　布一丈一尺五寸　綿十三両
壱領用緋四尺八寸　糸三斤六両　鹿皮二張布九尺七寸　綿十三両　馬皮長二尺六寸広一尺八寸
壱領无*膊覆行藤用緋四尺七寸　糸二斤十四両布九尺五寸鹿皮一張　綿十三両
馬皮長二尺一寸広一尺
造箭参伯参拾壱具料糸弐斤壱拾両具別半分*
*漆葹綿参斤壱拾伍両

48料雑用充稲　費用内訳は49～56。
〔49～56〕　使用した材料の規格と費用。これらを57～66に用いた。
50洗韋　07尾張48に「不熟」の皮と対比する、やわらかくなめした皮。「韋」は和名抄199に「乎之加波」。
54斤・両・小　→用語〔斤・両〕
56々(端)別四丈　端は通例四丈二尺なので、特に注記したか(内蔵式22諸陵弊条の「曝布」は一端が四丈の例あり)。→02大倭253三端一段
57金漆　和名抄199に「古之阿布良」。ウコギ科の落葉高木ゴンゼツノキ(コシアブラ)の樹脂を漉して精製した黄色透明の漆。荏油を用いた蜜陀油とする説もあり。金属製の刀剣装具や鏃(東大寺献物帳・兵庫式24征箭条ほか)・経軸や木製の櫃に塗る(大古四240・兵庫式20御梓弓条ほか)。挂甲の修理に用いる(兵庫式27修理挂甲料条)。賦役令1調絹絁条に調の副物としてみえる。延喜式に但馬国からの貢納はみえず。
57金漆塗短甲　内訳は58～64。修理使用部品の違いで、全部同型式か。→07尾張69挂甲
59七寸　大古・寧遺ともに「五寸」に作るが誤り。実際の計算でも「布一丈三尺七寸」。
63无膊覆行藤　「藤」字は「縢」か。形体は未詳。肩の覆と行縢(むかばき)の付属しない甲か。
65半分　一分は六銖なので三銖(小制)。大制の一銖。
66漆葹綿　「葹」字は「篩」か。漆の中に混入している塵埃を濾過して除去するための綿。内匠式・兵庫式・主税式等に漆を絞る料として石見綿・白綿・綿など。

*買立伝馬壹拾弐匹直稲参仟参伯伍
拾束 七匹々別三百束　五匹々別二百五十束
*当国所遣駅伝使并壹拾人将従壹拾伍人
合弐拾伍人経国単壹伯漆日 使卌日 *将従六十七日
充稲参拾陸束壹把 *使別四把 *将従別三把
塩壹升捌合伍撮 *使別二勺 *将従別一勺五撮
酒肆斗 *使別一升
依奉*弐度幣帛所遣*駅使単陸拾日
使廿日 将従卌日
使従七位下*中臣葛連干稲将従二人合三人 使従八位上*中臣連尓伎比等将従二人合三人
二度使並*経十日々別 *給米一斗酒二升
齎*免罪赦書来駅使単壹拾伍日 使五日 将従十日
丹後国史生正八位上*檜前村主稲麻呂将従二人 合三人*経二日々別給米五升　酒一升
送因幡国当国大毅正八位上*忍海部広庭将 従二人合三人*経三日々別給米五升　酒一升
齎*免罪并賑給赦書来駅使単壹拾弐日

（継目裏書）
（第八紙）

67買立伝馬　七匹は上馬。五匹は中馬。↓03摂津32伝・20周防171市替伝馬

69当国所遣駅伝使　当但馬国に関わる駅伝使。73までは人員と給粮費のまとめ。74～84駅使（↓74）、85～94伝使（↓03摂津32伝）。伝使給粮は正税支出（↓03摂津32伝食料）。駅使へは駅起稲支出が原則だが（↓74駅使）、ここで正税から給粮するのは和銅六年丹後国設置により新設した丹後・但馬間の駅路に駅起田・駅起稲（大宝令。養老令では駅田・駅稲）の設置がなかったことによるか。

70将従　↓04和泉43

71使別四把・将従三把　↓20周防96食法

72使別二勺・将従別一勺五撮　↓20周防96食法

73使別一升　↓20周防96食法

74弐度幣帛　同年和泉監にも「祭幣帛并大祓使」（04和泉226）と「祭幣帛使」（229）あり。同様の使者を諸国へ派遣したか。

74駅使　駅馬を利用する公使。伝使より重要ないし緊急の旅行や情報伝達にあたった。駅に関わる財源として駅起田・駅起稲（大宝令。養老令では駅田・駅稲）があり、駅記稲は天平十一年六月正税に混合（続紀）。

76中臣葛連干稲　「干稲」を大古・寧遺は「于稲」に作るが誤り。他にみえず。

76中臣連尓伎比等　他にみえず。

77経十日　丹後国境から但馬国府まで往復各一日、国内八郡各一日か。

77給米（130）まとめ（71・125）では正税管理上の穎稲で記すが、実際の支給記録では米で記していたことを反映しているか。

78免罪赦書　続紀天平九年七月条に大赦記事がみえる。

使五日
将従七日
丹後国目正八位上台*忌寸国依将従二人合三
人経二日々別給米五升酒一升　送因幡国当国
史生大初位上大石*村主広道将従一人合二人
経三日々別給米三升五合酒一升
齎*太政官逓送免*田租詔書来使単壱
拾日　使五日
将従五日
丹後国少毅无位丹波*直足嶋将従一人合二人
経二日々別給米三升五合酒一升送因幡国当
国少毅外大初位下品治*部君大隅将従一人
合二人経三日々別給米三升五合酒一升
齎太政官逓送疫病者給粥糧料符来使単*

(継目裏書)
(第九紙)

壱拾日　使五日
将従五日
丹後国与射郡大領外従八位上海*直忍立
将従一人合二人経二日々別給米三升
五合酒
一升
送因幡国当国気多郡主帳外少初位
上桑*氏連老　将従一人合二人経三日々
別給米三升
五合酒一升
経過上下伝使肆*拾漆人従壱拾漆人
合陸拾肆人単壱伯肆拾肆日　使一百
二日

79 檜前村主稲麻呂　他にみえず。
79 経二日　丹後国境から但馬国府まで片道一日（二食）行程。その往復。
80 忍海部広庭　他にみえず。
80 経三日　当但馬国府から因幡国境まで片道一日半（三食）行程。その往復。
81 免罪幷賑給赦書　続紀天平九年五月条に賑給と大赦がみえる。
83 台忌寸国依　他にみえず。
84 大石村主広道　他にみえず。
85 齎太政官逓送…来使（89）　69当国所遣駅伝使の表現によれば「駅使」（74・78・81）は明記している。本項は正式の伝使ではなく伝使相当の使者か。
85 免田租詔書　続紀天平九年八月条に疫病の流行により田租を免ずとある。
87 丹波直足嶋　他にみえず。
88 品治部君大隅　他にみえず。
89 太政官逓送疫病者給粥糧料符　↓37
91 海直忍立　他にみえず。
93 桑氏連老　他にみえず。
〔95～108〕　当但馬国を通過する伝使（↓03摂津32伝）記事。国府経由のほか丹波・因幡連絡路を通過する使者も含む。95～100はその人員と給粮費のまとめ。内訳は101～108（後欠）。
95 肆拾漆人　うち四人は判明（103因幡国守・105出雲国掾・106弐箇国中宮職捉稲使）。残りの四三人は、ほぼ将従を同行せず。正式の伝使は103・105だけで、それ以外は伝使相当か。

将従卌二日
充稲伍拾参束肆把 使日別四把 将従日別三把
塩弐升陸合漆勺 使日別二勺将従日 別一勺五撮
酒壱斛弐升 使日別一升
赴任所弐*箇国伝使単弐拾捌日 *使四日
将従廿四日 給米肆斗肆升酒肆升
因幡国守従五位下丹*比真人家主将従九人 合十人経*二日々別給米一斗五升五合
酒一升
出雲国掾従六位下県*犬甘宿祢黒麻呂将従三人 合四人経二日々別給米六升五合酒一升
上下弐*箇国中*宮職捉稲使単弐
拾肆日 使十*三日 将従十二日 給米肆斗弐升酒壱
斗弐升

（正集巻二十九・第十紙）

（D断簡）○紙面に「但馬国印」あり。
中*宮職捉稲経国単弐伯肆拾伍日充稲

101弐箇国　103因幡国と105出雲国。両国とも新任国司の向任には伝符支給（続紀神亀三年八月条）。
101使四日　103二日と105二日の合計。
103丹比真人家主　氏は多治比にも作る。池守の子。長野の父。養老七年九月出羽国司。天平九年二月従五位下（続紀）、同年因幡守に任命（本帳）。同十二年従五位上、同十三年八月鋳銭長官。天平勝宝三年正月正五位下となり、同六年正月従四位下。天平宝字四年三月卒（続紀）。平城宮木簡に「□位上」で佐渡国目（平城宮六8939、平城宮六893）。
103経二日（105）当但馬国を二日（四食）で通過。
105県犬甘宿祢黒麻呂　他にみえず。
106弐箇国　当但馬国（112）と以西の一国。
106中宮職捉稲使　中宮職（→09駿河148）湯沐（禄令10食封条）の封物を蓄積した稲の出挙・収納を専当する使で、中宮職舎人を充当。当年の当但馬国は、巨勢朝臣長野（112）。18播磨4の「中宮職美作国主稲」と同じか。→09駿河168加中宮職税
107十三　「十二」の誤り。当但馬国への捉稲使は、出挙と収納で二度当国を来訪（109）。国内の治所へ片道一日で計四日給粮。某国への捉稲使は片道二日で当国を通過しており、二度の往復で計八日、二人の合計で一二日。
D断簡　経過上下伝使の内訳を補えばC断簡に接続。
〔109〕本行の翻刻は目録および大古に従う。
109中宮職捉稲　この下「使」字脱か。112巨勢朝臣長野への当国内滞在中の給粮。

壱伯漆拾壱束伍把 使日別四把 将従日別三把
酒弐斛肆斗伍升 使日別一升
*舎人少初位上*巨勢朝臣長野将従一人并二人依 例出挙事起二月一日迄六月廿九日并百卌八日
又収納事起九月一日迄十二月九日 并九十七日惣二百卌五日
*朝集雑掌弐人単参伯玖拾肆日給食稲
壱伯壱拾捌束弐把 人別三把
塩伍升玖合壱勺 人別日一勺五撮
雑掌二人起天平九年正月一日迄五月廿日并百 卅八日*又同年十一月一日迄十二月卅日并五十九日合単
三百九十 四日料
*新任国司壱人*比及秋収給食料稲参
佰壱拾参束陸把

（正集巻二十九）

（*E断簡）○紙面に「但馬国印」あり。

（継目裏書）

守外従五位下*大津連船人起九月七日迄十 二月卅日合百十二日*公廨田二町准獲稲充日別二束八把

（第十一紙）

*国司巡行所部壱拾壱度官人参拾捌人将従

112舎人　中宮職舎人。五位以上の子孫で二一歳以上にして役任のない者の中から内舎人を選び、残りを大舎人や東宮舎人とともに中宮職舎人にあてた(軍防令46五位子孫条)。

112巨勢朝臣長野　他にみえず。

114朝集雑掌　→03摂津33雑掌。雑掌に食稲以外に塩を給する(116)のは本帳のみ。

117又　この下に「起」字脱か。

119新任国司　→27薩摩62

119比及秋収給食料　→121公廨田二町准獲稲

E断簡　D断簡に直接接続。

121大津連船人　天平七年十一月左京大進(大古一632ほか)、平城宮木簡(平城宮六8775)に「大進正六位上勲十二等大津連船人」。天平九年九月外従五位下(続紀)。九月七日当国着任。

121公廨田二町准獲稲　中国の守の公廨田(大宝令。養老令は職分田)二町(田令31在外諸司職分田条)。獲(穫)稲は一町五〇〇束が基準。二町の穫稲一〇〇〇束を三六〇日で除したものが「日別二束八把」にあたる(→27薩摩65食法)。本帳では九月七日着任以降、年度末までの支給を記す。当但馬国はこの時中国(民部式上5山陰道条は上国)。

〔122〜152〕　国司巡行記事。

122国司巡行　国司部内巡行とも。国務に関するさまざまな業務で国司は部内を巡行した。税帳記載は国司とその将従への給粮だが、実際には郡司や書生など多数が参加した。122・123は回数とのべ人員。帳によって書式は異なる。

123 伍拾玖人合玖拾漆人

124 経単壱仟漆伯玖拾伍日　目已上二百九十八日　史生*四百二日
将従一千九十五日

125 充稲陸伯捌束伍把　史生已上七百日々別四把
将従一千九十五日々別三把

126 酒陸斛壱斗玖升陸合　目已上二百九十八日々別一升
史生四百二日々別八合

127 塩参斗肆合弐勺伍撮　史生已上七百日々別二勺
将従一千九十五日々別一勺五撮

128 春秋*弐度出*挙官稲巡行官人単参伯陸

129 拾日　目已上五十四日　史生九十日
将従二百十六日

130 目一人将従二人　史生二人将従二人医師*一人将従一人
合九人経十八日々別*給米一斗五升五合酒三升四合

131 夏守一人将従三人　目一人将従二人　史生二人将従二人
合十一人経十八日々別給米一斗八升五合　酒三升六合

132 為*観風俗并問伯姓消息巡行官人単壱伯

133 玖拾捌日　目已上卅六日　史生卌六日
将従百廿六日

134 守一人将従三人　目一人将従二人　史生二人将従二人
合十一人経十八日々別給米一斗八升五合酒三升六合

135 領*催伯姓産業巡行官人単壱伯弐拾陸

136 日　目已上十八日　史生卌六日
将従七十二日

137 目一人将従二人　史生二人将従二人　合七人経十八日
々別給米一斗二升　酒二升六合

〔124～127〕 国司巡行ののべ日数と品目別給粮費のまとめ。→20周防96食法

124史生（126・129） まとめの史生には医師も含む。従って巡行内訳の史生二人は史生と医師の可能性がある。→27薩摩44

128秋 「夏」の誤り（131）。出挙が春夏であることは、09駿河96・105、20周防108、24伊予10・23。→用語〔出挙〕

128出挙官稲 →用語〔出挙〕。「官稲」とするのは、正税以外の官稲（→用語〔官稲〕）の出挙も同時におこなったからか。→20周防108借貸幷出挙雑官稲

130医師 巡行国司に医師がみえるのは本帳と27薩摩45・47～53のみ。

130給米 →77

132為観風俗 戸令33国守巡行条に、国守は毎年属郡を巡行して視察し儒教理念を教諭することを規定（04和泉45教導伯姓・20周防133推問消息・26豊後51問伯姓消息）。

135領催伯姓産業 百姓の農桑を勧課するための巡行。戸令33国守巡行条に「勧務農功」「田疇開、産業修」（04和泉57催伯姓産業・20周防98検催産業）。

138 責*計帳手実巡行官人単弐伯肆拾漆日

139 目已上卅八日　史生五十七日 将従百五十二日

140 守一人将従三人　目一人将従二人　史生二人将従二人 医師一人将従一人合十三人　経十九日々別　給米二斗

141 二升　酒 四升四合

142 検*校田租巡行官人単弐伯弐拾陸日

143 目已上十八日　史生卅六日 将従七十二日

＊（Ｆ断簡）○紙面に「但馬国印」あり。

（正集巻二十九・第十二紙）

144 為*穀穎稲巡行官人単壱伯壱拾弐日

145 目已上十六日　史生卅二日 将従六十四日

146 目一人将従二人　史生二人将従二人合七人 経十六日々別給米一斗二升　酒二升六合

147 検*校庸物巡行官人単弐伯参拾壱日

148 目已上卌二日　史生卌二日 将従百卌七日

149 守一人将従三人　目一人将従二人　史生二人将従二人合十 一人　経廿一日々別給米一斗八升五合　酒三升六合

150 収*納当年官稲巡行官人単壱伯捌拾玖日

138責計帳手実　計帳手実は計帳作成のため戸口などの実状を記した文書。戸令18造計帳条集解諸説では戸主の作成とするが、実際は里長の責任で作成されたか。この巡行は業務督促のためだが、身分変動者の確認作業も実施か（04和泉59・09駿河98・20周防113・26豊後42・27薩摩47）。

142検校田租　田租収納の前提となる水田の熟不（賦役令9水干条）検校か（09駿河107検校水田、20周防119検田得不、26豊後47・145・196検田熟不、27薩摩51検校伯姓損田）。この天平九年は田租免除（八月甲寅続紀）だが、不熟なら調庸などの免除もありうる。

F断簡　142の細目と二度の巡行記事を補えばE断簡に接続。

144為穀　この巡行は為穀の実施を監督するためのもの。↓用語〔稲〕・05伊賀5

147検校庸物　調庸物の作成・収納状況などの検校。収納した品物の検査などもか。09駿河は100検校調庸布と104向京調庸布の二度の巡行を実施（12越前36領催調庸・20周防129斂調庸・26豊後46収庸・27薩摩49検校庸蓆）。

150収納当年官稲　秋の収穫時に出挙稲（128出挙官稲）の収納を監察するための巡行。多くは出挙（貸付）より上位者が担当（04和泉53徴納正税・09駿河102収納正税・20周防140収納官稲・26豊後34参度正税出挙幷収納・27薩摩45参度正税出挙幷収納）。

151 目已上卌二日　史生廿一日 将従百廿六日
152 守一人将従三人　目一人将従二人　史生一人将従一人 合九人経廿一日々別給米一斗五升　酒二升八合
153 依*例供給尼肆口単壱仟肆伯壱拾陸日給食
154 稲伍伯陸拾陸束肆把 起正月一日尽十二月卅日 合三百五十四日々別一束六把
155 塩*弐斗捌升参合弐勺尼別日 二勺　価稲弐拾捌束
156 参把 以一束得 塩一升
157 依例造蘇*伍壺 大二* 小三*　乳牛壱拾参頭　取乳廿日
158 単弐伯陸拾頭秣稲壱伯肆束 牛別日 四把
159 依太*政官天平九年四月廿八日逓送符買*進上奴
160 壱人直稲壱仟束

（継目裏書）
（第十三紙）

161 依民*部省天平九年十月五日逓送符買充
162 神戸調絁参拾参匹参丈直稲弐仟
163 壱拾束　匹別六十束
164 朝来郡粟*鹿神戸調絁二匹四丈五尺直稲百 六十五束同郡押*坂神戸調絁三匹一丈五尺直
165 稲百九十五束　養父郡養*父神戸調絁六匹四丈五尺 直稲四百五束　出石郡出*石神戸調絁廿匹四丈五尺直

153依例供給尼　未詳。「依例」とあるので、例年実施。特定の尼に正税から年間食料を支給する例は他にみえず（僧へは↓27薩摩33当国僧）。一人日別四把・塩二勺（155）は、酒を除いた官人相当額。

155塩　塩の備蓄が相当量ある（↓1）がそれを使用せず。塩の名目で稲を支給か。↓10伊豆14塩：価

157蘇　↓07尾張46。運送費は177。

157大・小　↓07尾張46大壺・小壺

159太政官天平九年四月廿八日逓送符　他にみえず。

159買進上奴　天平勝宝元年に太政官符をうけた民部省符で諸国から正税で奴婢を和買して貢進させたことがある（大古三344ほか）。同様の事情か。一口一〇〇〇束はそれらと同額。

161民部省天平九年十月五日逓送符　↓04和泉37。神戸調を免除したことに対して調絁を正税で買いあてたもの。「逓送符」と記すのは本帳のみ。

164粟鹿神戸　↓35
164押坂神戸　↓35
165養父神戸　↓35
165出石神戸　↓36

166　稲一千二百卌五束

167　*運雑物向京夫壱仟陸拾人　行程壱拾日 *向京六日

168　*還国四日

169　往還単壱萬陸伯日 向京六千三百六十日 還国四千二百卌日　充稲

170　参仟参伯玖拾弐束 *向京日別四把 *還国日別二把

（正集巻二十九・第十四紙）

*（G断簡）○紙面に「但馬国印」あり。

171　*造難波宮司雇民食鮨伍斛運担夫弐

172　拾捌人

173　盛*缶壱拾肆口 一十三口別納三斗六升 一口納三斗二升　缶別充担夫二人

174　*醤大豆弐拾陸斛　運*駄壱拾陸匹 々別一斛

175　*牽夫壱拾陸人　担夫弐拾人 々別荷五斗

176　合夫参拾陸人

177　*蘇伍壺担夫壱人

178　*御履皮弐張担夫弐人

167運雑物向京夫　以下、京へ運搬する担夫への給粮記事。全一〇六〇人のうち現存する内訳171～178は六七人で、以下欠損。残りの大部分は舂米(13・14)・奴婢食米(15・17)・番匠丁粮米(21)の運京か。

167向京六日・168還国四日　主計式上45条の但馬・平安京間の行程は上七日・下四日。本帳の但馬・平城京間はそれより遠距離であるが本項は少ない日数。

170向京日別四把・還国日別二把　主税式上116諸国運漕功賃条に「上は人ごとに日に米二升・塩二勺、下は人ごとに半ばを減ぜよ」とあるのに、塩以外は一致する。

G断簡　欠損部をはさんでF断簡に接続。冒頭か末尾に米の運京項目が存在。

171造難波宮司雇民食鮨　→23造難波司・雑鮨

173缶　→07尾張96

174醤大豆　→19醤

174駄　現存正税帳では唯一例。正税収支に関わらなければ記事にならないから、ここは牽夫給粮の根拠として記載。

175牽夫　馬子のこと。牽夫一人・駄一匹で一斛を運ぶ(174)。担夫一人で五斗を運ぶ(175)から、駄の効率はよくない。牽夫と担夫が適宜交替するか。

177蘇　→157

178御履皮　→20御履牛皮

⑯隠岐国郡稲帳　天平二年度

（正集巻三十四・第一紙）

（A*断簡）○紙面に「隠岐国印」あり。

*伯壱拾壱束
遺*玖拾肆束肆把壱分
合*定稲穀参伯陸拾弐斛陸斗伍升伍合
穎*稲壱仟肆伯伍束肆把壱分
古*酒弐腹*　員*九斛五斗五升七合　雑用四斛二斗七升四合
遺*弐腹　員五斛二斗八升三合　受二斗八升三合一口　受*五斛一口
倉*参間　穀倉一間　空倉一間　穎倉一間
郡司　少領外従八位上勲十二等海部直大伴*　主帳外少初位上勲十二等旱部保智萬侶*
周*吉郡天*平元年見定稲穀玖伯壱拾捌斛参斗伍升玖合
穎稲陸仟壱拾肆束捌把壱分此*中雑用漆伯玖拾参束
参把伍分

A断簡　正税帳（⑰隠岐）との対比から郡稲帳と推定。⑰隠岐・民部式・和名抄64では海部郡・周吉郡の順なので、海部郡部後半と周吉郡部前半。
〔1～6〕　周吉郡部13～18に相当。
2遺　前年度からの繰越で当年度初の穎稲から、雑用と出挙を支出した残高。↓14
3合定稲穀　当年度の稲穀残高。
4穎稲　年度末の穎稲残高。収納した出挙本利稲と2遺の合計。
5古酒　年度当初に存在した酒。分注は、当初の量と当年度の雑用（支出）量。
5腹　容器の単位。平城宮出土木簡に「酢一腹…未醤一腹」（城22）「薑甕一腹」（同）とみえる。一般的には「口」で数える。
5員　酒を員で数える例はほかにみえず。
6遺　年度末の酒の残高。5員から5雑用を引いた量。
6受五斛　酒の容器が受五斛であるのは02大倭12・04和泉93に同じ。
7倉　四年度正税帳海部郡部「郡稲倉二間」（⑰隠岐69）は借倉で、本帳の郡稲倉と合わせて使用と推定。
8海部直大伴　他にみえず。
8旱部保智萬侶　他にみえず。
9周吉郡　国府所在郡。「次評」として藤原宮木簡（飛鳥藤原京一132ほか）、石神遺跡木簡（飛18）にみえる。18の後に7倉・郡司位署（8）に相当する項があって周吉郡部は完結する。
9天平元年見定稲穀　前年度から繰越の当周吉郡の稲穀量。これにより本帳は天平二年度帳。
10此中雑用　雑用内訳は首部に記したか。越前国郡稲帳（⑫越前）も雑用内訳は首部にあり、郡部はその郡の合計だけを記す。

12 ＊出挙壱仟伍伯参拾束　＊利漆伯陸拾伍束　并弐

13 仟弐伯玖拾伍束

14 ＊遺参仟陸伯玖拾壱束肆把陸分

15 ＊合定稲穀玖伯壱拾捌斛参斗伍升玖合

16 ＊穎稲伍仟玖伯捌拾陸束肆把陸分

17 古酒弐腹　員五斛九斗六升四合　雑用四斛八升二合

18＊ 遺壱腹　員一斛八斗八升二合

12出挙・利　→用語〔出挙〕

14遺　前年度からの繰越(10)から、雑用(10)と出挙(12)を支出した穎稲残高。

15合定稲穀　当年度当郡稲穀の決算残高。9と同量なので年間増減なし。

16穎稲　14遺と12并(出挙と利の計)の合計。

〔**18**〕復元帳は細字左行を6弐腹に倣って復元するが、ここは壱腹であり、透過光写真によっても細字は右行のみ。

17 隠岐国正税帳　天平四年度

「隠(継目裏書)*伎国正税収納帳大*初位下行目県犬養宿祢大萬侶*天平五年二月十九日」　(正集巻三十四・第二紙)

(A断簡)*　○紙面に「隠岐国印」あり。

隠*伎国司解　申収納天平四年正税事

合四*郡天平三*年正税穀籤*振量定弐萬伍仟陸伯弐拾

伍斛漆斗弐升　振*入二千三百廿九斛六斗一升　斛*別入一斗

定*弐萬参仟弐伯玖拾陸斛壱斗壱升

不*動壱萬玖仟陸伯参拾肆斛捌斗

陸升

動*用参仟陸伯陸拾壱斛弐

斗伍升

粟弐伯壱拾斛伍斗漆升

穎*稲玖仟捌伯肆拾肆束捌把

継目裏書　二か所。便宜ここに掲示。
0正税　本文も「正税」。天平期に大税から正税への用語転換がある(→11越前141)。
0県犬養宿祢大萬侶　他にみえず。
A断簡　本帳は周吉郡部(71～99)が完存するので、首部および他の郡部は同じ構造とみて復原可能。A断簡は本帳の冒頭で、2～13は、周吉郡部71～80に相当。首部冒頭から初表示途中まで。
1隠伎国司解　→用語〔正税帳〕
2四郡　本帳から、智夫郡(31)・海部郡(58)・周吉郡(71)・役道郡(100)が判明。
2天平三年正税穀　前年から繰越の隠岐国正税穀量。未振量(→用語〔振入〕)。本帳での正税穀表記は首部では升まで、郡部は撮までであり例外なし。四郡の穀記事を合計すると必ず升以上になるのは、何らかの操作をしたためか。
2籤振量定(19・31ほか)　未振量での正税穀の合計(19周防27・20周防248・27薩摩4)。これを籤振量定・未籤(振量未籤)と二分する帳もある(→26豊後12振量未籤)。
3振入(20・46ほか)　→用語〔振入〕
3斛別入一斗　→01左京5
4定　振定量での当年度初の正税穀量。2籤振量定から3振入を引いた量。内訳は5不動と7動用。
5不動　→用語〔官稲〕
7動用　「動用」穀の初見。→用語〔官稲〕
10穎稲　前年度から繰越の隠岐国正税穎稲。→用語〔稲〕

11 ＊糒参伯陸拾弐斛捌升
12 ＊醤捌斛伍斗
13 ＊末醤弐斛

（正集巻三十四・第三紙）

＊（B断簡）○紙面に「隠岐国印」あり。

14 陸拾肆束肆把
15 ＊出挙穎稲弐仟壱伯壱拾弐束＊債稲身死伯姓廿二人 免稲一百卌九束
16 ＊定本壱仟玖伯陸拾参束＊利九百八十一束五把
17 合納弐仟玖伯肆拾肆束伍把
18 ＊当年租穀漆伯陸拾斛伍斗
19 ＊都合簸振量定穀弐萬陸仟壱伯玖拾壱斛弐斗弐升
20 振入二千三百八十一斛二升斛別入一斗
21 定弐萬参仟捌伯壱拾斛弐斗
22 不動一萬九千六百卌四斛八斗六升

11糒（24・29ほか）→07尾張127
12醤（25）→10伊豆18
13末醤（26・36ほか）→10伊豆19
B断簡　首部中間表示。欠損部をはさんでA断簡に接続。
15出挙・債稲身死・免稲　→用語〔出挙〕
16定　下に「納」字脱か。15出挙から免稲を引いた、収納すべき出挙本稲。16利を足して、17合納になる。
18当年租穀　当年度の田租収入。
19都合簸振量定穀　当年度稲穀の決算残高。2天平三年正税穀から支出（記事は欠損）を引き、18当年租穀を足したもの。支出は一九五斛であり、郡部雑用の穀支出（37・67・81・110）の合計と一致。また支出が賑給であることが判明。

*（C断簡）〇紙面に「隠岐国印」あり。

23 穎稲*壹萬参伯壹拾弐束玖把

24 糒*参伯陸拾弐斛捌升

25 醬*捌斛伍斗盛缻*壹拾参口 四各受一斛 九各受五斗

26 末醬*弐斛盛缻肆口 々別受五斗

27 都合正倉*伍拾伍間 破壊*一間 定*伍拾肆間

28 不動穀倉一十五間 動用穀倉四間 穎倉六間
郡稲倉*** 一十間 公用稲倉**六間 義倉**三間

29 糒倉五間
空五間

30 鎰*弐拾勾 不動鎰四勾留国* 常鎰*一十六勾 正倉印*壹枚

31 智夫郡天平三年正税穀簸振量定肆仟玖伯伍拾漆斛

（正集巻三十四・第四紙）

---

*（D断簡）〇紙面に「隠岐国印」あり。

32 粟参拾漆斛陸斗弐升

33 穎稲壹仟陸伯伍拾束

34 糒漆拾陸斛弐斗伍升捌合

（正集巻三十四・第五紙）

C断簡　欠損部をはさんでB断簡に続く。首部末表示および智夫郡部冒頭。

23穎稲　穎稲の決算残高。10穎稲から15出挙および支出（記事は欠損）を引き、17合納・18当年租穀を足したもの。支出は郡部記事から雑用三六四束四把（40・84の合計）で神社造用であることが判明。

24糒　11と同量。年間増減なし。

25醬　12と同量。年間増減なし。

25缻　モタイ。甕の一種。文字としては缶（[07]尾張50・96、[15]但馬173）に通じる。

26末醬　13と同量。年間増減なし。

27正倉（55・69ほか）→[02]大倭13

27破壊　破損のため使用していない倉。27定からは除外してある。

27定伍拾肆間　内訳は28・29。

28郡稲倉・公用稲倉・義倉　正倉を借納（→[04]和泉94）。

28郡稲　→用語〔官稲〕

28郡稲倉　→[16]隠岐7倉

28公用稲　→[07]尾張162□用稲

28義倉　→[03]摂津12

30鎰　→[09]駿河197。寧遺「鑰」とする。鎰と通用するが、正倉院文書・木簡などでは鎰が多い。

30留国　不動鎰は中央政府での保管を原則とするためか。四勾は郡数に等しい。

30常鎰　→[09]駿河197

30正倉印　→[09]駿河197

D断簡　智夫郡部初表示数行の欠損部をはさんでC断簡に接続。智夫郡部初表示末から末表示。および海部郡部初表示から中間表示初めまで。

醤弐斛
末醤壱斛
*雑用肆伯捌拾肆束肆把 穀卌一斛八斗 穎六十六束四把　*賑給高
年及*鰥寡惸独自存不能之徒肆拾漆
人穀肆拾壱斛捌斗 *其振所入四斛一斗八升 返納本倉
神社造用穎陸拾陸束肆把
出挙穎稲弐伯捌拾弐束 債稲身死伯姓四人 免稲一十八束
定納本弐伯陸拾肆束　利一百卅二束
合納参伯玖拾陸束
当年租穀壱伯捌拾陸斛
都合簸振量定穀伍仟壱伯壱斛伍斗陸升壱合
肆勺陸撮　振入四百六十三斛七斗 七升八合三勺
定肆仟陸伯参拾漆斛漆斗捌升参
合壱勺陸撮
不動三千五百一十斛九斗五升四合二勺 動用*一千一百廿六斛八斗二升八合九勺六撮

37 雑用　内訳は穀の賑給（37）と穎の神社造用（40）だが、穀は穎に換算して合計を表示。
37 賑給（67・81・110）→04和泉110。続紀天平四年七月条に大赦賑給の詔あり（13佐渡11天平四年七月五日官符）。
38 鰥寡惸独　→03摂津19
39 其振所入…返納本倉（67・83・110）→04和泉114
返納振入
49 一　寧遺は「三」に作るが誤り。

粟参拾漆斛陸斗弐升
穎稲壱仟陸伯玖拾漆束陸把
糒漆拾陸斛弐斗伍升捌合
醤弐斛盛瓱肆口　々別受五斗
末醤壱斛盛瓱弐口　々別受五斗
都合正倉壱拾弐間　不動穀倉三間　*動用穀倉一間　穎倉二間　郡稲倉二間

（継目裏書）
公用稲倉二間　糒倉二間
（第六紙）

郡司　大領外正八位上勲十二等海部諸石*　主帳外大初位上勲十二等服部在馬*
海部郡*天平三年正税穀簸振量定漆仟参伯陸拾伍斛壱斗
漆升漆勺壱撮　振入六百六十九斛五斗六升九勺七撮
定陸仟陸伯玖拾伍斛陸斗玖合漆勺肆撮
不動伍仟玖伯弐拾肆斛弐斗玖升壱合伍勺伍撮
動用漆伯漆拾壱斛参斗壱升捌合壱勺玖撮
粟捌拾参斛漆斗
穎稲弐仟捌伯参拾肆束参把

55動用穀倉　大古・寧遺とも「動用穀」に作り、寧遺は「倉」脱かと注すが、ともに誤り。
57海部諸石　他にみえず。
57服部在馬　他にみえず。
58海部郡　藤原宮木簡に「海評」とある（藤原宮二547・812ほか）。

65 糒壱伯参斛参升陸合
66 醤弐斛伍斗
67 雑用穀漆拾斛玖斗賑給高年及鰥寡惸*猓自存不能之徒一百人其振所入七斛九升返納本倉
68 出挙穎稲陸伯壱拾束債稲身死伯姓一十人

（正集巻三十四・第七紙）

（*E断簡）○紙面に「隠岐国印」あり。

69 都合正倉壱拾弐間不動穀倉五間　動用穀倉一間　穎倉一間　*郡稲倉二間　公用稲倉一間　義倉一間　糒倉一間
70 郡司少領外従八位下*阿曇三雄
71 *周吉郡天平三年正税穀簸振量定玖仟壱伯玖拾斛捌斗玖升弐
72 合肆勺捌撮振入八百卅五斛五斗三升五合六勺八撮斛別入一斗
73 定捌仟参伯伍拾伍斛参斗伍升陸合捌勺
74 不動漆仟弐伯陸拾弐斛弐斗漆升陸合漆勺陸撮
75 動用壱仟玖拾参斛捌升肆撮
76 粟肆拾弐斛参斗玖升
77 穎稲参仟壱伯束

67 猓　「獨」の誤りか。上の「鰥」字に引かれて「猓」と記したか。
E断簡　欠損部をはさんでD断簡に接続。海部郡部末表示、周吉郡部、役道郡部初表示から中間表示。
69 郡稲倉　→16隠岐7倉
70 阿曇三雄　他にみえず。
71 周吉郡　→16隠岐9

糯壱伯漆斛壱斗壱升壱合
醤弐斛
末醤伍斗
雑用漆伯漆拾束 穀卌七斛二斗 穎二百九十八束 賑給高年
及鰥寡惸独自存不能之徒伍拾捌人
穀肆拾漆斛弐斗 *振所入四斛七斗二升 返納本倉
神社造用穎弐伯玖拾捌束
出挙穎稲漆伯肆拾弐束 債稲身死伯姓五人 免稲五十八束
定納本陸伯捌拾肆束 利三百卌二束
合納壱仟弐拾陸束
当年租穀壱伯伍拾捌斛伍斗伍升
都合簸振量定穀玖仟参伯弐斛弐斗肆升弐合肆
勺捌撮 振入八百卌五斛六斗 五升八合四勺
定捌仟肆伯伍拾陸斛伍斗捌升肆合捌撮
…… 不動七千二百六十二斛二斗七升六合七勺六撮 動用一千一百九十四斛三斗七合二勺二撮 ……（継目裏書）（第八紙）

83振所入　この上に「其」字脱。→39・67・110

93 粟肆拾弐斛参斗玖升
94 穎稲参仟捌拾陸束
95 糒壱伯漆斛壱斗壱升壱合
96 醤弐斛盛瓺参口　一受一斛　二各受五斗
97 末醤伍斗盛瓺壱口
98 都合正倉壱拾漆間　不動穀倉五間　動用穀倉一間　穎倉一間　郡稲倉四間　公用稲倉一間　義倉一間糒倉一間空三間
99 郡司　*大領外正八位上勲十二等大私直真継
100 *役道郡天平三年正税穀簸振量定肆仟壱伯壱拾弐斛弐斗玖
101 升陸合参勺肆撮　振入三百七十三斛八斗四升五合一勺二撮
102 定参仟漆伯参拾捌斛肆斗伍升壱合*弐勺弐撮
103 不動弐仟玖伯参拾漆斛参斗参升漆合肆勺玖撮
104 動用捌伯壱斛壱斗壱升参合漆勺参撮
105 粟肆拾陸斛捌斗陸升
106 穎稲弐仟弐伯陸拾束伍把
107 糒漆拾伍斛陸斗漆升陸合

99大私直真継　他にみえず。
100役道郡　藤原宮木簡に「依地評」（飛鳥藤原京一133）・「依地郡」（木研15）、平城宮木簡にも「役道郡」（平城宮七11525ほか）とみえるが、長屋王家木簡（城27）や奈良県稗田遺跡出土木簡に「隠地郡」と表記する例がある（木研三）。
102合　復元帳は「拾」に作るが誤り。

醬弐斛

末醬伍斗

雑用穀参拾伍斛壱斗（賑給高年及鰥寡惸独自存不能之徒卌四人 其振所入三斛五斗一升返納本倉）

出挙穎稲肆伯漆拾捌束（債稲身死伯姓三人 免稲廿二束）

*定本肆伯伍拾陸束 利二百廿八束

合納陸伯捌拾肆束

当年租穀壱伯弐拾玖斛陸斗

（正集巻三十四・第九紙）

*（F断簡）○紙面に「隠岐国印」あり。

定参仟捌伯弐拾肆斛参斗陸升参勺壱撮

（不動二千九百卌七斛三斗三升七合四勺九撮 動用八百八十七斛二升二合八勺二撮）

粟肆拾陸斛捌斗陸升

穎稲弐仟肆伯陸拾陸束伍把

糯漆拾伍斛陸斗漆升陸合

醬弐斛盛缻参口（一受一斛 二各受五斗）

112定 この下に「納」字を脱。↓42・86

F断簡 役道郡部末表示および本帳末尾の進上文言。この後に年月日と国司の位署があるか。

末醤伍斗盛瓺壱口

都合正倉壱拾肆間　破壊一間　定壱拾参間　不動穀倉二間　動用穀倉一間

穎倉二間　郡稲倉二間　公用稲倉二間
義倉一間　糒倉一間　空二間

郡司　大領外従八位上大伴部大君*
少領外従八位下勲十二等*礒部直萬得

謹*件収納天平四年正税幷雑用之状

具注如件仍差*史生大初位上民*使古

麻呂充使進上謹解

---

124 **大伴部大君**　他にみえず。
124 **礒部直萬得**　他にみえず。
125 **謹件収納…謹解**　↓02大倭282以前収納…謹解
126 **差史生**　↓05伊賀14付史生
126 **民使古麻呂**　他にみえず。

⑱ 播磨国郡稲帳 天平四年度以前

（正集巻三十五・第一紙）

1 *下任太宰府少監正六位上*田中朝臣三上
2 *従参人并肆人 *三日食米一斗九升五合 酒一斗二合 依病向
3 京*鋳銭司史生无位*八戸史広足従壱人并
4 弐人 三日食米一斗五合 酒五升四合 *中宮職美作国主稲无
5 位*錦部主村石勝 従壱人并弐人 三日食米一斗五合
6 酒五升四合 上*長門国鋳銭司主典従七位下*大
7 宅首佐波 従参人并肆人 三日食米一斗九升五合 酒一斗二合
8 又鋳銭司*民領少初位上*贄土師連忍勝
9 従壱人并弐人 三日食米一斗五合 酒五升四合 鋳銭司民領
10 少初位下*高安主村三事従弐人并参人三日食
11 米一斗五升 酒七升八合 鋳銭司判官従七位下*薗田首八

（*A断簡）○紙面に「播磨国印」あり。

A断簡 国印により播磨国。大古は播磨国正税帳（天平十年類載）とするが、天平六年の官稲混合（→用語〔官稲〕）以前は往来使への給粮は郡稲支出。15田口朝臣養年冨の帯官職より天平四年以前。使者名・給粮日数を記すから首部。A・B断簡の前後関係は未詳。

1下任 新任向任か、出張後の帰任か未詳。

1田中朝臣三上 天平八年正月外従五位下、同十年四月肥後守（続紀）。

2従 →④和泉43将従

2三日食 播磨国六郡横断（一郡一食、一日二食）と推定。一日の食法（→⑳周防96）は上の米二升（稲四把と等価）・酒一升と、従の米一升五合（稲三把と等価）・酒八合。

3鋳銭司（6・8・9・11）制度に変遷はあるが、本帳に記すのはすべて長門国所在の鋳銭司か。

3八戸史広足 他にみえず。

4中宮職美作国主稲 美作国所在の中宮湯沐の出挙管理のため派遣された職員。⑮但馬106・109中宮職捉稲使と同じか。

5錦部主村石勝 他にみえず。「三日」は美作路か。主村は村主の倒置か。→10

6長門国鋳銭司 →3鋳銭司

6大宅首佐波 他にみえず。

8民領 鋳銭司の下級職員か。神亀三年山城国愛宕郡雲下里計帳では鋳銭寮史生を民領と記す（大古一365）。

8贄土師連忍勝 他にみえず。

10高安主村三事 他にみえず。主村→5錦部主村石勝

11薗田首八嶋 他にみえず。

嶋　従参人并肆人三日食米一斗九升五合酒一斗二合　*下任備
前国介従六位下*田中朝臣浄足　従参人
并肆人三日食米一斗九升五合酒一斗二合　*下任播磨国介
正六位上*田口朝臣養年冨　従参人并肆
人三日食米一斗九升五合酒一斗二合　*下任同国大掾従六位
上*民忌寸黒人　従参人并肆人三日食米一斗九升五合酒一斗二合
*下任同国少掾従七位上*大伴宿祢犬甘
［　　］人三日*食米一斗九升五合　□*鋳銭司

（*B断簡）○紙面に「播磨国印」あり。　（正集巻三十五・第二紙）

多豆加　无位*物部安臣　従陸人［　］*
人*定山間五日食米一斛五升酒五斗四升　*太宰府進上紫草
*部領備前国上*道郡主帳少初位上新*
田部弓　従壱人并弐人*四日食米一斗四升酒七升二合　**下任
備中国掾従六位下*穂積朝臣老人

12下任備前国・23下任備中国　新任向任か、出張後の帰任か未詳。新任なら備前・備中国司は「給食」で「給馬」なし（続紀神亀三年八月条）。

13田中朝臣浄足　天平六年正月外従五位下（続紀）。

14下任播磨国介・16下任同国大掾・18下任同国少掾　当播磨国司は新任向任へは「不給食馬」（続紀神亀三年八月条）だから、国外への使務の帰任であろう。16三日食は、国府・国境間の三郡（三食）で往復の六食給粮か。官司ごとにまとめたなら鋳銭司が別にもある（3・19）のは不統一。本文書は国印があるので進官した公文であろうが、未詳部分が多い。

15田口朝臣養年冨　天平四年八月正六位上遣唐判官。天平八年十一月帰国遣唐使への叙位記事に「故判官正六位上」とあり、従五位下を追贈される（続紀）。

17民忌寸黒人　懐風藻に「隠士」とみえ、五言詩二首を伝える。二条大路木簡（平城宮三5709）「黒人　民忌□〔寸ヵ〕」とある。

18大伴宿祢犬甘　大伴宿祢犬養か。犬養は、天平十年式部大丞（大古二四74）、同十二年正月外従五位下、遣渤海大使。渡海し同年十月帰国。同十八年四月従五位下。式部少輔・少納言・山背守・美濃守・右大弁ほかを歴任し、天平宝字六年十月従四位下讃岐守で卒（続紀）。

19食米　大古は「米」字を脱す。

19鋳銭司　大古は脱す。

B断簡　→A断簡

20物部安臣　他にみえず。大古は「安」の次を二字の空白とする。

20［　］　大古は「并□」とする。復元帳は「并捨弐」とする。

従参人幷肆人　三日食米一斗九升五合 酒一斗二合　下任備

21定山間五日　美作路利用の播磨国横断が三日(4・5)なら、美作路による播磨国府・美作往復の播磨国内給粮日数か。

21太宰府進上紫草　大宰府の紫草栽培は、26豊後40、民部式下53年料別貢雑物条(管内日向・大隅)・63交易雑物条にみえる。

22部領　備前・播磨国間の逓送部領使。→09駿河4部領使

22上道郡　備前国国府所在郡は和名抄65などでは御野郡であるが、本帳当時は上道郡と推定。東急本和名抄65の上道郡に国府の注記がある。

22新田部弓　他にみえず。

23四日　備前国境から播磨国府を往復し、往復六食(三日)・国府滞在二食(一日)給粮か。

23下任　この前に、前項の備前国の新田部弓を引き継いだ、当播磨国の大宰府進上紫草逓送部領使の記事がない理由は未詳。

24穂積朝臣老人　天平九年九月、正六位上から外従五位下、同年十二月左京亮。同十八年四月従五位下、同年九月内蔵頭(続紀)。

⑲ 周防国正税帳　天平六年度

0 （*継目裏書）「周防国天平六年正税*目録帳従七位上行目*茨田連光」

（*A断簡）○紙面に「周防国印」あり。　（正集巻三十五・第九紙）

1 　定肆萬壱仟伍拾陸斛肆斗肆升

2 *穎稲漆萬肆伯捌拾陸束肆把漆分

3 *糒参伯伍拾玖斛玖斗肆升

4 酒壱拾肆斛壱斗肆升参合　*瓱一十三口

5 *塩竈壱口　*径五尺九寸 周一丈七尺七寸

6 　雑用稲参仟参拾参束参把参分

7 　　酒弐斛弐升玖合

8 　*斛別充廿一

継目裏書　二か所。便宜ここに掲示。
0目録帳　この帳の支証となる各種帳簿などに対しての表現（03摂津0・08駿河0・21長門0・25筑後0・27薩摩0）。主税式上1勘税帳条では、税帳は出挙・租・地子・駅伝馬・池溝・救急・公廨・夷俘・在路飢病、及倉付等帳と計会するとある。これらの半数程度は本帳当時から存在していた。「目録帳」の語は天平六年官稲混合（→用語〔官稲〕）以降に使用されるようになったとする説がある。
0茨田連光（62）他にみえず。
A断簡　正倉院文書（正集三十五）ではB断簡の次に位置。某郡の前半部。財政規模からみて吉敷郡に次ぐ玖珂郡か。→D断簡
2穎稲　→用語〔稲〕
3糒（19・24ほか）→06尾張18
4瓱（20・53）→10伊豆80
5塩竈　製塩のための釜。20周防256は径・周が本項と一致。同一物か。21長門60煎塩鉄釜は「径五尺八寸、厚五寸、深一寸」、観世音寺資財帳山章焼塩山の煎塩鉄釜は「口径五尺六寸、厚四寸」と、ほぼ同規格（平安遺文一194）。
5径　「径」字の通用か。
8斛別充廿一　酒の醸造費なら高額。→03摂津32酒

（C断簡）＊○紙面に「周防国印」あり。（第六紙）

借貸穎稲壱萬漆仟捌伯肆拾捌束＊免稲一千三百八束

定納壱萬陸仟伍伯肆拾束＊

遺肆萬壱仟弐伯弐拾捌束弐把陸分

当年租穀壱仟玖拾壱斛弐斗伍升＊

食封陸伯参斛肆斗捌升＊

全給壱処肆伯陸斛伍斗参升

半給壱処壱伯玖拾陸斛玖斗伍升＊

給主九十八斛四斗七升
納官九十八斛四斗八升

官肆伯捌拾漆斛漆斗漆升＊

合官納伍伯捌拾陸斛弐斗伍升＊　振入五十三斛二斗九升＊

…………（継目裏書）…………

（第七紙）

（B断簡）＊○紙面に「周防国印」あり。（正集巻三十五・第八紙）

糒肆伯参拾壱斛

C断簡　某郡部の中間表示。佐波郡（26）ではない。穎稲に関して9〜11と2・6を対照すると、A断簡とは別の郡。同項目があるから、D断簡（吉敷郡か）とも別の郡。財政規模から熊毛郡か都濃郡。なお大古はC断簡の1行目にA断簡8行目を重複して翻刻している。

9借貸（38）窮民救済のための無利息の穎稲（長門国では穀も）貸与。この頃、山陽道諸国では公出挙に代わって借貸が実施されていた（20周防108・212、21長門35・45・120）。天平十年八月停止（続紀）。→用語〔出挙〕

9免稲　借受人死亡により返済免除の借貸稲。

10定納　9借貸から免稲を引いた、回収額。

12当年租穀　内訳は13食封と17官（公戸）。

13食封（42）内訳は14全給と15半給。→09駿河160封

15半給　内訳は16給主と16納官。

17官　12当年租穀から13食封を引いた数字。

18合官納　当年度当郡の田租収入。16納官と17官（公戸）の合計。

18振入（28・33ほか）→用語〔振入〕

B断簡　某郡部末表示と佐波郡部初表示。民部式・和名抄66の郡の配列によれば佐波郡の前は都濃郡。

20 酒壹拾斛玖斗捌升弐合 瓱四口
21 *正倉弐拾伍間
22 *借倉弐間
23 *借屋壹間
24 合弐拾捌間 *不動穀倉六間 穎倉一十五間 *動用穀倉五間 穎稲借屋一間 糒倉一間
25 *鎰弐勾 不動鎰一勾 *常鎰一勾
26 佐波郡
27 天平五年定正税穀*簸振量定弐萬壹仟漆伯捌拾参斛
28 壱斗弐升 振入一千九百八十斛二斗 六升斛別入一斗
29 *定壹萬玖仟捌伯弐斛捌斗陸升 不動一万八千九百廿斛七升 動用八百八十二斛七斗七升
30
31 *穎稲参萬肆仟漆伯捌拾参束伍把

(D断簡)○紙面に「周防国印」あり。*

32 七十一斛八斗一升

(正集巻三十五・第十紙)

21正倉(54) →02大倭13
22借倉・23借屋 →06尾張11借倉
24不動 →用語〔官稲〕
24動用 →用語〔官稲〕
25鎰(58) 不動鎰・常鎰とも一郡各一勾。→09駿河197鎰・197七勾
25常鎰 →09駿河197
27定正税穀 前年度から繰越の佐波郡年初穀。未振量(→用語〔振入〕)。
27簸振量定(47) →17隠岐2
29定 振定量(→用語〔振入〕)による当年度年初の佐波郡穀量。内訳は30不動・30動用。
31穎稲 前年度から繰越の佐波郡穎稲。
D断簡 某郡後半および本帳の末尾。民部式・和名抄65の郡の配列によれば某郡は吉敷郡。和名抄117によれば、吉敷郡九(または一〇)郷、玖珂郡八郷、佐波郡六郷、熊毛郡五郷、都濃郡五郷、大島郡三郷(各余戸・駅家・神戸を除く)。この規模が天平当時からのもので、財政規模に反映しているとみて所属郡を推定する。

遺*参仟伍伯壱拾玖斛壱斗参升（振入三百一十九斛九斗二升）
定*参仟壱伯玖拾玖斛弐斗壱升
不*動及不除耗穀合肆萬壱伯捌拾伍斛壱升（振入三千六百）
（五十三斛一斗八升）
定参萬陸仟伍伯参拾壱斛捌斗参升
借貸穎稲弐萬陸仟陸伯陸拾捌束（債稲身死伯姓七十三人免稲二千三百三束）
定納弐萬肆仟参伯陸拾伍束
遺*穎稲肆萬玖仟壱伯壱拾伍束参把壱分*
当*年租穀壱仟参伯玖斛陸斗伍升
食封壱処壱伯陸拾捌斛弐斗漆升（半給主八十四斛一斗四升）
（納官八十四斛一斗三升）
官壱仟壱伯肆拾壱斛参斗捌升
合*官納壱仟弐伯弐拾伍斛伍斗壱升（振入一百一十一斛四斗一升）
定壱仟壱伯壱拾肆斛壱斗
都*合簸振量定穀肆萬肆仟玖伯弐拾玖斛陸斗伍升（振入）*

33遺　当天平六年度稲穀の支出残。未振量。
34定　当年度稲穀支出の残。振定量。
35不動及不除耗穀　「不除耗穀」は除耗（→01左京8）していない動用穀の意か。本項は当年度開倉していない穀倉収納を一括か。本項は当年度定量）は37（本項の振定量）より多いので、本項以前に除耗した不動穀記事が存在か。
40遺　当年度穎稲支出の残。
40分　大古は「束」に作るが誤り。
41当年租　当年度当郡の全田租。内訳は42食封と44官。
45合官納　当年度官納の全田租。43納官（食封）と44官の合計。
47都合簸振量定　当年度末当郡稲穀の全量。33遺・35不動及不除耗・45合完納の合計。未振量。
47振入　33振入・35振入・45振入の合計。

48 四千八十四斛五斗 一升斛別入一斗
49 *定肆萬捌伯肆拾伍斛壹斗肆升
50 不動*三万七千二百二斛五斗九升 動用三千六[ ]*五斗五升
51 穎稲漆萬参仟肆伯捌拾束参把壹分
52 糒壹仟漆伯参拾参斛
53 酒壹拾肆斛陸斗玖升肆合 瓱八口
54 正倉参拾参間
55 屋壹間
56 借倉壹間

…………（継目裏書）（第十一紙）…………

57 合参拾伍間 不動穀倉一十四間 穎倉一十六間 動用穀倉三間 穎稲屋一間 糒倉一間
58 鎰弐勾 不動鎰一勾 常鎰一勾
59 謹*件収納天平六年正税并雑充用之状具注如件
60 仍繕写訖即付*史生少初位上汶*旦才智進上謹
61* 解*
62 天平七年七月*三日従七位上行目茨*田連「光」

49定 振定量での、当年度末当郡稲穀の全量。34定・37定・46定の合計。内訳は50不動・50動用。

50不動 この数字（振定量）は37（35「不動及不除耗」の振定量）より大きい。本項は、34の一部を含むか。

50[ ] 大古は一字目を「百」に作る。計算上は「百卌二斛」。

59謹件収納…謹解 ↓02大倭282以前収納…謹解

60付史生 ↓05伊賀14

60汶旦才智 他にみえず。

〔61～63〕 復元帳は行番号を、〔復元行・61・62〕としている（↓凡例五5）。

61解 原本は欠損。大古は「解」に作る。↓02大倭282以前収納…謹解

62七月三日 他帳より極端に遅い。↓04和泉316 天平十年四月五日

62茨田連光 ↓0

63
従五位下行守勲十二等多治比真人*「伯」　正六位上行掾弓削宿祢*「興志」

63多治比真人伯　天平七年四月従五位下、同十一年三月大宰少弐として神馬の瑞を奏上（続紀）。
63弓削宿祢興志　他にみえず。

20 周防国正税帳　天平十年度

0 「周防国天平十年正税帳史生大初位上秦*連国麻呂」（継目裏書）*

（A断簡）○紙面に「周防国印」あり。　（正集巻三十五・第十二紙）

1 ［　　］* 女卅九人［　　］

2 四日食稲伍拾束肆把塩伍升肆勺

3 部*領使 安芸国佐伯団*擬少毅榎*本連音足将*従一人合二人*往来八日食稲五束六把酒

4 六升四合塩三合二勺

5 五*月四日下流人 周防国佐波郡人牟*々礼君大町三日食稲六把塩六勺

6 部*領伝使 刑*部少解部*従六位下苅*間連養徳将従二人合三人*往来六日食稲六束

7 酒六升塩三合六勺

……………………（継目裏書）……………………

（B断簡）*○紙面に「周防国印」あり。　（正集巻三十五・第十三紙）

8 *六月四日下*伝使 勝将従三人合四人四日食稲五

継目裏書　一三か所。便宜ここに掲示。
0秦連国麻呂　他にみえず。
1［　］→[25]筑後14浮囚
3部領使　前項の俘囚の部領使。→[09]駿河4
3佐伯団　安芸国佐伯郡所在の軍団。
3榎本連音足　他にみえず。
3将従　→[04]和泉43
3往来八日　周防国横断は四日なので、この安芸国部領使は周防国府で引き継がず長門国以遠へ行き、年度内に帰国。当年周防国は逓送部領使を出していない（73・88）。
5五月四日　当周防国での給粮開始日。帰路の食も合わせて記すが、その給粮日付は不明。
5牟々礼君大町　天平十二年六月の大赦で対象から除外された流人牟礼大野（続紀）と同一人物か。藤原宮木簡に「周方国佐波評牟々礼君」氏がみえる（飛20）。本貫地への流刑ならば極めて異例。
5三日　安芸国国境・周防国府間の片道。
6部領伝使　流人の部領使は伝符支給（獄令13流移人条）。伝使→[03]摂津32伝
6刑部少解部　従八位下相当官で争訟を問窮することを任務とした。定員三〇人（職員令30刑部省条）。
6苅間連養徳　他にみえず。
6往来六日　安芸国国境・周防国府間の往復。部領使は流人を護送し、京・周防国府を往復。
B断簡　A断簡との間が一か月空いており、この間の給粮記事が欠損か。
［8］　本行の翻刻は透過光写真による。
8下伝使　山陽道を下り、当周防国を通過した伝使。

束二把酒四升
塩三合二勺
同日下伝使筑後国掾正七位下＊忍海連宮成将従三人合四人四日食稲五束
二把酒四升
塩三合二勺
十二日下伝使豊後国掾従六位下＊田邊史県麻呂将従三人合四人四日食稲五束
二把酒四升
塩三合二勺
十五日＊下船伝防人部領使大宰史生従八位上＊中臣東連益人将従一
人合二人四日食稲二束八把
酒三升二合塩一合六勺
十七日下伝使大宰大監正六位上＊阿倍朝臣子嶋将従三人合四人四日食稲五
束二把酒四升
塩三合二勺
同日下船伝防人部領使大宰少判事従七位下＊錦部連定麻呂将従
二人合三人四日食稲四束
酒四升塩二合四勺
廿日向京伝使長門国＊相撲人三人廝一人合四人往来八日食稲十二束酒一斗九
升二合塩
六合四勺
廿一日向京伝使周防国相撲人三人＊往来六日食稲七束二把酒一斗四升四合塩三合六勺
廿二日下伝使壱伎嶋掾従七位下＊間人宿祢玉浦将従三人合四人四日食稲

10忍海連宮成　他にみえず。
12田邊史県麻呂　他にみえず。
14下船伝防人部領使(18)　帰郷する防人(→09駿河27)を船で難波津まで送り届けた防人部領使が、陸上を伝使として帰任する途上(→173～190、25筑後9・10、09駿河79)。→38下船伝使
14中臣東連益人　他にみえず。
16阿倍朝臣子嶋　天平十三年閏三月従五位下。以後、肥後守・兵部少輔・駿河守・式部少輔・武部少輔・上総守などを歴任。天平宝字八年正月上総守従四位下で卒(続紀)。
18錦部連定麻呂　175で防人への食料供給依頼の牒を周防国に発している。前般防人部領使。他にみえず。
20相撲人(22)　→12越前28。長門・周防両国相撲人は周防国府で落ち合って同行したか。両国に伝符が存在したことは未確認。相撲人が伝使になることも、廝(炊事役)が同行することも異例。この天平十年七月天皇が相撲を観たことが記録されているから(続紀)、特に命じて相撲人を上京させたか。
22往来六日　当周防国府・京間を往復。この給粮は国府・安芸国国境間の往復分。
23間人宿祢玉浦　他にみえず。

25大隅直坂麻呂・薩麻君国益　他にみえず。伝符一枚だからそれぞれ帰郷するのではなく、大宰府で郷里の郡司に任用される詮議(続紀大宝二年三月条)を受けに行くか。
27河内連入鹿　他にみえず。

五束二把酒四升塩三合二勺
廿六日下伝使大隅国左大舎人无位大隅直坂*麻呂薩麻国人右大舎人无位薩*
麻君国益将従一人合三人四日食稲四束四把酒六升四合塩二合四勺
七月三日下伝使豊後国目正七位下勲九等*河内連入鹿将従三人合四人
四日食稲五束二把酒四升塩三合二勺
廿四日下伝使大宰故大弐従四位下小野朝臣*骨送使*対馬嶋史生従八位下白*
氏子虫将従三人合四人四日食稲五束二把酒三升二合塩三合二勺

（継目裏書）
（第十四紙）

閏七月五日向京従大宰府進上銅竈部領*
使筑前国掾従六位上建部君豊足*将従三人合四人往来八日食稲十束四把酒八升
塩六合四勺
十六日向京従大宰府進上法華*経部領使
大典従六位上楢原造東人*将従三人合四人四日食稲五束二把酒四升塩三合二勺
八月廿九日下伝使周防国史生正八位下赤染*麻呂将従二人合三人三日食稲*
三束酒二升四合塩一合八勺
九月二日下*船伝使大宰史生正八位下出雲臣*君麻呂将従二人合三人四日

29小野朝臣　名を記さないのは敬意を示す。天平九年六月十一日に卒した大宰大弐従四位下小野朝臣老。養老三年正月従五位下（続紀）。神亀年間には大宰少弐（万葉三328）、やがて大弐（同六958）。

29骨送使（83）　死者の骨を運ぶ使。本項は前年上京して任務を終え大宰府へ戻る途上。

29白氏子虫　他にみえず。

31進上銅竈部領使　大宰府工房（またはその指示で筑前国工房）で製作した銅の竈（㉕筑後20頁上造銅竈工）の京への運送を差配。

32建部君豊足　天平十七年二月・八月の式部省移に正六位下式部大録勲十二等（大古二396・462）。天平二十年二月従五位下（続紀）。天平勝宝四年四月の大仏開眼会に際し鎮裏京使（東大寺要録）。

34法華経　異訳もあるが、ここでは鳩摩羅什訳の妙法蓮華経を指すか。

35楢原造東人　神亀頃「宿儒」と称せられた儒家（家伝下）。天平十年四月官人歴名に近江大掾（大古二四75）、その後大宰大典（本項）。天平勝宝二年三月駿河守の時、部内で獲た黄金を献上して勤臣（伊蘇志臣）を賜姓、同十二月従五位上、天平宝字元年五月正五位下（続紀）。

36赤染麻呂　名は「万呂」とも。天平九年経師所解にみえ、同十年皇后宮職の舎人長で正八位下（大古二四68・85）。162に新任史生とある。

36三日食　安芸国境から周防国府までの片道。

38下船伝使（48・64・75）　船で上京した使者が伝使として帰任する途上（14下船伝防人部領使）。

38出雲臣君麻呂　神亀三年山背国愛宕郡雲下里計帳に戸主としてみえる（大古一356）のと同一人物か。

食稲四束酒三升二合塩二合四勺
十一日下伝使豊前国史生大初位上志比安*都将従二人合二人*四日食稲四
東酒三升二合塩二合四勺
十五日下伝使対馬嶋史生正八位上漆嶋大*名将従三人合四人四日食稲
五束二把酒三升二合塩三合二勺
同日下伝使肥後国史生大初位上山田史方*見将従二人合三人四日食稲四
東酒三升二合塩二合四勺
同日下伝使薩麻国史生従八位下雄*山田連綿麻呂将従三人合四人四日食
稲五束二把酒三升二合塩三合二勺
廿二日下船伝使筑前国史生大初位上丈部忌*寸千城将従二人合三人四日食
稲四束酒三升二合塩二合四勺
十月二日下伝使壱伎嶋史生大初位上物部於伎*将従二人合三人四日食稲四束酒三升
二合塩二合四勺
三日下伝使豊前国目従八位上秦子虫*将従三人合四人四日食稲五束二把酒四升塩三合二勺
四日向京従大宰*進*上御鷹部領使筑後国介従六位上

40志比安都　他にみえず。
40合二人　「合三人」の誤り。
42漆嶋大名　他にみえず。
44山田史方見　天平十五年八月肥後国史生の時に合志郡井出原の禅房で母の願により大般若経を書写させた（東明寺蔵大般若波羅蜜多経巻四〇一奥書（寧遺中619））。
46雄山田連綿麻呂　他にみえず。
48丈部忌寸千城　他にみえず。
50物部於伎　他にみえず。
52秦子虫　他にみえず。
53大宰　この下「府」字脱か。
53進上御鷹　兵部省主鷹司に送られる鷹。㉕筑後23〜28に飼育の記事あり。

*早部宿祢古麻呂将従三人持鷹廿人合廿四人往来八日食稲七十四束四把酒一斛三斗六升塩
三升八合四勺　*御犬壱拾頭食稲捌束

……（継目裏書）（第十五紙）……

六日下伝使大宰史生従八位上*川邊朝臣白足将従三人合四人四日食稲五束二把
酒三升二合塩三合二勺
九日下伝使長門国史生大初位下勲十等*阿倍朝臣牛養将従二人合三人四日
食稲四束酒三升二合塩二合四勺
十一日伝使大隅国掾正六位下*土師宿祢山麻呂将従三人合四人四日食稲五束二把
酒四升塩三合二勺
十二日伝使薩麻国目大初位上*次田赤染造上麻呂将従三人合四人四日食稲五束二
把酒四升塩三合二勺
同日下船伝使筑前国史生大初位下*田邊史東人将従二人合三人四日食稲四
束酒三升二合塩二合四勺
十四日下伝使豊後国守外従五位下*小治田朝臣諸人将従九人合十人四日食稲
十二束四把*酒八升塩八合
同日下伝使大隅国史生大初位上*日置造三立将従二人合三人四日食稲四束酒

54早部宿祢古麻呂　続紀は子麻呂とも。天平勝宝七歳八月従五位下、同八歳四月八幡神宮奉幣使。その後左兵衛督・上野守・山背守を歴任。藤原仲麻呂の乱の功により天平神護元年正月勲二等、同二年二月功田二〇町を賜わり、内竪員外大輔をへて宝亀四年五月散位従四位下（上カ）勲二等で卒（続紀）。

55御犬　御鷹と一体となって飼育（㉕筑後26頁上犬）。部領使と持鷹は京を往復、御犬は片道。

56川邊朝臣白足　他にみえず。

58阿倍朝臣牛養　他にみえず。天平宝字二年九月東大寺写経所の校生に大初位下安部牛養がいるが（大古四310）別人であろう。

60土師宿祢山麻呂　他にみえず。

62次田赤染造上麻呂　他にみえず。

64田邊史東人　他にみえず。

66小治田朝臣諸人　天平十年八月任豊後守。本項はその赴任。豊後国の新任国司向任には伝符を給す（神亀三年八月）。諸人は天平元年三月外従五位下、同九年十二月散位頭。同十八年五月従五位下、天平勝宝六年正月従五位上（続紀）。

67酒八升　制度上は四升なので（96食法）、誤記か。

68日置造三立　他にみえず。

三升二合塩二合四勺
廿日下伝使大隅国守正七位下勲十二等*大伴宿祢国人将従三人合四人四日食稲五束
二把酒四升塩三合二勺
廿一日向京*耽羅嶋人廿一人*四日食稲卅三束六把*酒六斗七升二合塩一升六合八勺
*部領使長門国豊浦郡*擬大領正八位下*額田部直広麻呂将従一人合二人往
来八日食稲五束六把酒八升塩三合二勺
同日下船伝使大宰史生大初位下*檜前舎人連馬養将従二人合三人四日食
稲四束酒三升二合塩二合四勺
廿二日下伝使筑前国掾従六位下*都保臣古良比将従三人合四人四日食稲五束二把
酒四升塩三合二勺
十一月三日従大宰府*向京伝使*僧法義*童子三人合四人四日食稲五
束二把酒四升塩三合二勺

（継目裏書）
（第十六紙）

十五日下伝使大宰少典従七位上*朝明史老人将従三人合四人四日食稲五束二把酒四
升塩三合二勺
十九日向京大宰故大弐正四位下*紀朝臣*骨送

70大伴宿祢国人　他にみえず。
72耽羅嶋　現在の韓国済州島。当時は新羅に所属。来日は交易が主目的か。↓170耽羅方脯
72四日　年度内には戻らず。↓3往来八日
72酒六斗七升二合　日別八合は下級官人相当。二一人全員が同等の扱いなので、使節ではない。
73部領使　長門国部領使が周防国で交替せず先まで行く。耽羅嶋人は長門国に漂着か。
73擬大領　正員の欠員に際して国司が補任し、まだ式部省詮議を得ていない擬任郡司。
73額田部直広麻呂　天平十二年九月藤原広嗣の乱に長門国豊浦郡少領外正八位上で官軍に従う。本項の擬大領正八位下から転任か。同十三年閏三月功により外従五位下(続紀)。
75檜前舎人連馬養　他にみえず。
77都保臣古良比　他にみえず。
79向京伝使　令には大宰府に伝符を給する規定はないが、慶雲二年四月一〇枚支給(続紀)。
79僧法義　久米多寺領流記坪付帳(大古三332)、続紀宝亀三年三月条、東大寺要録大和尚伝にみえるが、本項と同一人物か未詳。
79童子　↓09駿河42
81朝明史老人　他にみえず。
83紀朝臣　天平十年十月に卒した大宰大弐正四位下紀朝臣男人(続紀)。慶雲二年十二月従五位下。天平二年正月大宰帥大伴旅人の宴に大弐として列す(万葉五815)。
83骨送使(29)　一行は故人の従者も含むか。
84音博士　大宰府の音博士(主税式上16大宰府公廨条)。大学寮の音博士とは別。
84山背連靺鞨　他にみえず。

*使 音博士大初位上山背連韎鞨*将従十九人合廿人四日食稲廿四束四把酒四升塩一升六合

十二月一日下伝使 *筑紫国師僧*尊泰従僧二人沙弥二人童子三人合八人四日食稲十一

東六把酒二斗塩六合四勺

廿日向京 従大宰府捉進上*旧防人二人四日食稲一束六把塩一合六勺

*部領使 長門国*豊浦団*五十長*凡海部我妺往来八日食稲三束二把酒六升四合

塩一合六勺

*国司巡行壹拾参度 守四度掾九度目十度史生十二度　将従陸拾弐人

合玖拾漆人単壹仟玖伯漆拾壹人 目已上四

百五十人史生二百七十人将従一千二百五十一人

食稲陸伯陸拾参束参把酒陸斛陸斗

陸升塩参斗玖升肆合弐勺*直稲陸束伍

把壹分 以一束充六升

*食法 史生已上人別日稲四把将従人別日稲三把目已上人別日酒一升史生日酒八合将従已上

人別日塩二勺

*検催産業国司壹度 掾一人史生一人　将従参人合伍人廿日

85筑紫国師　大宰府所在の筑前国師か。大宰府管内を統轄する高僧か。国師→⑨駿河42

85尊泰　大古・寧遺は「算泰」に作るが誤り。他にみえず。

87旧防人　天平九年九月の防人停止（続紀）により任を解かれた防人。本項は任地で逃亡し捉えられた者か。

88部領使　長門国府で引き継ぎ、周防国を通過した先で引き渡して帰国（→3往来八日）。

88豊浦団　長門国豊浦郡所在の軍団。神護景雲元年四月豊浦団毅額田部直塞守が銭稲を献じて豊浦郡大領に任官（続紀）。

88五十長　軍団の隊正（兵士五〇人を率いる）の別称。出雲国計会帳にみえる（大古一599）。

88凡海部我妺　他にみえず。大古・寧楽は「妹」と翻刻するが、「妹」とは別字。

〔90～143〕国司巡行（→⑮但馬122）記事。うち90～97はまとめ。

94直稲陸束伍把壹分　正しくは陸束伍把漆分。

96食法　身分・職務などによる食料支給規定。田令35外官新至条集解令釈所引和銅五年五月格では国司巡行食法を、日別一人、目以上米二升・酒一升、史生米二升・酒八合、将従米一升五合とする。延喜主税式上83諸使食法条は、史生以上二勺、将従一勺五撮の塩を加えて諸使および国司巡行食法とする（弘仁式も同じ）。正税帳では基本的に稲支給（稲四把は米二升、三把は一升五合と等価）だが、塩支給が国によって差異がある以外は同じ食法。当周防国ではさらに下に、稲二把・塩二勺の等級あり（5流人ほか）。㉗薩摩64は「国司部内巡行食法」とする。なお別に公解食法（→㉗薩摩65食法）あり。

98検催産業　→⑮但馬135領催伯姓産業

99 単壱伯人掾廿人史生廿人 将従六十人　食稲参拾肆束
100 酒参斗陸升塩弐升
101 ＊依＊恩＊勅賑給穀国司壱度掾一人 史生一人　将従参人合
102 伍人十七日単捌拾伍人掾十七人 史生十七人　将従伍拾壱
103 人食稲弐拾捌束玖把酒参斗陸合塩壱
104 升漆合
105 ＊従造神宮駅使国司壱度掾一人目一人 史生一人　将従伍人

（継目裏書）
（第十七紙）

106 合捌人廿五日単弐伯人目已上五十人史生廿五 人将従一百廿五人
107 食稲陸拾漆束伍把酒漆斗塩肆升
108 春夏二時＊＊借貸幷出挙雑官稲国司弐度掾 一人
109 目一人史生 一人　将従伍人合捌人卌二日単参伯参
110 拾陸人目已上八十四人史生卌 二人将従二百一十人　食稲壱伯壱拾
111 参束肆把酒壱斛壱斗漆升陸合塩陸
112 升漆合弐勺
113 ＊責手実国司壱度掾一人目一人 史生二人　将従陸人合壱

101依恩勅　復元帳は「依」と「恩」の間、大古・寧楽は「恩」と「勅」の間を闕字とするが、闕字はない。
101恩勅　天平十年正月阿倍内親王の立太子に関する大赦賑恤の勅（続紀）。144～150に対応。
101賑給（116・144・210）→04和泉110
105従造神宮駅使　天平九年十一月神社造営のため諸国に遣使した（続紀）駅使（→15但馬74）に随行。当国への派遣は十年になった。駅使への供給は正税帳には載らない。二五日の工事期間中現地に滞在か。
108借貸（212）→19周防9
108借貸幷出挙雑官稲　当年正税は借貸だが、駅起稲などは出挙していた。実際の業務で両者をどのように区分したかは未詳。→用語〔出挙〕
113責手実　→15但馬138責計帳手実

114 拾人廿日単弐伯人目已上卌人史生卌人将従一百廿人　食稲陸
115 拾捌束酒漆斗弐升塩肆升
116 賑*給義倉国司壱度掾一人目一人　将従肆人合陸人
117 六日単参拾陸人目已上十二人将従廿四人　食稲壱拾弐
118 束酒壱斗弐升塩漆合弐勺
119 検*田得不国司壱度掾一人史生一人　将従参人合伍人廿
120 七日単壱伯参拾伍人掾廿七人史生廿七人将従八十一人　食稲
121 肆拾伍束玖把酒肆斗捌升陸合塩弐升
122 漆合
123 検*牧馬牛国司壱度掾一人目一人　将従肆人合陸人十
124 二日単漆拾弐人目已上廿四人将従卌八人　食稲弐拾肆
125 束酒弐斗肆升塩壱升肆合肆勺
126 検*駅伝馬等国司壱度掾一人目一人　将従肆人合陸
127 人七日単肆拾弐人目已上十四人将従廿八人　食稲壱拾
128 肆束酒壱斗肆升塩捌合肆勺

116 賑給義倉　正税帳で義倉を賑給に用いた唯一例。義倉→03摂津12
119 検田得不　→15但馬142検校田租
123 検牧馬牛　国司は毎年牧の馬牛の状況を調べて馬牛帳を作り朝集使に付して太政官に申上(厩牧令25官私馬牛条)。兵部式70馬牛牧条では周防国に竈合馬牧・垣嶋牛牧がある。本帳当時まで遡るか。
126 検駅伝馬等　駅に置かれた駅馬(→15但馬74駅使)、郡に置かれた伝馬(→03摂津32伝)を国司は毎年検査(厩牧令20駅伝馬条)。

129 斂*調庸国司壱度守一人目一人史生二人　将従漆人合壱
130 拾壱人十八日単壱伯玖拾捌人目已上卅六人史生卅六
（継目裏書）
（第十八紙）
131 人将従一百廿六人　食稲陸拾陸束陸把酒陸斗肆
132 升捌合塩参升玖合陸勺
133 推*問消息国司壱度守一人目一人史生一人　将従陸人合
134 玖人十五日単壱伯参拾伍人目已上卅人史生十五人将従
135 九十人　食稲肆拾伍束酒肆斗弐升塩弐升漆合
136 従*巡察駅*使国司壱度守一人目一人史生一人　将従陸人合
137 玖人十六日単壱伯肆拾肆人目已上卅二人史生十六人将従
138 九十六人　食稲肆拾捌束酒肆斗肆升捌合
139 塩弐升捌合捌勺
140 収*納官稲国司壱度守一人目一人史生一人　将従陸人合玖
141 人卅二日単弐伯捌拾捌人目已上六十四人史生卅二人将従一百
142 九十二人　食稲玖拾陸束酒捌斗玖升陸合
143* 塩伍升漆合陸勺

129 斂調庸　→⑮但馬147検校庸物
133 推問消息　→⑮但馬132為観風俗
136 従巡察駅使　→天平十年十月派遣の巡察使（続紀）に随行。→⑨駿河109巡察使
136 駅使　駅使は駅で供給。→⑮但馬74
140 収納官稲　借貸・出挙雑官稲（108）の収納を一度で実施。→⑮但馬150収納当年官稲
〔**143・144**〕143までは正集三十五巻、144からは正集三十六巻。巻を違えるも直接接続する。

144 依天平十年正月十三日　*恩勅賑給高年及*鰥寡　（正集巻三十六・第一紙）
145 惸独疾疹*不能自存者之徒合参仟弐
146 伯漆拾弐人穀捌伯参拾漆斛 九十歳一人 二斛八十歳
147 廿七人別一斛鰥十六人別六斗鰥廿六人寡卌三人合 六十九人別五斗鰥六十九人寡二百三人独廿一
148 人惸一百二人合三百九十五人別四斗寡二百九人 惸一百九十一人独三百九人病者一百卌七人合八
149 百卌六人別三斗惸一百廿人独一百一十四人病者八 百廿八人窮乏五百卌一人合一千六百三人別二斗
150 窮乏三百一十 五人別一斗
151* 改造神社料用穎稲肆伯壹拾肆束漆把伍分
152 役単功肆伯伍拾弐人傭*稲弐伯弐拾陸束
153 人別日 五把
154 食*稲壹伯捌拾束捌把 人別日四把
155 塩*玖升肆勺 人別日二勺　価稲壹束伍把 以一束買* 六升
…………（継目裏書）…………
156 釘*肆拾弐隻 各長五寸 重五両　料鉄壹拾参斤*拾肆両*
157 *小所得十三斤一両 *所損十三両　価*稲参束肆把伍分 以一束買 四斤
（第二紙）

144 **恩勅賑給**　→101。23淡路29は正月廿日とする。
144 **鰥寡惸独**　→03摂津19
145 **疹**　大古・復元帳は異体字の「疢」に作る。
〔151～159〕　神社の改造(106)に関する支出。玉祖社は神税で賄う(264～267)から、ここはそれ以外の神社。本帳には熊毛(207)・出雲(208)・御坂(209)各神社がみえる。大同四年四月勅は、神社の修造費は神税があればそれをあて、無封社は正税を使用とする(日本紀略)。その先例か。
152 **傭**　雇役した者への給与。
154 **食**　功(152傭)と食とは別項目。
155 **塩…価**(174)　→10伊豆14塩…価。なお181・187は塩は端数まで記しているが、稲は切り上げて支出している。
155 **束**　大古・寧遺は「把」に作るが誤り。
156 **釘**　木工式10鉄工条に釘の種類やその料鉄の量についてみえる。「長五寸・重伍両」は同条の「五寸平釘」と同じ。
156 **斤・両**　→用語〔斤・両〕
157 **小**　鉄の秤量制が小制であることを示す。→用語〔斤・両〕
157 **所得**　釘一隻に五両なら、一両不足。
157 **所損**　→194熟損
157 **価稲**　十進法の稲と一斤が一六両の鉄なので、端数が少し合わない。

*赤土弐升価稲参束以一束五把買一升
右依*太政官去天平九年十一月廿八日符充用如件
*朝集雑掌弐人*起十一月一日迄十二月卅日起正月一日迄二月十六日合一百四箇日　単弐
伯捌人食稲陸拾弐束肆把人別日三把
*新任史生正八位下赤染麻呂*起九月二日迄十二月卅日合一百十七箇日
食稲玖拾参束陸把*日別八把
造*蘇肆升*小　納壺肆口並小　乳牛陸頭取乳廿日　飼稲
肆拾捌束牛別日四把
交易*御履料牛皮弐領価稲壱伯漆拾束一領九十
束一領八十束
交易*鹿皮壱拾伍張価稲陸拾壱束五張別五束七張別
四束二張別三束一張二束
*耽羅方脯肆具価稲陸拾束具別十五束
*市替伝馬壱拾壱匹並上　価稲弐仟漆伯伍拾
束馬別二百五十束

158 赤土(272)　塗装用の土。天平宝字六年四月造東大寺司解に諸堂や門などに用いた赤土がみえる(大古五191・200)。朱砂(辰砂・丹砂)＝水銀朱(硫化水銀)またはベンガラ(酸化鉄)を含む土。

159 太政官天平九年十一月廿八日符　他にみえず。神社改造に関する費用の支出命令。

160 朝集雑掌　→03摂津33雑掌

160 起十一月一日…起正月一日…　会計上は年初の当年正月からと、年末の十一月からの支給。

162 新任史生　36下伝使と同一人。→27薩摩62新任国司

162 起九月二日　36で八月二十九日・三十日・九月一日の三日を伝使として給粮。

163 日別八把　→27薩摩65食法

164 蘇　→07尾張46

164 小　斗量制が小制であることを示す。民部式下58貢蘇番次条に「周防国六壺」で「並小一升」。本項では一升用の小壺(→07尾張46大壺・小壺)に納める。

166 御履料牛皮　内蔵寮で百済手部が御履を縫製(職員令7内蔵寮条)。内蔵式46作履料条に雑履を縫作する料として牛皮。→15但馬20御履牛皮・08駿河12御履皮

168 鹿皮　民部式下63交易雑物条に周防国鹿革二〇張。

170 耽羅方脯　脯(ほじし)は干し宍の転じたもの。和名抄212に「鹿脯」「雉脯」とあって、獣肉・鳥肉を薄く切って干したものであるが、主計式上15中男作物条には魚肉の脯もある。27薩摩37では釈奠の祭料として脯がある。ここでは、72耽羅嶋人が持参した耽羅での調理法による脯か。主計式上2諸国調条に規定され、肥後・豊後二国から貢納されている耽羅鰒にあたるか。

173 向*京防人参般供給穎稲壱仟捌伯陸拾漆束　（正集巻三十六・第三紙）

174 塩肆斗人別日二勺*　直稲陸束陸把以一束充六升

175 右依部領使大宰府少判事従七位下錦部*

176 連定麻呂去天平十年四月十九日牒供

177 給如件

178 中般防人玖伯伍拾参人*二日半料穎稲玖伯

179 陸拾壱束

180 食料玖伯伍拾参束人別日四把

181 塩肆斗漆升陸合伍勺人別日二勺　直稲捌束

182 右依部領使正六位下*上道臣千代去

183 天平十年五月八日牒供給如件

184 後般防人壱伯弐拾肆人二箇日料穎稲

＊（C断簡）○紙面に「周防国印」あり。

185 壱伯束

---

171 市替伝馬　死馬五匹（219）・不用馬売却六匹（220）の代わりとして購入。厩牧令16置駅条は、伝馬に充てる馬がなければ当処の官物で購入すると規定。上馬の価格は、二〇〇束（04和泉26）・二五〇束（本項〈周防〉）・三〇〇束（15但馬67・23淡路62）・四五〇束（08駿河16）。→03摂津32伝

173 向京防人　天平九年九月に停止されて筑紫の任地から帰国する防人。前中後の三般に分かれ海路を難波津まで行く。般は回・度のことで、平城宮木簡に「但馬国第三般進上若海藻」（平城宮一409）とある。駿河国通過→09駿河79旧防人

C断簡　前般防人の記事を補うことでB断簡に接続する。

174 人別日二勺　目録による。

175 錦部連定麻呂　帰任に際し、当年六月十七日に当周防国を通っている（18）。

178 二日半料　184後般は二箇日料なので、実際の日程に合わせて支給した食料か。当周防国通過分か、次の寄港地までの分か。

182 上道臣千代　他にみえず。

食料玖拾玖束弐把人別日四把
塩肆升玖合陸勺人別日二勺　直稲捌把
右依部領使大宰史生従八位下小長*
谷連常人去天平十年六月十二日牒
供給如件
造年*料兵器伍種挂*甲二領大刀五口弓廿張矢*廿具胡*禄廿具　料用穎稲参伯
陸束壱把弐分
用度物
鉄肆伯肆拾斤熟*損二百廿斤々別八両得二百廿斤　価稲壱伯参拾
弐束以*三束充十斤
糸壱斤*拾弐両*参分*肆銖*価稲伍拾捌束以二束充一両
綿弐屯*価稲壱拾弐束以六束充一屯
絁陸尺価稲陸束以一束充一尺
布弐丈捌尺価稲弐拾束以一束充一尺四寸
漆壱升伍合伍勺価稲肆拾陸束伍把以卅束充一升

188小長谷連常人　天平十二年九月豊前国京都郡鎮長・大宰史生従八位上として藤原広嗣の乱に参加し落命(続紀)。

〔191～204〕年料兵器製造費記事。191・192はまとめ。193～204は素材別の材料費。

191年料兵器　→07尾張68営造兵器。本項の兵器数は兵部式75諸国器仗条と一致。

191挂甲　→07尾張69

191矢　→07尾張74箭

191胡禄　→07尾張75

194熟損　素材の鉄を鍛錬することによる減少。157所損も同義であろう。本項では重量が半減する。「々(斤)別八両得」は一斤(一六両)が八両に半減するの意。

195以三束充十斤　釘料鉄(156)の価格と比較するに本項の秤量制は小制。

196斤・両・分・銖　→用語〔斤・両〕

197屯　綿の単位。賦役令1調絹絁条によれば調綿一屯＝小二斤(小三二両。正丁一人の負担は1／2屯＝小一斤)。ただし、養老・天平年間の平城宮跡出土の貢綿木簡は調綿一屯＝大四両(小一二両)で、これは延喜式制(主計式上2諸国調条)と同じである。一方、庸綿一屯は令に規定はないが当初は調綿と同じであったのが、続紀和銅七年四月戊寅条の「制。諸国庸綿、丁五両。…並以二丁成屯」によって庸綿一屯＝大一〇両(小三〇両。正丁一人の負担は1／2屯)となる。一方、延喜式制(主計式上3諸国庸条)では庸綿一屯＝大五両二分(西海道諸国は大五両)で、ほぼ半減されている(正丁一人の負担は一屯で変わらず)。この点、二条大路木簡に「□□国□□郡庸綿壱佰屯五両二分神亀四年」(城31)とあることを勘案すれば、式制の庸綿一屯

201 苧*壱拾伍両価稲伍束陸把弐分 以二両二分四銖充一束
202 洗*革料鹿皮伍張 一張長四尺三寸広二尺一寸二張各長四尺二寸広一尺八寸一張長四尺二寸
203 広一尺八寸一張長四尺一寸広一尺六寸 価稲弐拾壱束 一張五束四張各四束
204 大刀鞘料馬皮壱張 長三尺広二尺五寸 価稲伍束
205 伝料醸*酒穎稲弐伯壱拾束
206 奉参所神社穎稲捌拾束 以神命令奉
207 熊*毛神社肆拾束 祭春月酒稲料
208 出*雲神社弐拾束 祭春月料十束秋月料十束
209 御*坂神社弐拾束 祭春月料十束秋月料十束
210 賑給高年之徒穀振*所入返納本倉捌拾参斛漆
211 斗 振*入七斛五斗九升 定漆拾陸斛壱斗壱升
212* 借貸穎稲弐拾参萬壱仟玖伯参拾陸束
213 債*稲身死伯姓参伯漆拾捌人 男二百一十二人*女一百六十六人* 免*稲
214 捌仟漆伯捌拾玖束

（継目裏書）
（第四紙）

＝大五両二分が天平期に遡る可能性は高い。よって、本項の綿一屯は大四両から大五両二分程度と想定される。なお、本項では一屯の価稲六束だが、尾張国では一屯一三束（⑦尾張60）、長門国では一屯七束（㉑長門11調綿）。

201 苧　→⑦尾張44

202 洗革　→⑮但馬50

205 醸酒　→⑦尾張35

207 熊毛神社　神名式の熊毛神社（小社）。山口県周南市呼坂鎮座の熊毛神社（勝間八幡宮）のほか論社（比定社）。

208 出雲神社　神名式の出雲神社二座（小社）。貞観九年八月従四位下（三代実録）。山口県山口市徳地堀に鎮座。

209 御坂神社　神名式の御坂神社（小社）。承和六年閏正月従五位下（続後紀）、貞観九年三月従三位（三代実録）。天慶三年二月正三位（長寛勘文）。なお、以上は史料に「三坂神」とある。山口県山口市徳地岸見鎮座の三坂神社と同市徳地船路鎮座の船路八幡宮の論社（比定社）あり。

210 振所入返納本倉　→④和泉114返納振入

211 振入（243・249・280）→用語〔振入〕

〔212〜217〕108借貸（→⑲周防9）の決算。

213 債稲身死・免稲　借貸を受けたまま死亡した人数と返済を免除した借貸稲。死者免稲制は出挙と同じ。→用語〔出挙〕

213 男・女　借貸・出挙に関して男女別の内訳を記す唯一例。

*定弐拾弐萬参仟壱伯肆拾漆束
　*雑用壱仟漆拾伍束
*遺弐拾弐萬弐仟漆拾弐束
*給造天平八年雑公文書生等食返納稲肆拾捌束陸把
*伝馬死皮伍張価稲伍拾束　張別十束
*不用馬陸匹　一匹天平三年*買歯七*経伝八歳左前足*宇弓　二匹天平五年買歯六経伝五歳左後足*多利
一匹天平四年買歯七経伝八歳右前足宇弓一匹天平六年買歯四経伝五歳左前足宇弓一匹天平六年
買歯五経伝五歳右前足宇弓　価稲参伯束馬別五十束
*合新稲弐拾弐萬弐仟肆伯漆拾束陸把
*遺古稲壱伯漆拾弐萬肆仟壱伯壱拾壱束漆
把玖分
穀壱拾漆萬弐仟弐伯捌拾斛陸斗肆升振入
一万五千六百六十一斛八斗四升
定壱拾伍萬陸仟陸伯壱拾捌斛捌斗
……………………（継目裏書）
（第五紙）
穎稲壱仟参伯伍束参把玖分

215定　212借貸穎稲から213免稲を引いた収納稲。
216雑用　借貸の収納稲からの支出だが、具体的な使途は不明。
217遺　215定から216雑用を引いた残。
218給造天平八年雑公文書生等食返納稲　天平八年の雑公文を造る書生等に食稲を支給。支給は八年だが、九年もか。それを当十年に返納しているのは、支給時の計算間違いを精算したか。
219伝馬死皮　→⑧駿河58加伝馬死皮
220不用馬　→⑦尾張92売不用伝馬
220買歯　購入時の馬齢。
220経伝　伝馬としての稼働年。
220宇弓　未詳。和名抄151「脚病」に「前足重不能行」とあるのにあたるか。
220多利　和名抄151に「馬脚屈重」の病「太利」がみえる。
223合新稲　217遺・218返納稲・219伝馬死皮・220不用馬の全収入合計。
224遺古稲　借貸・雑用などに使用しなかった稲。内訳は226穀（穎稲換算）と229穎稲。本帳は正税の総額を穎稲量で把握している（246・279）。

230 *遺古酒弐拾玖斛伍斗漆升肆合
231 *新酒壱拾弐斛
232 * *田租穀伍仟壱拾捌斛漆斗伍合
233 *神戸租穀参拾玖斛弐斗捌升
234 *封戸租穀玖伯弐拾斛玖斗陸升伍合
235 全給弐所租穀伍伯玖斛捌斗伍升伍合
236 半給参所租穀肆伯壱拾壱斛壱斗壱升
237 給主二百五斛五斗五升五合　納官二百五斛五斗五升五合
238 *官租穀肆仟伍拾捌斛肆斗陸升
239 割寄*故左大臣藤原家封*穀壱伯漆拾壱斛
240 漆斗伍升（半給主八十五斛八斗七升五合　納官八十五斛八斗七升五合）
241 右*依民部省天平十年十一月十四日符割充如件
242 *定官参仟捌伯捌拾陸斛漆斗壱升
243 *合官納租穀肆仟壱伯漆拾捌斛壱斗肆升（振入三百）
244 七十九斛八斗一升

230遺古酒　酒の当年度使用残(→254酒)。
231新酒　当年度新たに醸造した酒(→254酒)。
〔232～245〕田租記事。
232田租　当年の全田租。内訳は233神戸租・234封戸租・238官租。
233神戸租穀　玉祖神社の神戸の租。ただし当年は収納せず記録だけ(→275田租穀)。神名式に玉祖神社二座(小社)。大同元年牒に周防国一〇戸の神戸。貞観九年三月従四位下より従三位(三代実録)、康保元年四月に正二位より従一位(日本紀略)。山口県防府市大崎に鎮座。
234封戸租　内訳は235全給と236半給。→09駿河160封
238官租　232田租から233神戸租と234封戸租を引いた、田租の官納分。
239故左大臣　藤原房前。天平九年四月没、十月左大臣追贈、その家に食封二千戸を二〇年賜う(続紀)。復元帳は藤原武智麻呂とする。
239穀壱伯漆拾壱斛漆斗伍升　新たに故左大臣家封となった五〇戸(一郷)の租であろう。
241依民部省天平十年十一月十四日符割充　既に当年の封戸租処理は終わっていたので、236半給に新封の故左大臣家封戸租は含まれていない。別に238官租からその分を割き取ることが命じられた。
242定官　238官租から239故左大臣家封を引いて改めて算出した、田租の官納分。
243合官納　236半給の納官分(237)・230割寄故左大臣家封の納官分(240)・242定官の合計。未振量(→用語〔振入〕)。

245 定参仟漆伯玖拾捌斛参斗参升
246 *都合今年定正税壱伯玖拾捌萬玖仟弐伯束
247 漆把玖分
248 *簸振量定*穀壱拾漆萬陸仟伍伯肆拾弐斛肆斗
249 捌升 振入一万六千卌九斛 二斗四升斛別入一斗
250 *定壱拾陸萬肆伯玖拾参斛弐斗肆升
251 不動一十二万七千七百六十四斛六斗九升 動用三万二千七百廿八斛五斗五升
252 穎稲弐拾弐萬参仟漆伯漆拾伍束玖把玖分
253 *糯参仟陸伯陸拾捌斛捌斗玖升
254 *酒肆拾壱斛伍斗漆升肆合 瓱卅五口
255 塩壱伯漆拾参斛玖斗壱升

（継目裏書）
（第六紙）

256 *塩竈壱口 *侄五尺九寸 周一丈七尺七寸
257 *正倉壱伯肆拾漆間新造弐間合壱伯肆拾玖間
258 *屋壱拾間

246 都合今年定正税　当年度末の当国正税全量。穀は穎稲に換算して加算。内訳は248簸振量定穀と252穎稲。
248 簸振量定（280）→17隠岐2
248 穀　未振量での当年決算残高。210返納本倉・226穀・243合官納の合計。
250 定　振定量での決算残高。248定穀から249振入を引いたもの。また211定・228定・245定の合計。
253 糯（261）→06尾張18
254 酒　年度末酒量。230遺古酒と231新酒の合計。
256 塩竈　→19周防5
256 侄　→19周防5
257 正倉　→02大倭13
258 屋　→04和泉95

（D断簡）○紙面に「周防国印」あり。*

（正集巻三十六・第七紙）

259 借倉参間*
260 倉下肆間*
261 都合壱伯陸拾陸間不動穀倉五十四間動用穀倉卅四間糒倉七間穎倉卌三間穎屋一十
262 間穎倉下四間空倉一十四間
263 鎰壱拾弐句*不動鎰六句常鎰六句
264* 玉祖神税天平九年定穎稲参仟捌伯参拾肆束*
265 雑用捌伯参拾壱束捌把
266 奉神壱拾束*
267 改造神社用陸伯弐拾壱束捌把*

（E断簡）○紙面に「周防国印」あり。*

（正集巻三十六・第八紙）

268 五把
269 食稲弐伯漆拾肆束人別日四把
270 塩壱斗参升漆合人別日二勺　直稲弐束参把

D断簡　C断簡に直接接続。首部末表示および神税部冒頭。

259借倉　→06尾張11

260倉下　→06尾張19

263鎰　→09駿河197。周防国は民部式・和名抄63は六郡なので、本帳当時既に六郡であり、鎰は不動・常が郡別一句（勾）か。

〔264～277〕　神税部。神戸・神税があるのは玉祖神社（233）のみ。

264玉祖神税　→233神戸租穀。「租」と「祖」は通用している（→凡例九1）。

266奉神　神饌用の料稲。02大倭20以下に「祭神」とあるのに相当。

267改造神社　神戸をもつ玉祖神社では151改造神社料用穎稲でなく神税を使用。

E断簡　改造神社支出の欠損を補うことによりD断簡に接続。首部末尾の神税部後半および郡部筆頭大嶋郡部の冒頭。

271 以一束充六升
272 *赤土弐升直稲参束以一束五把充一升
273 以*神命給*祢奇*玉作部五百背弐伯束
274 定穎稲参仟弐束弐把
275 *田租穀参拾玖斛弐斗捌升
276 右以*神命自天平八年迄十年合参箇年田租免
277 給者
278 *大嶋郡
279 *天平九年定正税壱拾萬玖仟肆伯肆拾玖束伍把伍分
280 簸振量定穀玖仟壱伯肆拾玖斛壱升振入八百卅一斛七斗二升斛別入一斗
281 定捌仟参伯壱拾漆斛弐斗玖升

……………………（継目裏書）

272 赤土　↓158

273 神命　疫病流行に関連して出された神託か。

273 祢奇　祢宜と同じ。玉祖神社の神職。

273 玉作部五百背　他にみえず。

275 田租穀　↓233神戸租穀。本項は免除した(276)記録。この神税部(264～277)に穀はないから、例年の神戸租は穀表記だが穎稲だったか。

276 神命　273の神命と同じく疫病・不作によって神戸の田租を免除したものか。

278 大嶋郡　郡部の最初にあるのは民部式・和名抄65の配列順と同じ。

279 天平九年定　前年度から繰越の当度初の大嶋郡の正税全量。穀は穎稲に換算して加算。内訳は280簸振量定穀と穎(記事は欠損)。

21 長門国正税帳　天平九年度

（継目裏書）*
「長門国天平九年収納*大税目録帳正八位下行少*目常*勝首名」

（A*断簡）○紙面に「長門国印」あり。　（正集巻三十六・第九紙）*

合*伍郡天平八年定*正税穀壹拾弐萬漆佰肆斛
伍升弐合（振入*一万九百七十三斛九升五合）
定*壹拾萬玖仟漆佰参拾斛玖斗伍升
漆合
不動伍萬伍仟伍佰捌拾伍斛伍斗肆
升漆合
動伍萬肆仟壹佰肆拾伍斛肆斗
壹升
穎*稲壹拾肆萬伍仟漆佰弐拾玖束捌把肆分
穀*底敷稲壹仟玖佰肆拾弐束

継目裏書　四か所。便宜ここに掲示。
0大税目録帳　本帳は雑用明細を記さず（20）。別に大税雑用帳などが存在したか（↓19周防0目録帳）。継目裏書および大税不動酒（15・100）、神税へ割き取る穎稲（82）は大税だが、穀は正税穀（1・90）とある。「大税」は旧制の遺制で訂正漏れか。↓用語〔官稲〕
0少目　大古・寧遺は「少」字を欠くが誤り。
0常勝首名　他にみえず。
A断簡　首部初表示と中間表示の大部分。1の前に「長門国司解…事」の事書があったが欠失。↓用語〔正税帳〕
正集三十六　大古は「三十七」に作るが誤り。
1合伍郡　厚狭・豊浦・美祢・大津・阿武の五郡（民部式・和名抄65）。
1定正税穀　前年度から繰越の長門国の正税穀量。継目裏書は大税とする（↓0）。未振量（↓用語〔振入〕）。
2振入（33・77ほか）↓用語〔振入〕
3定　振定量（↓用語〔振入〕）による当年度初の正税穀。内訳は5不動と7動。
9穎稲　前年度から繰越の長門国の穎稲量。内訳は10穀底敷稲と11全稲。穎稲↓用語〔稲〕
10穀底敷稲（54・96）↓04和泉97底敷穎稲

*全稲壹拾肆萬參仟漆伯捌拾漆束捌把
肆分
*糒參仟壹佰捌拾陸斛參斗玖合陸勺
*酒壹佰參拾肆斛弐升壹合伍勺
大税不動酒壹佰弐拾斛漆斗捌升肆合伍勺
*動用酒壹拾參斛弐斗參升漆合
*酢肆斛玖斗伍升肆合伍勺
*醤伍斛壹斗壹升壹合伍勺
*煎塩鉄釜壹口
*雑用參萬肆仟伍佰漆拾參束弐把伍分
*穀二千九百廿四斛七斗
穎五千三百廿六束二把五分
*塩壹斛弐升肆勺　直稲參拾肆束壹分

（継目裏書）

酒壹拾壹斛伍斗捌升捌合
*依民部省天平九年十月五日符充雑色
穎合壹萬玖拾壹束壹把伍分

（第十紙）

11全稲（57）通常使用可能な穎稲。糒の全↓08駿河42全

13糒（58・70・98）↓06尾張18

14酒（100）内訳は15大税不動酒と16動用酒。酒に不動を設定する例は10伊豆80。官稲混合（↓用語〔官稲〕）以前には、大税帳は、06尾張・12越前は酒を保有せず、02大倭・22紀伊は酒を支出せず。酒の支出は郡稲帳のみ。不動酒・動用酒は大税帳・郡稲帳記載の酒の系譜を引くとする説あり。

16動用酒（101）前項をうけて、大税動用酒か。

17酢 102と一致するのですべて豊浦郡（国府所在郡）に存在。

18醤（59）↓10伊豆18

19煎塩鉄釜（60・103）60に法量を記し、103から豊浦郡に存したことが判明（↓19周防5塩竈）。本項までが初表示。

20雑用 21穀・21穎・22塩・23酒を支出するが、内訳記さず（↓0大税目録帳）。本項20以下が中間表示。

21穀 すべて賑給穀として支出（30・31）。

22塩 天平九年度消費の塩だが、すべて購入。塩名目で稲の支給もあったか。

24民部省天平九年十月五日符（82・109）↓04和泉

*買神戸調料伍仟捌佰伍拾壱束
*租料肆仟弐伯肆拾束壱把伍分
*全稲為穀玖仟肆伯肆拾参束肆把
得穀玖伯肆拾肆斛参斗肆升 *束別得一斗
*賑給高年并疫病徒穀*振所入返納本倉
弐佰玖拾弐斛肆斗漆升
*合得穀壱仟弐伯参拾陸斛捌斗壱升
振入一百十二斛四斗三升七合
定壱仟壱佰弐拾肆斛参斗漆升参合
*借貸捌萬壱仟参佰参束
穀壱仟伍佰壱拾参斛玖斗 *債身死伯姓二百十四人*免穀
一百九十九斛五斗 *未納本五百九十一斛五斗五升
*定納漆佰弐拾弐斛捌斗伍升
穎陸萬陸仟壱佰陸拾肆束 *債身死伯姓五百八十九人
*免稲九千二百卌六束 *未納九千二百七十八束二把

26買神戸調料　免除した神戸の調を正税で代納。大同元年牒に「長門六十六戸」とみえる。摂津国の住吉神（住吉坐神社。名神大社）の神戸のほか、豊浦郡の住吉坐荒御魂神社（名神大社）の神戸もあったか。
27租料　免除した神戸の租の代納。80加田租料に対応。ただし80は末尾の「伍分」を「陸分」とする。
28為穀（42・113）→用語〔稲〕・05伊賀5
29束別得一斗　→11越前96
30賑給（45・115）高年に対しては、天平九年五月十九日恩勅（続紀、04和泉18、15但馬3～6、26豊後29・30）による。疫病徒に対しては、続紀天平九年七月条に関連記事あり。→04和泉110
30振所入返納本倉（115）未振量での支出記事を振定量に換算するための帳簿上の操作（→04和泉114返納振入）。本項を必要とする穀支出記事は現存部にないが、本項では賑給によるものと記している。
32合得　29得穀と30返納本倉の合計。
35借貸（45・120）→19周防9。穎稲で表記するが、36穀と39穎で実施。
36債身死伯姓・免穀　穀の借貸を受けて死亡したため返済を免除された者とその免除穀量。
37未納本　未返済の穀量。
38定納　借貸で返済された穀量。36穀から36免穀と37未納本を引いた額。
39債身死伯姓・40免稲　穎の借貸を受けて死亡したため返済を免除された者とその免除穎量。
40未納　この下に「本」字脱か。

41 定*納肆萬漆仟陸佰肆拾玖束捌把
42 為*穀収納弐佰陸拾玖斛
43 穎収納肆萬肆仟玖佰伍拾玖
44 束捌把
45 賑給并借貸下遺穀*壱拾萬伍仟弐佰
46 玖拾弐斛参斗伍升漆合
47 不動伍萬伍仟伍佰捌拾伍斛伍斗肆升漆合
48 動肆萬玖仟漆佰陸斛捌斗壱升

……………………（継目裏書）

（第十一紙）*

（B断簡）*　○紙面に「長門国印」あり。　（正集巻三十六・第十二紙）

49 合［五斛六斗三合］
50 定*壱拾萬漆仟肆伯伍拾陸斛参升玖合
51 不*動伍萬伍仟伍伯捌拾伍斛伍斗肆升玖合
52 動伍萬壱仟捌伯漆拾斛肆斗玖升
53 穎*玖萬玖仟捌佰伍拾壱束伍把

41定納　借貸で返済された穎稲。39穎から40免稲と未納を引いた額。内訳は42為穀収納と43穎収納。

42為穀収納　穎稲で貸与して穀で収納。本帳では28為穀も合わせて穀を増す操作をしている。

45遺穀　年度初めの3定から21の賑給穀と36の借貸穀を差し引いた額。振定量での穀の中間決算。ただし3は振定量、21・36は未振量だから無意味な計算。

第十一紙　墨痕僅存の細長い一紙。復元帳は採用していない。

B断簡　首部末表示の初めの部分。欠損をはさんでA断簡に接続。欠損は、穎二二〇束六把七分の収入および50定の振入前の都合正税穀と推定。

50定　天平九年度の決算正税穀量（振定量）。1定から21穀・36穀を引き、29得穀・38定納・42為穀収納を足した結果（未振量）を、振入したもの。内訳は51不動と52動。

51不動　年度内の変動はないので5不動・47不動と同額のはずだが、末尾「玖合」は6・47では「漆合」。50定に至るまでの振入計算の端数処理の誤差の集積か。

53穎　天平九年度の決算穎稲量。9穎稲から21穀・22塩・26買神戸調料・27租料・28為穀・39穎を引き、43穎を足すと、二二〇束六把七分不足（これの収入記事欠）。内訳は54穀底敷・55定様古穎・57全稲。

穀底敷稲壱仟玖佰肆拾弐束
天平七年*検税使*定様古穎弐仟漆伯
伍拾弐束壱把
全稲玖萬伍仟壱佰伍拾漆束肆把
*糒参仟壱佰捌拾陸斛参斗玖合陸勺

（正集巻三十六・第十三紙）

---

*（C断簡）○紙面に「長門国印」あり。
*醤伍斛壱斗壱升壱合伍勺
*煎塩鉄釜壱口 *径五尺八寸厚五寸深一寸
*所盗不動穀天平二年*下量欠穀参伯
参拾捌斛弐斗捌升
天平七年検税使検校*腐穀壱拾壱
斛伍斗弐升伍合 不動穀四斛五斗二升五合動穀七斛
*正倉壱佰捌拾漆間 破壊五間　遺壱伯捌拾弐間
*今造新倉弐間 **凡倉

55検税使（63）延暦交替式に「天平六年七道検税使算計法」がみえるので、天平六年任命し翌七年派遣したか。天平七年検校は[14]佐渡6・14も。
55定様古穎　古穎と認定した、の意か。古穎は穀とする処理法があるが（22紀伊7為穀）、当年の為穀（28）対象になっていない。[04]和泉177可得では古穎を為穀した場合を見積もっている。本項はいずれ為穀対象か。
58糒　13と同量なので当年度使用せず。またこれによりB断簡がA断簡と同じ首部に属することが判明。
C断簡　首部初表示の14～17に対応する記事を補うとB断簡に接続。首部末表示・神税部、豊浦郡首部・中間表示の前半。
59醤　18と同量なので当年度使用せず。またこれによりC断簡がA断簡と同じ首部に属することが判明。
60煎塩鉄釜　→19
60径　→[19]周防5
61所盗　天平二年に発覚した盗難による不動穀欠損。補塡されず。
61下量欠穀　収納穀をすべて取り出しての検量で発覚した欠穀の意か。
63腐穀　天平七年の検税使（55）によって勘出された不動穀と動穀の腐敗。[14]佐渡6・14に同年の検校により勘出された不動穀の腐穀が補塡されているが、本帳では補塡されず。
65正倉（67）→[02]大倭13
66今造新倉　→[06]尾張10新営
66凡　寧遺は「瓦」に作るが誤り。
66凡倉　→[09]駿河229

67 合定正倉壱伯捌拾肆間*
68 借倉弐拾間*
69 借屋捌間*止五間*　遺参間
70 都合定弐伯漆間*不動穀倉卌一間　動用穀倉五十八間　糒倉八間　穎倉六十九間　空倉卅一間
71 鎰伍勾*印一面*
72 右所以不進*不動倉鎰者依今年
73 国裏疫病不得加不動穀仍
74 不進上件鎰如前
75* 神税
76 合伍郡天平八年定稲穀*弐仟肆佰参拾斛
77 肆升捌合　振入二百廿斛九斗一升三合
78 定弐阡弐伯玖斛壱斗参升伍合
79 穎稲*漆仟陸佰捌束壱把捌分
80 加田租料*穎肆仟弐佰肆拾束壱把陸分*供神*二千百廿束八分
81 遺弐仟壱佰弐拾束捌分

67合定正倉　当年度末現在使用可能な正倉。65遺と66今造新倉の合計。
68借倉・69借屋　→06尾張11借倉
69止　空倉(70)には含まれないので、単に現在使用していない、の意味ではない。借屋としての扱いを停止し、本来の用途に戻す準備か。
70都合　67合定・68借倉・69遺の合計。
71鎰　数は郡数に等しい。72不進不動倉鎰の説明によれば、不動穀倉の鎰。→09駿河197鎰・197七勾
71印　→09駿河197正倉印
72不進不動倉鎰　不動倉鎰を進上できない理由を、疫病流行により不動穀を加えることができないためとする。検封した不動穀倉を腐敗除去の補塡(14佐渡6・14)以外の理由で増加した例はないので、既存不動穀倉への追加ではなく、不動穀倉新設予定だったか。穀の増加策である借貸穎の為穀収納(42)・全稲の為穀(113)もこれに関係か。
〔75〜88〕　神税部。国内全郡の合計。
76定稲穀　前年度から繰越の長門国神税穀量。未振量。年間収支なく年度末(83)と同量。
79穎稲　前年度から繰越の長門国神税穎稲量。
80加田租料　正税を支出(27)して、神戸租として神税に加えている。この理由は82。
80陸分　27租料では「伍分」とする。供神料と遺(神税に加える分)とに二等分するので、末尾を偶数にする操作か。
80供神　祭神・奉神と同様に神に供えたものだろうが、全田租の半額を供しており、本項ほど多量の使用は他帳の神税にみえず。疫病攘除の祈願料か。

右依民*部省天平九年十月五日符割取大税*加入如件
合定穀弐仟肆伯参拾斛肆升捌合 振入二百廿斛九斗一升三合
定弐仟弐佰玖斛壱斗参升伍合

（継目裏書）
（第十四紙）

穎*稲玖仟漆佰弐拾捌束弐把陸分
雑用陸束供*祀幣稲
遺*玖仟漆佰弐拾弐束弐把陸分
合*倉壱拾伍間 穀倉五間 空倉二間 穎倉八間 鎰壱勾
豊*浦郡
*天平八年定正税穀参萬参仟漆拾捌斛玖斗伍升
漆合 振入三千七斛一斗七升七合
定参萬漆拾壱斛漆斗捌升
不動壱萬陸仟陸拾伍斛陸斗肆升
動壱萬肆仟陸斛壱斗肆升
穎稲弐萬玖仟玖佰壱拾伍束伍把参分
穀底敷稲漆佰漆拾参束

82民部省天平九年十月五日符 →24・[04]和泉37
82大税 [04]和泉129は、依民部省天平九年十月五日符割充「正税」者とある。本項「大税」との関係は未詳。→0大税目録帳
85穎稲 79穎稲と81遺の合計。
86供祀幣稲 未詳。特定の一社を祀ったか。[02]大倭20祭神・[04]和泉132祭神料と同じか。
87遺 当年度神税穎稲の決算残高。85穎稲から86供祀幣稲を引く。
88合倉 当国内の神税倉全部。
89豊浦郡 民部式・和名抄65の記載順では厚狭郡に続く二番目であるが、郡部筆頭に記すのは国府所在郡だからか。翌天平十年に豊浦郡擬大領正八位下額田部直広麻呂（[20]周防73）が確認できる。
〔90〜103〕 豊浦郡部初表示。首部1〜19に対応する。

全稲弐萬玖仟壱佰肆拾弐束伍把参分
糒壱仟壱佰肆拾捌斛肆斗弐升
酒壱佰壱斛伍斗弐升漆合
大税不動酒玖拾捌斛壱斗伍升漆合
動用酒参斛参斗漆升
酢肆斛玖斗伍升肆合伍勺
煎塩鉄釜壱口
*雑用壱萬壱佰陸拾捌束玖把参分穀八百五
十五斛二斗　穎一千六百一十六束九把三分
塩参斗参升弐合捌勺　直稲壱拾壱束玖分
酒弐斛捌斗陸升玖合
遷*往厚狭郡弐佰肆拾束
依民部省去天平九年十月五日符充
神戸穎弐仟弐伯肆拾玖束弐把伍分
…………………（継目裏書）
買調*綿料壱仟玖拾捌束*以綿一屯充稲七束
（第十五紙）

〔104～124〕 豊浦郡部中間表示(後欠)。首部20～39に対応する。
108遷往厚狭郡　豊浦郡から厚狭郡に移送された穎稲。理由は不明。豊浦郡では支出、厚狭郡では収入として記され、長門国全体(首部)の収支には影響せず。
111調綿　首部26では単に「調」とあるが、少なくとも豊浦郡の分は調綿。主計式上58には長門国の調として綿・糸・雑腹。
111以綿一屯充稲七束　正丁一人の調綿料は小一斤(賦役令1調絹絁条)。綿一屯は小二斤(小三二両)。一〇九八束は「七束」では割り切れないが、一〇九九束だと綿一五七屯分となり、正丁三一四人分の調綿料に相当する。ただし、天平期には「調綿一屯＝大四両(小一二両)」に転じていた。→⑳周防197屯

田租壱仟壱伯伍拾壱束弐把伍分
全稲為穀壱仟肆伯伍拾玖束　々別得一斗
得穀壱佰肆拾伍斛玖斗
賑給高年幷疫病伯姓穀振所入返納本
倉捌拾伍斛伍斗弐升
合得穀弐伯参拾壱斛肆斗弐升　振入廿一
斛三升八合
定弐伯壱拾斛参斗捌升弐合
借貸壱萬捌阡束
穀陸佰参拾参斛捌斗　債穀身死伯姓六十三人免穀五
十九斛五斗未納三百九十七斛三斗七升
定納壱佰漆拾陸斛玖斗参升
穎壱萬壱仟陸佰陸拾弐束債稲身死伯姓□

22 紀伊国大税帳　天平二年度

*(継目裏書)「紀伊国収納大税帳天平二年」

(正集巻三十七・第一紙)

*(A断簡)○紙面に「紀伊国印」あり。

紀伊国司解　申天平二年収納*大税并*神税事

合*七郡天平元年*定大税稲穀肆萬伍阡弐伯捌拾漆斛弐斗参升伍合

*不動弐萬伍阡弐拾壱斛玖斗玖升漆合捌勺

*動弐萬弐伯陸拾伍斛弐斗参升漆合弐勺

粟穀参拾斛伍升

*穎稲漆萬捌阡壱伯肆拾捌束壱把陸分

*為穀古穎漆阡玖伯伍拾束

*得穀漆伯玖拾伍斛

*振斛量入漆拾弐斛弐斗漆升弐合陸勺

*定漆伯弐拾弐斛漆斗弐升漆合肆勺

*(第二紙)

継目裏書　二か所。便宜ここに掲示。

A断簡　首部全部(43まで)と伊都郡部末表示の初めまで。本断簡冒頭に墨付きなしの紙片が存在するので、それを第一紙とし、以下順に数える。復元帳はこの第一紙を数えていないので、紙数が相違する。→断簡整理・表裏対照表

第二紙　復元帳は第一紙とする。

1大税　→用語(官稲)

1神税　→04和泉173。ただし神税部は首部末(43の後)に存在しないので、神税部全体をまとめて、本帳全体の末に付載されていたか。

2七郡　伊都・那賀・名草・海部・安諦(大同元年から在田)・日高・牟婁の七郡(民部式・和名抄66)。

2定大税稲穀　前年度から繰越の紀伊国大税穀全量。内訳は、3不動および4動。振定量(→用語(振入))。

3不動　→用語〔官稲〕

4動　「動」穀の初見。「動用」の語は未成立。→17隠岐7動用・用語(官稲)

6穎稲　前年度から繰越の紀伊国の穎全量。→用語(稲)

7為穀　→用語(稲)・05伊賀5

8得穀　→05伊賀5為穀

9振斛量入(27・60・71)　振入(→用語(振入))に同じ。本帳だけで使用の用語。8の1/11。ただし9と10の合計が8になるように端数を処理している。

10定　8得穀から9振斛量入を引いた振定量。

*出挙壱萬陸阡壱伯捌拾束
*身死壱伯参人　*免税参阡壱拾陸束
定納本壱萬参阡壱伯陸拾肆束
*利陸阡伍伯捌拾弐束
*古穎伍萬肆阡壱拾捌束壱把陸分
*合漆萬参阡漆伯陸拾肆束壱把陸分
*雑用捌阡陸拾束
*年料白米参伯漆拾壱斛肆斗料漆阡肆伯弐拾捌束
*酒米弐拾捌斛陸斗料伍伯漆拾弐束
*年料外交易進上小麦陸斛　直陸拾束　*一斛別一十束

……………………（継目裏書）（第三紙）*

*遺陸萬伍阡漆伯肆束壱把陸分
*輸田租稲穀肆阡肆拾斛玖斗玖升漆合
*全給弐所封主弐伯参拾壱斛参斗弐升壱合
*弐分之壱主給玖拾玖斛壱斗伍合伍勺
*納官玖拾玖斛壱斗伍合伍勺

11出挙・12身死・免税・14利　→用語〔出挙〕
15古穎　6穎稲から7為穀古穎と11出挙を引いた額。
16合　13定納本・14利・15古穎の合計。
〔17～20〕　雑用。内訳は18～20の三項目。すべて運京か。
18年料白米（56・66）　民部式下49年料租舂米条で紀伊国は大炊寮に二〇〇石を納入。→06尾張39年料舂税
19酒米（67）→07尾張10大炊寮酒料赤米
20年料外交易進上（57・68）　定例外に臨時に課された交易進上物。民部省符によったか。
20一斛別一十束（57・68）　小麦の価格。02大倭113・04和泉23は、一斛二〇束。
第三紙　復元帳は第二紙とする。
21遺　16合から17雑用を引いた残額。
22田租　内訳は23全給・24弐分之壱主給・26納公。
23全給　田租が封主に全給の食封の田租。→09駿河160封
24弐分之壱主給　半給食封の田租の給主分。
25納官　半給食封の田租の公納分。26納公に含まれている。

26 *納公参阡漆伯壱拾斛伍斗漆升伍勺
27 振斛量入参伯参拾漆斛参斗弐升肆合弐勺
28 定参阡参伯漆拾参斛弐斗肆升陸合参勺
29 *依民部省天平二年八月廿八日符加添軽税銭直稲参阡
30 漆伯弐拾肆束漆把
31 *都合見定稲穀肆萬玖阡参伯捌拾参斛弐斗捌合漆勺
32 *不動弐萬伍阡弐拾壱斛玖斗玖升漆合捌勺
33 動弐萬肆阡参伯陸拾壱斛弐斗壱升玖勺
34 *粟穀参拾斛伍升
35 *穎稲陸萬玖阡肆伯弐拾捌束捌把陸分
36 酒伍斛陸斗 *清四斛 *沢一斛六斗
37 *正倉玖拾間 空七間 *借納*郡稲一十一間 借納*公用稲一間 借納*義倉粟二間 借納*官奴婢食料税四間 借納*地子一間
38 穀倉肆拾間 不動一十九間 動廿一間
39 *粟穀倉壱間
40 穎倉弐拾肆間

26納公 22田租から23全給と24弐分之壱主給を引いた田租公納額。
29民部省天平二年八月廿八日符 他にみえず。同年の大倭国で軽税銭直を大税に混合しているから(02大倭40軽税銭直)、この符は諸国に発したか。
31都合見定稲穀 当年度穀の決算残高。振定量。2定大税穀・10定・28定の合計。内訳は32不動と33動。
32不動 3不動と同量。年間で増減なし。
34粟穀 当年度初の5粟穀と同量。年間で増減なし。
35穎稲 当年度穎稲の決算残高。21遺と29直稲の合計。
36清 清酒。
36沢 「沢(原文は澤)」は「滓」字の誤記か。↓07尾張129・12越前7
37正倉 分注は、大税用としては使用していない空および借納、計二六間。これと38穀倉・39粟穀倉・40穎倉を合計すると九一間で「玖拾間」と合わない。↓02大倭13
37借納 ↓04和泉94
37郡稲 ↓用語〔官稲〕
37公用稲 ↓07尾張162□用稲
37義倉 ↓03摂津12
37官奴婢食料税 官奴婢食料用の官稲。出挙稲か。天平六年官稲混合後は、正税から官奴婢食料米を進上。↓02大倭37官奴婢食料稲・04和泉35官奴婢食料米
37地子 ↓02大倭38地子稲
39粟穀倉 37義倉粟ではない、大税粟(5・34)を収納。

41 鎰*壱拾伍勾　不動六勾*　動九勾*

42 軍団糒*

（継目裏書）
（第四紙）*

43 天平元年定糒壱伯玖拾壱斛捌斗弐升壱合*

44 伊都郡*

45 天平元年定大税稲穀伍阡参伯肆拾斛漆斗漆升漆合

46 不動弐阡捌伯参拾漆斛陸斗参升漆合漆勺

47 動弐阡伍伯参斛壱斗参升玖合参勺

48 穎稲弐阡参伯伍拾参束漆把参分

49 出挙壱阡参伯弐拾束

（第五紙）*

50 身死弐拾人　免税参伯陸拾肆束

51 定納本玖伯伍拾陸束

52 利肆伯漆拾捌束

53 古穎壱阡参拾参束漆把参分

54 合弐阡肆伯陸拾漆束漆把参分

41鎰　→09駿河197

41不動六勾　不動鎰が一郡一勾を原則とすると紀伊国は七郡であり（→1七郡）、一郡分不足。名草郡が神郡であることと関連するか。

41動九勾　動穀倉廿一間（38）とも紀伊国全七郡とも直結せず、未詳。

42軍団糒　10伊豆75兵糒と同じか。糒→06尾張18

43天平元年定糒　2・45からみると軍団糒の前年度繰越額であって、つぎに当年度の収支と決算額を記すべきだが、年間収支がなく同額なので略したか。

第四紙　復元帳は第三紙とする。

44伊都郡　首部2～33に対応する、末表示初めまでの記載が現存する。

第五紙　復元帳は第四紙とする。

55 雑用壱阡弐伯捌拾束
56 年料白米陸拾参斛料壱阡弐伯陸拾束
57 年料外交易進上小麦弐斛　直弐拾束
58 遺壱阡壱伯捌拾漆束漆把参分
59 輸租稲穀伍伯玖拾*肆斛玖斗捌升壱合
60 振斛量入伍拾肆斛捌升玖合壱勺
61 定伍伯肆拾斛捌斗玖升壱合玖勺
62 都合見定稲穀伍阡捌伯捌拾壱斛陸斗陸升捌合玖勺
63 不動弐阡捌伯参拾漆斛陸斗参升漆合漆勺
64 動参阡肆拾肆斛参升壱合弐勺

（*B断簡）〇紙面に「紀伊国印」あり。　（正集巻三十七・*第六紙）

65 雑用壱阡陸伯束
66 年料白米陸拾捌斛料壱阡参伯陸拾束
67 酒米壱拾壱斛料弐伯弐拾束

59拾　復元帳は「合」に作るが誤り。
B断簡　所属郡不明の郡部。中間表示と末表示初めまでの記載が現存。
第六紙　復元帳は第五紙とする。

68　年料外交易進上小麦弐斛　直弐拾束

69　遺捌阡陸伯玖拾玖束捌把玖分

70　輸租稲穀漆伯肆拾陸斛壱斗肆升漆合

71　振斛量入陸拾漆斛捌斗参升壱合伍勺

72　定陸伯漆拾捌斛参斗壱升伍合伍勺

73　都合見定稲穀陸阡捌伯捌拾肆斛伍升捌合伍勺

74　不動弐阡弐伯弐拾捌斛弐斗玖升玖合陸勺

23 淡路国正税帳　天平十年度

0 (*継目裏書)「淡路国天平十年十二月廿七日史生正八位下*榎本直虫麻呂」

*(B断簡)○紙面に「淡路国印」あり。

(正集巻三十七・*第八紙)

1 *穀壱萬壱仟参伯陸斛伍升壱合伍勺壱撮

2 *安曇宿祢虫麻呂与*広道*交替欠穀壱仟肆

3 伯伍拾肆斛陸斗捌升漆合伍勺捌撮

4 *見定穀玖仟捌伯伍拾壱斛参斗陸升参

5 合玖勺参撮

(*第九紙)

6 *不動壱仟伍伯漆拾捌斛参斗壱升肆

7 合漆勺捌撮　*振入一百一十六斛九斗一升二合二勺一撮

8 *定壱仟肆伯陸拾壱斛肆斗弐合伍

9 勺漆撮

10 *動用捌仟弐伯漆拾参斛肆升玖合壱勺

継目裏書　二か所。便宜ここに掲示。
0榎本直虫麻呂　他にみえず。
B断簡　62の伝馬が郡部にしては多数なので首部か。その場合は正税帳冒頭の数行を欠損していて27まで初表示、28以降中間表示。
第八紙　復元帳は第七紙とする。↓第七紙
1穀　前年度から繰越の当国の穀全量。未振量。
2安曇宿祢虫麻呂・(安曇宿祢)広道　他にみえず。
2交替欠(21・25)「欠」は正税帳に記録しておくだけで当年度の正税の増減に関わらないのが通例だが(02大倭1・08駿河81・09駿河181)、本帳では現在高(1・20・24)にいったん計上した上で、欠を引いて定(4穀・頴稲(23)・糒(26))を出している。虫麻呂・広道の二人とも淡路国の旧任国司で、交替時に発覚した欠か。位官・発覚年を記さないのは異例。有責者が明確だが補塡はおこなわれていない。安曇(阿曇)氏は海人部の伴造として知られる。淡路国が贄貢進国であることに関わるか。
4見定穀　帳簿上存在すべき量である1穀から未補塡の欠穀(2)を引いた、実際に存在する量。内訳は6不動と10動用。
第九紙　復元帳は第八紙とする。
6不動　↓用語〔官稲〕
7振入　計算によるとここでは斛別入八升であり、未振量の8/108。↓用語〔振入〕・10伊豆62斛別入七升
8定　6不動から7振入を引いた、振定量(↓用語〔振入〕)での不動穀。
10動用　↓用語〔官稲〕

伍撮　振*入七百五十二斛九升五合三勺七撮
定漆仟伍伯弐拾斛玖斗伍升参合漆
　勺捌撮
合定*実穀捌仟玖伯捌拾弐斛参斗伍升陸
　合参勺伍撮
不*動穀壱仟肆伯陸拾壱斛肆斗弐合
　伍勺漆撮
動*用漆仟伍伯弐拾斛玖斗伍升参合
　漆勺捌撮
穎*稲壱拾萬伍仟伍伯肆拾漆束肆把陸分
安曇宿祢虫麻呂与広道交替欠弐萬壱仟参伯
　伍拾肆束参把弐分
　定*捌萬肆仟壱伯玖拾参束壱把肆分
糒*伍拾参斛漆斗玖升
安曇宿祢虫麻呂与広道交替欠壱斛陸斗漆升

11振入　7振入と違い、斛別入一斗。未振量の1/11。
14定実　振定量を不動(8)、動用(12)と個別に計算したのち、両者を合計したもの。改めて内訳を16不動・18動用に記す。
16不動　8定と同額。
18動用　12定と同額。
20穎稲　前年度から繰越の当年度初の淡路国の穎稲量。
23定　実際に存在する穎稲量。20穎稲から21交替欠を引いた数字。
24糒　前年度から繰越しの糒の量。→06尾張18

第十紙　復元帳は第九紙とする。

……………………

*定伍拾弐斛壱斗弐升　（継目裏書）

*酒肆斛弐斗陸升陸合　*（第十紙）

*依 恩勅*賑給高年之徒穀弐伯弐拾弐斛陸斗

奉天平十年正月*廿日 恩勅賑給高年及*鰥寡惸独并*疹疾
之徒*七百一十三人八十年以上一十八人々別六斗鰥八

十二人々別六斗寡八十八人々別四斗惸七十六人々
別四斗独卅六人々別四斗 *篤疾五十九人々別二斗

*廃疾八十二人々別二斗
疹疾二百七十人々別二斗

*雑用穎伍仟陸伯捌拾肆束

*酒肆斛肆斗肆合

*元日設宴給米弐升充稲肆把

酒弐升

拝朝庭参国司長官已下史生已
上合二人々別給米一升酒一升

*正月十四日読経弐部 *金光明経四巻 *最勝王経十巻 *供養雑用

料充稲参拾肆束玖把捌分

飯料米参斗弐升充稲陸束肆把

……………………

26定　実際に存在する糒量。24糒から25交替欠を引いた数字。

27酒　→07尾張10大炊寮酒料赤米。前年度から繰越分。

[28～66]　中間表示(後欠)。当年の雑用記事の前半。

28依恩勅　32以下の雑用に含めず支出記事の冒頭に記すのは、恩勅による特別の支出だからか。また穀の唯一の支出か。

28賑給(29)　→04和泉110

29正月廿日恩勅　20周防144に正月十三日恩勅、続紀正月壬午条に賑恤を加うとあるのに同じか。

29鰥寡惸独　→03摂津19

29疹疾　熱病者。

29七百一十三人　内訳は七一一人・二二二斛二斗なので、二人・四斗の脱あり。また六斗支給は一〇〇人、四斗支給は二〇〇人なので、枠を決めての支給か。

30篤疾　重度の障害者や疾病者(戸令7目盲条)。

31廃疾　障害者や疾病者で篤疾に次ぐ者(戸令7目盲条)。

32雑用穎　五六八四束中、二一九九束五把八分の内容が判明(34～72)。

33酒　年度初めの27四斛二斗六升六合より多く使用。年度中に新醸したか。

34元日　36では守・史生の二名が参加。→09駿河123元日拝朝

37正月十四日　→09駿河125

37金光明経・最勝王経　→09駿河125金光明経并最勝王経

37供養　内訳は38～59。→02大倭252

*粥料米肆升弐合充稲捌把肆分
*饘料米漆合充稲壱把肆分
*大豆餅参拾弐枚料米陸升肆合　升別五枚
　充稲壱束弐把捌分
*小豆餅参拾弐枚料米陸升肆合　升別五枚
　充稲壱束弐把捌分
*煎餅参拾弐枚料米陸升肆合　升別五枚
　充稲壱束弐把捌分
*浮餾餅参拾弐枚料米陸升肆合　升別五枚
　充稲壱束弐把捌分
*呉床餅参拾弐枚料米陸升肆合　升別五枚
　充稲壱束弐把捌分

（第十一紙）*

*麦形参拾弐枚料米*陸升肆合　升別五了*
　充稲壱束弐把捌分　以二把得一升

（継目裏書）*
（第十二紙）*

*餅交大豆参升弐合　升別十枚　充稲参把弐分　以一把得一升

40粥　→⑮但馬29
41饘　糟（⑮但馬30）に同じ。水気の少ない堅いかゆ。新撰字鏡40は「加由」。和名抄207は「加太賀由」。
42大豆餅　→⑩伊豆30
44小豆餅　→⑩伊豆30
46煎餅　→⑩伊豆30
48浮餾餅　→⑩伊豆31布留
50呉床餅　→⑩伊豆31阿具良形
第十一紙　復元帳は第十紙とする。
52麦形　→⑩伊豆33
52米　「麦」の誤りか。
52了　復元帳は「枚」に作るが誤り。麦形の単位は、本項は「枚」と「了」を混用。⑩伊豆では阿久良形（8）と麦形（10）は「了」で数える。
継目裏書　復元帳は「継目裏書カ」とする。
第十二紙　復元帳は第十一紙とする。
54餅交大豆　大豆餅（42）用の大豆。

55 ＊餅交小豆陸升肆合 升別五枚 充稲壱束弐把捌分 以二把得一升
56 ＊熬分大豆参[升]＊弐合充稲参[ ] □得 [ ]
57 胡麻油壱升陸[ ]
58 充稲壱[ ]
59 ＊飴玖[ ] 別一勺 [ ]
60 造年料[ ]＊□乳廿日 飼稲参
61 拾[ ]
62 ＊買立伝[ ]稲壱仟捌伯伍拾束 上馬二匹
63 ＊□稲各三百束中馬五匹充稲各二百五十束
64 ＊阿波国進上御馬玖匹飼秣稲伍拾陸束
65 ＊朝集雑掌弐人単肆□＊壱拾弐日料給稲壱伯
66 弐拾伍束肆把 日別三把

（A断簡）＊ ○紙面に「淡路国印」あり。　（正集巻三十七・第七紙）＊

67 運雑物向京担夫＊弐拾肆人行程壱拾肆日

55餅交小豆　小豆餅(44)用の小豆。
56熬分大豆　→⑩伊豆12「煎料大豆」
56[升]　大古・復元帳は「升」とする。
59飴　→⑩伊豆17
60[ ]　下に「乳」「飼稲」とあるので、「蘇」(→⑦尾張46)であろう。民部式下58貢蘇番次条に淡路国が進上する蘇は、大一升四口、小一升六口の合計一〇壺。
60□　大古・復元帳は「取」とする。
62買立伝[ ]　復元帳は「買立伝馬[ ]」と復元する。→③摂津32伝・⑳周防171市替伝馬
63□　大古は「充」とする。
64阿波国　阿波国から進上する馬が通過する際の飼料。同国からの貢馬は他にみえず。
65朝集雑掌　→③摂津33雑掌。本項は当年末までの支給を含むが、0継目裏書によれば本帳は十二月二十七日作成。
65□　大古は「伯」とする。
A断簡　中間表示の雑用記事。担夫の内訳を記しているから首部か。その場合は欠損部をはさんでB断簡に続く。
第七紙　復元帳は第六紙とする。本帳は正集第三十七第六紙に続く(㉒紀伊A断簡)。
67担夫　すべて御贄を京に運ぶ。若椒一人(70)、正月二節一九人(うち柄宍八人)(71)・断丁四人(72)の計二四人。

68 往還単参伯参拾陸日＊向京日七 ＊国還日七　充稲壱伯

69 束捌把＊向京日別四把 国還日別二把

70 ＊若椒＊御贄壱荷担夫壱人

71 ＊正月二節　御贄＊壱拾伍荷担夫壱拾玖人

72＊ ＊廝丁肆人合弐拾参人＊柄宍四頭々別 充担夫二人

68向京日七　平城京への行程。主計式上60淡路国条は淡路・平安京間を上四日・下二日、海路六日とする。

68国還日七　陸路の場合、還国の日数は向京より減るのが通例（→15但馬167向京六日・168還国四日）。本項は海路か。

69向京日別四把　→15但馬170

70若椒　わかはじかみ。蜀椒（フサハシカミ、ナルハシカミ）の若芽・若葉。サンショウの類で、食用・薬用になる。内膳式34漬年料雑菜条に「稚薑（わかはじかみ）」とあるのはショウガ。

70御贄　税制の一種。主に天皇供御用の水産物・獣肉・果実（09駿河4橘子）など。令には規定されないが、各種存在（宮内式45例貢御贄条、内膳式40諸国貢進御贄条・42年料御贄条ほか）。淡路は他国に比し贄の貢進量が多い。

71正月二節　七日と十六日の二節か。のち淡路は正月三節の料を贄として内膳司に貢進するようになる（宮内式44御贄国条・内膳式41淡路国御贄条）。

71壱拾伍荷　四荷は柄宍（担夫八人）。一一荷（担夫一一人）の記事は欠損。

〔72〕目録は、本行の左に一行を微存とする。透過光写真では文字は確認できない。

72廝丁　向京・国還の行程は一九人の担夫と一致するが、担夫の炊事のために廝丁が同行した例なし。御贄の獣肉を調理する儀礼があってそれを担当したか。

72柄宍　イノシシの肉を柄に通したものか。主計式上60淡路国条に調として宍一千斤を貢進とある。淡路には鹿や猪が多く、履中天皇や允恭天皇が狩をしたという伝承がある（履中紀五年九月条・允恭紀十四年九月条）。

24 伊予国正税出挙帳　天平八年度

（B断簡）* ○紙面に「伊予国印」あり。　（塵芥巻三十九・第三紙）

1 西*第一板倉**□*八尺四寸広二丈二尺八寸高一丈二尺四寸　収納稲壱萬陸仟捌伯捌拾陸束漆

2 把弐分半　天平六年*　下尽*

3 第二板倉 長二丈五尺九寸広一丈五尺三寸高九尺六寸　収納稲参仟捌伯壱拾弐束 神亀元年*

（D断簡）* ○紙面に「伊予国印」あり。　（塵芥巻三十九・第五紙）

4 □　伍伯玖拾肆束 古稲　下尽

5 北第一板倉 長□丈四尺八寸広一丈九尺八寸高九尺七寸　収納稲伍仟捌拾陸束 神亀四年二千三百十六束

6 ……二年*二千*七百七十束　下尽*……（継目裏書）*

（第六紙）*

B断簡　郡部記載の一部だが郡名は不明。
1 西第一板倉　本帳の倉庫記事は当年度開倉した倉のみを記載。
1 板倉　→04和泉96
1 □　復元帳は長五丈とし、目録は□□□に「長五丈」と傍注する。
2 天平六年　本倉に納めた稲の収納年次。
2 下尽（13・14ほか）支出して空になった倉。04和泉169に「出挙下尽空」とみえる。
3 神亀元年　倉庫令復原6倉蔵貯積雑物条では古いものから使用する規定だが、本倉は当天平八年まで開倉されていなかったか。
D断簡　目録によればB断簡ともと一紙で、接合する。
6 二年　天平二年の収納稲か。
6 七百七十束・下尽　目録による。
継目裏書　本帳に継目裏書二か所あるも僅存で読めず。
第六紙　復元帳は第六紙を記さず。

（C*断簡）〇紙面に「伊予国印」あり。

郡司 大領正八位上凡直広田* 主帳大初位下大伴首大山*

□*平七年定正税穀*□萬陸仟肆伯陸拾玖斛伍斗
□肆伯壱*拾参*束陸把
出挙*弐萬参伯束 春九千九百束 夏一万四百束
借貸*壱萬束
遺*陸萬肆仟壱伯壱拾参束陸把
□*倉弐□間 不動*十九間 下尽三間 不尽*一間
南第一板倉□広一丈 八尺一寸高八尺七寸 収納稲肆仟伍伯玖拾陸束 天平六年 下尽
第二板倉長一丈九尺九寸広一丈五 尺七寸高八尺八寸 収納稲参仟伍拾束 天平七年 下尽
第三甲*倉長一丈九尺広一丈 五尺高九尺 収納稲参仟弐伯参拾壱束 天平六年 下尽
□*長七丈七尺広□ □高一丈一□ 収納稲弐萬壱仟壱伯陸拾壱束
□玖*仟肆伯弐拾参束　遺壱仟漆伯参

（塵芥巻三十九・第四紙）

C断簡　郡部記事。甲郡末郡司署名・乙郡・丙郡前半部からなる。乙郡は郡司名から越智郡か。民部式・和名抄66の郡の配列なら、甲郡は桑村郡、丙郡は野間（和名抄203は濃満）郡。

7凡直広田　他にみえず。凡直氏は四国、特に伊予に多く分布する氏。

7大伴首大山　他にみえず。

〔8～20〕　郡司署名（20）から越智郡部と推定。

8平七年　目録によれば、「年」の上に塵芥巻三十八雑帳第111紙片「□平七」が接合する。

8正税穀　穀量が記載されているのは穀の出挙・借貸が存在したためか。21長門36に穀の借貸がみえる。

9肆伯壱拾　目録によれば、「拾」の上に塵芥巻三十八雑帳第4紙片「□肆伯□（壱）」が接合する。

9壱　大古は「直」に作るが誤り。

10出挙　貸付用として出倉。春・夏の二度。↓用語〔出挙〕・15但馬128秋

11借貸　国司借貸用として出倉。↓26豊後64国司借貸

12遺　9穎稲から出挙と借貸を差引いた残額。

13□倉弐□間　影印集成の解説による。

13不動　穀倉・穎稲倉の中で、当年度開倉されていない倉。

13不尽　開倉された正倉のうち、まだ残量がある倉。倉庫令復原3倉出給条によると倉は一倉ずつ出給し、下尽したのち、次の倉を開ける。

16甲倉　↓04和泉269

17□　13「不尽一間」にあたる。

18玖仟肆伯　影印集成の解説による。

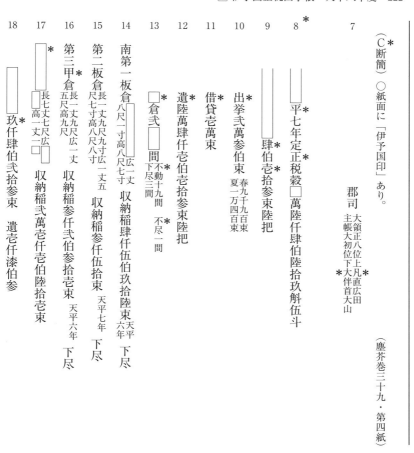

19　拾捌束伍把　天平七年

20　　郡司*　大領従八位上越智直広国*　主政无位越智直東人*

21*　□伍*伯弐拾肆斛玖斗陸升参合

22　穎稲肆萬伍仟陸伯伍拾漆束捌把

23　出挙壱萬弐仟束　春五千六百束　夏六千四百束

24*　借貸壱萬束

25*　□萬参仟陸□伍拾漆束捌把

26　正倉*壱拾弐間　不動八間　下尽三間　不尽一間

27　西第一板倉長二丈六尺二寸広一丈八尺六寸高一丈一尺六寸　収納稲伍仟玖伯伍拾玖束天平七年　下尽

28　第二板倉長二丈三尺五寸広□八尺六寸高九尺□　収納稲伍仟漆拾束伍把　天平七年　下尽

（A断簡）*○紙面に「伊予国印」あり。　（塵芥巻三十九・第一紙*）

…………　（継目裏書）

29　漆*把弐分半　神亀二年二千八百廿七束　四年二千卌二束　五年□五年*二百十四束七把二分半

（第二紙）

20郡司　郡司は外位が多いが、本帳の郡司七人はみな外位ではない。当時増加しつつあった内位郡司にしては他国に比べ比率が高い。

20越智直広国　他にみえず。越智直氏は越智郡の郡領氏族（日本霊異記上巻・一七）。

20越智直東人　他にみえず。

〔**21～28**〕某郡前半。野間郡か。

21伍伯　大古・復元帳はこの上を「税穀□仟」とする。

〔**24・25**〕24および25「伍拾」の上は、附着する紙片および塵芥巻三十八雑帳第101紙片による（目録）。なお復元帳は25の当該部を「遺弐萬参仟陸伯」と推定する。

26正倉　→02大倭13

A断簡　本帳の最末部。書き止め文言の前は宇和郡か。

29漆把弐分半　本項は不尽倉の項目。現存部は「遺」の末部。

29二百十四束七把　目録による。

第一紙　復元帳は第一紙を記さず。

郡司□正八位上凡直宅麻呂* 少領従八位上贄首石前*
主帳少初位下物部荒人*

□便付*介外従五位下

勲十二等紀朝臣*必登進上以*解

天平八年*八月六日正七位下行目勲十二等文忌寸*「鷹養」

□上行守勲十二等中臣*朝臣大唐使 外正七位上行掾置*始連「稲足」

30凡直宅麻呂 他にみえず。
30贄首石前 他にみえず。
30物部荒人 他にみえず。
31便付 他の任務を主とする使者が兼ねて提出すること。
32紀朝臣必登 天平八年正月外従五位下、伊予介(本帳)を経たのち同十二年三月遣新羅大使、同十八年四月に従五位下(続紀)。
32以解 →02大倭282以前収納…謹解
33八月六日 出挙・借貸による正税の出倉状態だけを記して上申する本帳は正税出挙帳であると推定可能。八月に上京する使者として大帳使があり、出挙帳は大帳使に便付(32)される(天平六年出雲国計会帳〔大古一597〕、政事要略五七公文・主税式上6加減条)。
33文忌寸鷹養 他にみえず。
34中臣朝臣 中臣朝臣名代。神亀五年五月外従五位下、天平元年三月従五位下。同四年八月遣唐副使、同八年八月帰国。十一月従四位下。同九年七月藤原武智麻呂の喪事を監護し、同十年五月には神祇伯として伊勢神宮に神宝を奉ず。同十三年正月には前年九月に起きた藤原広嗣の乱に与した者をその「配所」(大宰府か)にて裁判後、都に召喚された。同十七年九月散位従四位下で卒(続紀)。本帳より遣唐副使として伊予守を兼帯したことが判明する。
34置始連稲足 他にみえず。

[25] 筑後国正税帳　天平十年度

*(継目裏書)「筑後国天平十年正税目録*帳従七位下行目津*史真麻」

(正集巻四十三・第一紙)

(A*断簡) ○紙面に「筑後国印」あり。

弐拾束
齎*官馬牛皮入府多檝嶋人弐拾捌人還帰本
嶋 廿*五日 単漆伯人食稲弐伯捌拾束 人別四把
得*度者還帰本嶋多檝嶋僧弐軀 廿五日 単
伍拾人食稲弐拾束 人別四把
為*貢上御貫簀竹工漆人 二人々別役廿三日二人々別役廿二日二人々別役廿一日
一人役十四日 単壱伯肆拾陸人給功直稲漆拾参束 人別五把
府*雑用料春*稲伍伯束
依　勅還*郷防人起筑*紫大津迄備*前児嶋十箇
日粮春*稲壱仟伍伯肆拾捌束

継目裏書　一か所。便宜ここに掲示。
0目録帳　↓[19]周防0
0津史真麻　大古は「津東真麻」に作るが誤り。天平十七年二月治部省移(大古二392)の正七位下少録津史真麻呂と同一人物か。神護景雲元年三月外従五位下津連真麿は摂津大進、同三年十二月新羅使の来日に際して大宰府に派遣、同月従五位下肥前守(続紀)。
A断簡　首部の中間表示の一部か。ほとんどは大宰府に関わる経費の支出。
2齎官馬牛皮　官馬牛の皮を大宰府に運搬した多檝嶋人の帰嶋に際して支給した食料。
3廿五日　大宰府から多檝嶋までの公式行程。すべて海路なので帰路の食料を支出か。
4得度　多檝嶋人が大宰府(観世音寺)で得度して帰嶋するに際して支給した食料。
6為貢上御貫簀　貢上品製作の工人への功直。貫簀(ヌキス)は湯水が飛散しないように盥にかける竹で編んだすのこ。筑後国内で作業か。
8府雑用料　大宰府財源として定例で府へ納入していたものか。↓[26]豊後57儲府料
8春稲(10)↓[26]豊後57
9還郷防人　天平九年九月筑紫にいる防人を停めて本郷に帰還させた(続紀)。本項は筑紫大津から備前児嶋を経る航路。周防国で供給の例もあるので([20]周防173)、航路は単一ではなかった。
9筑紫大津　大宰府の港。博多湾。
9備前児嶋　児嶋屯倉(欽明紀十七年七月条・敏達紀十二年是歳条)以来の瀬戸内の要衝。備前国児島郡の島嶼部。現岡山県倉敷市。
10春稲　人別日四把とすると三八七人分。↓[26]豊後57

料水手弐人食*稲捌拾束
依民*部省天平九年十月五日符寺*家封戸田租
代報納壱仟玖伯壱拾捌束伍把
浮*囚陸拾弐人　卌八人起天平十年四*月廿六日尽*十二月 卅日并二百七十日　三人起四月廿六日
尽十二月三日并二百卌三日七人起四月廿六日尽十一月 九日并二百廿日四人起四月廿六日尽十一月二日并二 百十三日　惣単壱萬陸仟捌拾壱人食稲参仟弐
伯壱拾陸束弐把　人別二把
買料木*塩壱拾陸斛捌升壱合　人*別一合　直稲*
壱伯陸拾束捌把壱分　以一束充一斗
為*貢上造銅竈工功傭給稲参拾玖束弐把
貢*上造轆轤雑工参*人　二人々別役十九日半 一人役四日　単肆*参

(継目裏書)
(第二紙)

人給功直稲伍拾束　卅*九人々別一束二把 四人々別八把
貢上鷹養人参拾人起天平十年六月一日
尽九月廿九日并壱伯肆拾漆日単肆仟
肆伯壱拾人食稲捌伯捌拾弐束　人*別二把

11食稲　水手(水夫)の功賃か。主税式上116諸国運漕功賃条の大宰府博多津から難波津までの水手功賃四〇束に同じ。
12民部省天平九年十月五日符　↓[04]和泉37
12寺家封戸　観世音寺資財帳によれば、当筑後国生葉郡には大石郷・山北郷に各五〇烟の筑前観世音寺の封戸が存在した(平安遺文一194)。
14浮囚　「俘囚」と通用。当年、俘囚が陸奥国から摂津職へ送られている([09]駿河87)。四月に安芸国部領使の一団が周防国を通過する([20]周防1〜4)が、食法が均等の塩二勺で計算すると、稲は流人などと同等の二把で全六三人であり、部領使が擬少毅であること、日程・食法・人数からみて、摂津職から当筑後国へ送られた俘囚である。周防国から当国へ到着するまでの間に一人が脱落している。
14四月廿六日　当国での給粮開始日。前日までは路次国が給粮。
14尽十二月卅日　当国で越年。これより前の日付の者は、その翌日他国へ移送されている。
18木塩　木塩はヌルデの実から取れる塩を指すが、ここでは、生(キ)塩のことで、精製していない荒塩のことか。
18人別一合　一日一合は食法としては多量(↓[20]周防96食法)。副食費の性格もあるか。
18稲　大古に従う。
20為貢上造銅竈　工人への功傭の支出。6・21・23のようには内訳を記していないので、総額を大宰府ないし筑前国へ輸したか。[20]周防31に大宰府進上銅竈部領使の筑前国掾がみえる。
21貢上造轆轤　貢上する轆轤(ロクロ)製作の工人への功直。筑後国内で作業か。
21参人　高級技術者二人と下級技術者一人。22

26 貢上犬壱拾伍頭起六月一日尽九月廿九日幷
27 　一百卌七日単弐仟弐伯伍頭食稲肆伯肆
28 　拾壱束　犬別二把
29 依太政官天平十年七月十一日符買*白玉壱伯壱拾
30 　参枚直稲漆拾壱束壱把壱分
31 　紺玉漆伯壱枚直稲肆拾壱束壱把捌分
32 　*縹玉玖伯参拾参枚直稲肆拾漆束漆把捌分
33 　*縁玉肆拾弐枚直稲参束壱把漆分
34 　赤勾玉漆枚直稲壱拾陸束捌把
35 　丸玉壱枚直稲壱把弐分
36 　*竹玉弐枚直稲参把肆分
37 　勾縹玉壱枚直稲壱束捌把

の分注はのべ人数だが、半日単位で管理している。五〇束で作る予定で、それを割り振ったか。

21肆　この下に「拾」字脱か。

22卅　大古「廿」に作り、「卅カ」と傍書する。

〔23～28〕貢上する鷹と犬の飼育に関する食稲支給記事。六～九月の四か月間、鷹養人三〇人、犬一五頭に給粮。⑳周防53～55では筑後国介を部領使として、選抜した持鷹二〇人、犬一〇頭が向京。鷹もこの比率で選抜持参したか。飼育は部領使からみて筑後国内。

25人別二把　身分としては高くない。

〔29～37〕太政官天平十年七月十一日符(他にみえず)による各種玉類の購入(後欠)。同年覔珠玉使が派遣され(⑨駿河13)、上総国から文石が進上されている(⑨駿河15)ことと同一の事情か。

29白玉　水晶あるいは真珠を指すか。

32縹玉　浅黄色または萌黄色の玉。

33縁　「緑」の誤りか。大古・寧遺は「緑」に作る。

36竹玉　竹管形をした管玉か。

[26] 豊後国正税帳 天平九年度

0 （継目裏書）*「豊後国天平九年正税帳守外従五位下楊胡史真身*」

（正集巻四十二・第一紙）

（A断簡）* ○紙面に「豊後国印」あり。

1 都*合壱拾玖間 不動五間 糒倉三間 動用三間 穎稲納八間

2 大領外正七位上勲九等早*部連「吉嶋」

3 少領外従七位上勲十等早*部君「大國」

4 主帳外少初位上勲十等早*部君 死

5* 球珠郡

6 天平八年定*正税稲穀壱萬漆仟弐伯弐拾斛陸斗捌升

7 弐合弐勺

8 籖*振量定壱萬参仟参伯陸拾参斛捌斗参升玖

9 合陸勺 振*入一千二百十四斛八斗九升三合七勺

継目裏書 六か所。便宜ここに掲示。

0楊胡史真身 楊胡は陽候にも作る（続紀・東大寺要録）。養老六年二月律令撰定の功により田四町を賜る。天平七年四月外従五位下、同十年四月豊後守。同年八月には小治田朝臣諸人が任豊後守（以上、続紀）、赴任のため十月に周防国を通過（[20]周防66）。従って真身の豊後守在任はごく短期間だが、疫病蔓延のため崩壊状態の豊後国務を処理し、遅延していた前年度の本帳などを作製提出したか。継目裏書の署名は目か史生が通例だが、本帳は唯一国守（巡行記事によれば当年の国司は守・掾・史生各一人だけ確認）。真身は当代の学識者であり、能吏でもあった。のち天平十三年四月河内・摂津両国の争論を検校し、八月には但馬守。同二十年二月外従五位上から従五位下（続紀）。

A断簡 すべて郡部記事で、某郡の末尾、球珠郡部、直入郡部中間表示まで。風土記・民部式・和名抄67の郡の配列によれば、日田（日高）郡・球珠郡・直入郡の順であり、某郡は日田郡か。

1都合 当郡の倉屋の合計。↓100

2早部連吉嶋 他にみえず。「早」字は大古・寧遺・復元帳は「日下」二字に（3・4も）、「吉」字は「𠮷」に作る。本帳の郡司がすべて勲位を有すのは対隼人戦役への従軍によるか。

3早部君大國 他にみえず。

4早部君 当年中に死亡。

〔5～102〕 球珠郡部、完存。

6定正税稲穀 前年度からの繰越額。内訳は8籖振量定と12振量未籖。未振量。↓用語〔振入〕

8籖振量定（77・106） 当年度使用せず。↓12振量未籖

9振入（13・63ほか） ↓用語〔振入〕

定*実壱萬弐仟壱伯肆拾捌斛玖斗肆升伍合
玖勺
振*量未簸参仟捌伯伍拾陸斛捌斗肆升弐合陸
勺（振入三百五十斛六斗二升一合九勺）
定*実参仟伍伯陸斛弐斗弐升漆勺
合*定実壱萬伍仟陸伯伍拾伍斛壱斗陸升陸合陸勺
不動壱萬壱仟陸伯伍拾弐斛壱斗捌升壱合
捌勺
動用肆仟弐斛玖斗捌升肆合捌勺
振*量未簸粟弐伯弐拾捌斛伍斗陸升壱合弐勺（振入廿
斛七斗七升八合二勺）
定実弐伯漆斛漆斗捌升参合
穎*稲漆萬参仟捌伯伍束弐把捌分
糒*壱仟陸拾弐斛
酒*壱拾玖斛肆合

10定実　8簸振量定から9振入を引いた額。
12振量未簸（30・81）当年度の収支はこのなかで実施。動用穀（18）の大部分を含み、8簸振量定は不動穀の全部ないし大部分を含む。簸振量定・振量未振と不動・動用とは直接は対応しない。簸振量定（→⑰隠岐2）は穀を振って不純物を除去し量を定めた状態、振量未簸はそれ以前の状態を示すようであるが、どちらもその後振入しており、年間の収支は振量未簸からおこなっているので、両者の関係は未詳。⑩伊豆（61・65）は簸振量定・未簸とする。01左京4・7、
14定実　12振量未簸から13振入を引いた額。
15合定実　10定実と14定実の合計。内訳は16不動と18動用。
19振量未簸粟（87・115・223）粟穀の振量未簸（→12）の記載は本帳のみ（→㉗薩摩6簸振量定粟穀）。「動用」屋に収納か（→100都合）。
22穎稲　前年度から繰越の当球珠郡の穎稲（→用語〔稲〕）量。
23糒　前年度から繰越の糒。→90
24酒（91）→⑦尾張10大炊寮酒料赤米

25 醤*参斛壹斗伍升
26 酢*漆斛伍斗
27* 雑用壹仟参伯壹拾参束漆把 穀*十九斛二斗穎稲一千一百*廿一束七把
28 酒*肆斗壹升陸合
29 依*五月十九日 恩勅賑*給高年幷鰥*寡之徒合肆

（継*目裏書）
（第二紙）

30 拾捌人 振*量未簸稲穀壹拾玖斛弐斗 人別四斗
31* 国司巡行部内合壹拾肆度惣単壹伯壹拾捌人上参
32 拾捌人 目以上廿五人史生十三人 従*捌拾人食稲参拾玖束弐把 上人別四把
33 従三把 酒参斗伍升肆合 目以上人別一升史生人別八合
34 参*度正税出挙幷収納 一度守一人従三人并四人五日二度掾一人従二人并三人六日 単参
35 拾捌人上壹拾壹人 掾以上 従弐拾漆人
36 参*度賑給貧病人幷高年之徒 一度守一人従三人一度掾一人従二人一度史生一人従一人并
37 九人并二日 単壹拾捌人上陸人 掾以上四人史生二人 従壹拾弐人
38 壹度随*府使賑給貧病人 守一人従三人史生一人従一人并六人三日 単壹拾捌
39 人上陸人 守三人史生三人 従壹拾弐人

25醤（93） 前年度から繰越の醤（→10伊豆18）量。
26酢（95） 前年度から繰越の酢量。
〔27～57〕 雑用記事。27・28は合計。穎稲で表記するが穀も含む。穀の支出は29賑給のみ。
27穀十九斛二斗　30振量未簸稲穀（賑給）のこと。未振量。
27廿　復元帳「卌」に作るが誤り。
28酒　雑用の酒。内訳は国司巡行33酒と往来伝使54酒。
29五月十九日恩勅（125・177） 疫病蔓延・旱による恩勅（続紀天平九年五月壬辰条・04和泉18・15但馬3）。
29賑給（36・38・125・132ほか） →04和泉110
29鰥寡之徒　→03摂津19鰥寡惸独
継目裏書　復元帳は「継目裏書カ」とする。
30振量未簸稲穀　27穀一九斛二斗と同額だから、27雑用の穀は29賑給のみ。
〔31～52〕 国司巡行（→15但馬122）記事。31～33は人数と費用のまとめ。国司巡行食法→20周防96食法
32従　→04和泉43将従
34参度正税出挙幷収納　春夏の二度の出挙と秋の一度の収納。→15但馬150収納当年官稲・用語〔出挙〕
36参度賑給　当国では38壹度も合わせて賑給のための巡行は四度実施。29の五月十九日勅によるもの、四月十九日の大宰管内諸国対象のもの（続紀）など。疫病流行への応対。
38随府使賑給（134・187） 大宰府からの賑給の使者に国司が随行。使者は53伝使の一人が該当。

壱度蒔営紫草園* 守一人従三人 并四人二日 単捌人上弐人 守 従
陸人
壱度責計帳手実 史生一人従一人 并二人三日 単陸人上参人 史生
（第三紙）
従参人
壱度**随府使検校紫草園 守一人従三人 并四人一日 単肆人上壱人
守 従参人
壱度収*庸 史生一人従一人 并二人三日 単陸人上参人 史生 従参人
壱度検*田熟不 史生一人従一人 并二人二日 単肆人上弐人 史生 従弐
人
壱度堀紫草根 守一人従三人 并四人二日 単捌人上弐人 守 従陸
人
壱度問*伯姓消息 守一人従三人 并四人*二日 単捌人上弐人 守 従陸
人
往来伝*使合頭参人 二人三日 一人一日 従漆人 六人三日 一人一日 惣単弐拾陸人
頭七人 従十九人 食稲捌束伍把 頭四把 従三把 酒陸升弐合 三人別 一升

40紫草園　紫草は根に含む色素を染色に使う。主に官人の衣服の染色に使用し（縫殿式13雑染用度条・弾正式）、紙花の染色にも使用（図書式16紙花条）。大宰府が紫草で染めた布帛類や革を貢納（民部式下54大宰調物条）。また⑱播磨21では「太宰府進上紫草」を逓送。大宰府の管理の下、当国に紫草園があり、その経営は一三度の国司巡行のうち三度を占める重要な職務（44・49）。

44随府使検校紫草園（140・193）　大宰府使の紫草園検校に随行。

44府使　53伝使の一人が該当。

46収庸　→⑮但馬147検校庸物

47検田熟不（145・196）　→⑮但馬142検校田租

51問伯姓消息　→⑮但馬132為観風俗

51二　大古・寧遺は「三」に作るが誤り。

53伝使合頭参人（150・201）　大宰府使が当国内を巡るにあたっては伝使（→[03]摂津32伝）として待遇。随行した国司の日数38（守・史生が三日）、44（守が一日）と対応する。府使以外の伝使なし。

四人別八合
買胡麻子参斛肆斗*肆升　直稲*壱漆拾肆束 々別二升
*儲府料*春稲玖伯束
*出挙陸仟弐伯壱拾弐束 *死伯姓五十六人免給稲一千八百五十束
*定納本肆仟参伯陸拾弐束

(継目裏書)
(第四紙)

*利弐仟壱伯捌拾壱束
*合応納陸仟伍伯肆拾参束
*見納肆仟玖拾捌束
*未納弐仟肆伯肆拾伍束
*国司借貸肆仟伍伯束
*遺稲穀壱萬漆仟弐伯壱斛肆斗捌升弐合弐勺
*頴稲陸萬壱仟玖伯漆拾壱束伍把捌分
*従国埼郡来納粟伍拾壱斛陸斗伍升捌合捌勺 振入四斛
六斗九升六合二勺
定実肆拾陸斛玖斗陸升弐合陸勺

56肆升　直稲が正しければここは「捌升」。
56壱漆　壱の下に「伯」字脱か。
57儲府料　大宰府の雑用にあてるため管内諸国の正税を割いて進上したもの。25筑後8府雑用料に同じ。
57春稲(204)　本帳と25筑後8・10にしかみえない用語。春米用の稲であって、食稲として個人に給する前の状態をさすか。
58出挙・死伯姓・59定納本・60利　出挙記事は年間収支の冒頭に記す帳が多いが、本帳では末尾に記す。→用語〔出挙〕
61合応納　59定納本と60利の合計。収納すべき本利稲。内訳は62見納と63未納。
62見納　実際に収納した本利稲。ただし利率五割では割り切れない。
63未納　未収納の本利稲。未納に利稲を含めるのは当豊後帳のみ。ただし利率五割では割り切れない。
64国司借貸　天平六年正月から(続紀)、十年三月まで実施(貞観交替式天平十年三月格)の、国司に官稲を無利息で貸す制度。国司はそれを出挙して利益を得たと推定(163・211、27薩摩82)。04和泉6借貸・24伊予11借貸も国司借貸。同額を回収するから正税の年間増減に関わらない。
65遺稲穀　6定正税稲穀から27雑用(穀)を引いた額。未振量。
66頴稲　22頴稲から27雑用(頴稲)・58出挙・64国司借貸を引いた額。
67従国埼郡　国埼郡から当球珠郡へ移動してきた粟。郡間の粟の移動は本帳のみ(155)。

70 ＊従速見郡来納稲穀玖拾陸斛弐斗伍升漆合肆勺 振入八斛七斗五升六勺
71 定実捌拾漆斛伍斗陸合捌勺
72 ＊天平五年未償壱仟肆伯捌拾肆束伍分
73 ＊天平六年未償壱仟漆伯玖拾参束伍把 並依＊恩勅放免畢
74 ＊都合穀壱萬漆仟弐伯玖拾漆斛漆斗参升玖合陸勺
75 振入一千五百七十二斛五斗一升九合七勺
76 定実壱萬伍仟漆伯弐拾伍斛弐斗壱升玖合玖勺
77 ＊簸振量定壱萬参仟参伯陸拾参斛捌斗参升玖合
78 陸勺 振入一千二百十四斛八斗九升三合七勺
79 定実壱萬弐仟壱伯肆拾捌斛玖斗肆升伍合玖
80 勺
81 ＊振量未簸参仟玖伯参拾参斛玖斗 振入三百五十七斛六斗二升六合
82 定実参仟伍伯漆拾陸斛弐斗漆升肆合
83 ＊合定実壱萬伍仟漆伯弐拾伍斛弐斗壱升玖合玖勺
84 不動壱萬壱仟陸伯伍拾弐斛壱斗捌升壱合

70従速見郡　速水郡から当球珠郡へ移動してきた稲穀。
72天平五年未償・73天平六年未償　当年の63未納同様に未納だった過去の出挙稲。利稲を含むか不明。利率五割では割り切れない。
73依恩勅放免　72・73の未償分を恩勅によって免じた（→04和泉7天平九年八月十三日恩勅）。
74都合穀　稲穀の当年度決算残高。6定から27穀を引き、70来納を足したもの。未振量。
77簸振量定　8簸振量定と同額。年間増減なし。
81振量未簸　12振量未簸から27穀を引き、70来納を足したもの。未振量。
83合定実　77簸振量定の振入結果79定実と、81振量未簸の振入結果82定実との合計。内訳は84不動と86動用。これらの振入は帳簿上の形式である。

捌勺
動用肆仟漆拾参斛参升捌合壱勺
振量未簸粟弐伯捌拾斛弐斗弐升　振入廿五斛四斗七升四合
定実弐伯伍拾肆斛漆斗肆升陸合

（継目裏書）
（第五紙）

*穎稲漆萬伍伯陸拾玖束伍把捌分
*糒壱仟陸拾弐斛　養老二年以前四百六十二斛　天平六年六百斛
*酒壱拾捌斛伍斗捌升捌合
甕肆口　大甕二口　中甕一口　小甕一口
*醤参斛壱斗伍升
甕壱口　小甕
*酢漆斛伍斗
甕壱口　小甕
*正倉壱拾漆間　*板倉十二間　*円倉一間　*塗壁屋三間　*草屋一間
*義倉為正税倉壱間　板倉
*借屋壱間　草屋一間

89穎稲　穎稲の当年度決算残高。62見納・64国司借貸・66穎稲の合計。
90糒　年初(23)から増減なし。軍備として製造・保管か。養老二年は備蓄の検校、天平六年は天平四年節度使(続紀同年八月条)の命による製造か(27養老二年以前…天平五六年)。→27薩摩10養老四年
91酒　当年度決算残高。24酒から28酒を引く。
93醤　年初(25)から増減なし。当年度使用せず。
95酢　年初(26)から増減なし。当年度使用せず。
〔97～100〕倉屋記事。
97正倉　→02大倭13。分注は内訳。正倉に屋(→04和泉95)を含めるのは、他帳にない。
97板倉　→04和泉96
97円倉　六角形または八角形の倉か。上野国交替実録帳(平安遺文九4609)の佐位郡正倉の「八面甲倉」は八角形倉庫遺構が判明している(上野国佐位郡正倉跡)。
97塗壁屋　壁体を土で塗り固めた屋か。
97草屋　茅・藁・蘆などで屋根を葺いた屋か。
98義倉為正税倉　義倉用の倉を正税に使用。義倉が正倉を借納する例は多いが(03摂津12・04和泉125・17隠岐28・22紀伊37)、ここは正税が義倉を借倉。→06尾張11借倉
99借屋　→06尾張11借倉

100 都合＊壱拾玖間 不動倉五間 動用五間 糒倉二間 穎稲納倉七間

101 領＊外正八位下勲九等国前臣＊「龍麿」

102 主帳外大初位下勲十等生部＊「宮立」

103＊ 直入郡

104 天平八年定正税稲穀漆仟捌伯伍拾弐斛玖斗伍升弐合

105 肆勺

106 簸振量定肆仟捌伯陸斛壱斗玖升陸合漆勺 振入四百卅六

107 斛九斗二升六合八勺

108 定実肆仟参伯陸拾玖斛弐斗陸升玖合玖勺

109 振量末簸参仟肆拾陸斛漆斗伍升伍合漆勺 振入二百七十六斛九

110 斗七升七合六勺

111 定実弐仟漆伯陸拾玖斛漆斗漆升捌合壱勺

112 合定実漆仟壱伯参拾玖斛肆升捌合

113 不動参仟弐伯玖拾弐斛壱斗漆升玖合

100都合（1） 当郡の使用している倉屋（97正倉・98義倉為正税倉・99借屋）の合計。97～99は倉屋の属性による分類。本項分注は収納物による分類。分注は段ごとに右から読む。「倉」は計一四間（97分注）だから「動用五間」はすべて屋。粟穀（19）も収納したか。

101領　郡司の構成は小郡に相当（職員令78小郡条）。球珠郡は豊後国風土記・和名抄128に三郷（里）とあり、小郡（戸令2定郡条）の規定と合致。

101国前臣龍麿　他にみえず。

102生部宮立　他にみえず。

〔103～168〕 直入郡部。完存する球珠郡部の73相当まで現存。

114 動用参仟捌伯肆拾陸斛捌斗陸升玖合

115 振量未簸粟弐伯参拾参斛漆斗参升壱勺

116 振入廿一斛二斗四升八合一勺

117 定実弐伯壱拾弐斛肆斗捌升弐合

（継目裏書）

（第六紙）

118 穎稲漆萬陸仟玖伯玖拾参束肆分

119 糒陸伯参拾斛壱斗弐升

120 酒参拾参斛肆斗壱升伍勺

121 醤伍斛伍斗捌升

122 酢漆斛伍斗

123 雑用肆伯弐拾参束壱把 穀卅斛四斗　穎稲一百十九束一把

124 酒伍斗壱升弐合

125 依五月十九日　恩勅賑給高年并鰥寡之徒合漆

126 拾陸人　振量未簸稲穀参拾斛肆斗 人別四斗

127 国司巡行部内合壱拾伍度惣単壱伯弐拾弐人上肆拾

128 人 目以上廿五人　史生十五人 　従捌拾弐人　食稲肆拾束陸把 上人別四把　従人別

129 ＊二把　酒参斗漆升目以上人別一升 史生人別八合
130 参度正税出挙幷収納 一度守一人従三人幷四人五日 二度掾一人従二人幷三人六日
131 単参拾捌人上壱拾壱人 掾以上 従弐拾漆人
132 参度賑給貧病人幷高年之徒 一度守一人従三人一度掾 一人従二人一度史生一人
133 従一人幷九人 並二日　単壱拾捌人上陸人 掾以上四人 史生二人 従壱拾弐人
134 壱度随府使賑給貧病人 守一人従三人史生一人従一人 幷六人三日
135 単壱拾捌人上陸人 守三人 史生三人 従壱拾弐人
136 壱度蒔営紫草園 守一人従三人 幷四人二日 単捌人上弐人 守 従
137 陸人
138 壱度責計帳手実 史生一人従一人 幷二人三日 単陸人上参人
139 史生 従参人
140 壱度随府使検校紫草園 守一人従三人 幷四人一日 単肆人
141 上壱人 守 従参人
142 壱度検校＊牧馬 史生一人従一人 幷二人二日 単肆人上弐人 史生 従
143 弐人

129二　実際の計算では「三」となり、33でも「三」とみえる。
142検校牧馬　直入郡のみの巡行。郡内に官牧が存在か。→⑳周防123検牧馬牛

壱度収庸 史生一人従一人 并二人三日 単陸人上参人 史生 従参人

壱度検田熟不 史生一人従一人 并二人二日 単肆人上弐人 史生 従

弐人

壱度堀紫草根 守一人従三人 并四人二日 単捌人上弐人 守 従陸人

壱度問伯姓消息 守一人従三人 并四人二日 単捌人上弐人 守

(継目裏書)

従陸人

(第七紙)

往来伝使合頭参人 二人三日 一人一日 従漆人 六人三日 一人一日 惣単弐拾

陸人 頭七人 従十九人 食稲捌束伍把 頭四把 従三把 酒陸升弐合

三人別一升 四人別八合

*新醸酒伍斛料稲漆拾束 斛別十四束

*乾附子壱斗用酒捌升

*移去納大野郡粟伍拾玖斛漆斗漆升壱勺

出挙肆仟伍伯参拾陸束 死伯姓七十三人免給稲一千四百 廿束

定納本参仟壱伯壱拾陸束

利壱仟伍伯伍拾捌束

153 新醸酒（231）→[03]摂津32酒

154 乾附子 乾燥したトリカブト。強い毒性を持ち、強心・鎮痛薬として使用。和名抄に「烏頭」「附子」などとある。薬用分抽出に酒で煎じたか。典薬式の附子貢出国に豊後国はみえず。

155 移去納大野郡粟 当直入郡から大野郡へ移送した粟。

159 合応納肆仟陸伯漆拾肆束
160 見納弐仟漆伯肆束
161 *穎禾壱仟弐伯束
162 未納壱仟玖伯漆拾束
163 国司借貸肆仟束
164 穎禾弐仟伍伯玖拾陸束
165 穎稲壱仟肆伯肆束
166 遺穎稲陸萬捌仟参伯参拾漆束玖把肆分
167 天平五年未償伍仟漆伯漆拾壱束伍把陸分
168 天平六年未償壱仟漆伯壱拾参束 並依 恩勅放免畢

（正集巻四十二・第十紙）

（D断簡）*〇紙面に「豊後国印」あり。
169* 定実陸拾漆斛捌斗伍升伍合
170 穎稲壱拾弐萬陸仟伍伯捌束壱把玖分
171 糯壱仟参伯伍拾弐斛参斗漆升

161穎禾（164）粟か。出挙で収納した穎稲に含まれている。また穎稲とともに国司借貸に使用されている（164）。霊亀元年十月の粟麦奨励の格では、稲の代わりに粟を輸すことを認めている（続紀）。天平八年四月格で稲一斗は粟一斗に相当する（賦役令6義倉条集解古記所引）とあるのに該当する。稲とは別置のはずだが、正倉記事（100都合）に明証はない。「禾穀」は217にみえる。他帳には「禾」はみえず。㉗薩摩9・92に「穎粟」がある。
D断簡　某郡の初表示後半から中間表示。A断簡、またはB・C断簡とは接続しない。紙背利用の検討から大野郡部と推定。
〔169～231〕　復元帳と断簡配列の復元が異なり、行番号も異なる（→凡例五6）。

酒弐拾弐斛弐斗玖升捌合
醤伍斛漆斗
酢漆斛伍斗
雑用捌伯参拾玖束漆把 穀卌九斛六斗 穎稲四百卌三束七把
酒肆斗玖升陸合
依五月十九日 恩勅賑給高年幷鰥寡之徒合玖拾
玖人 振量未簸稲穀参拾玖斛陸斗人別四斗
国司巡行部内合壱拾肆度惣単壱伯壱拾捌人上
参拾捌人 目以上廿五人 史生十三人 従捌拾人食稲参拾玖束弐把
上人別四把 従人別三把 酒参斗伍升肆合 目以上人別一升 史生人別八合
参度正税出挙幷収納 一度守一人従三人幷四人五日 二度掾一人従二人幷三人六日 単
参拾捌人上壱拾壱人 掾以上 従弐拾漆人
参度賑給貧病人幷高年之徒 一度守一人従三人一度 掾一人従二人一度史生
一人従一人幷九人 並二日 単壱拾捌人上陸人 掾以上四人 史生□人* 従
壱拾弐人

（第十一紙）

185 □人 大古・寧遺・復元帳は「二人」に作る。

壹度随府使賑給貧病人 守一人従三人史生一人従一人并六人三日
単壹拾捌人上陸人 守三人 史生三人 従壹拾弐人
壹度蒔営紫草園 守一人従三人 并四人二日 単捌人上弐人
守 従陸人
壹度責計帳手実 史生一人従一人 并二人三日 単陸人上参人
史生 従参人
壹度随府使検校紫草園 守一人従三人 并四人一日 単肆人上
壹人 守 従参人
壹度収庸 史生一人従一人 并二人三日 単陸人上参人 史生 従参人
壹度検田熟不 史生一人従一人 并二人二日 単肆人上弐人 史生
従弐人
壹度堀紫草根 守一人従三人 并四人二日 単捌人上弐人 守 従陸人

（継目裏書）

壹度問伯姓消息 守一人従三人 并四人三日* 単捌人上弐人 守 従

（第十二紙）

陸人
往来伝使合頭参人 二人三日 一人一日 従漆人 六人三日 一人一日 惣単

199 三日　計算上は「二日」（51・148）。

202 弐拾陸人 頭七人 従十九人 食稲捌束伍把 頭四把 従三把 酒陸

203 升弐合 三人別一升 四人別八合

204 遣*新羅使料春稲弐伯伍拾陸束

205 新醸酒壱拾斛料稲壱伯肆拾束 斛別十四束

（正集巻四十二・第八紙）

（B断簡*）○紙面に「豊後国印」あり。

206 定納本伍仟玖伯肆束

207 利弐仟玖伯伍拾弐束

208 合応納捌仟捌伯伍拾陸束

209 見納陸仟壱伯漆拾束

210 未納弐仟陸伯捌拾陸束

211 国司借貸漆仟伍伯束

212 遺稲穀弐萬捌仟参伯弐拾弐斛弐斗陸合玖勺

213 穎稲壱拾漆萬壱伯陸拾漆束捌把伍分

214 従大分郡来納穎稲壱萬弐仟束

204遣新羅使料春稲　遣外国使の送迎などに用いるため大宰府に送進したものか（春稲→57）。天平八年四月に発遣し、九年正月に帰国した遣新羅使がある（続紀）。

B断簡　郡部記載の中間表示。速見郡と推定。

215 従国埼郡来納稲穀弐伯陸拾捌斛弐斗 振入廿四斛三斗八升一合
216 定実弐伯肆拾参斛捌斗壱升玖合
217 *禾穀玖拾壱斛陸斗 振入八斛三斗二升七合
218 定実捌拾参斛弐斗漆升参合

（正集巻四十二・第九紙）

*（C断簡）○紙面に「豊後国印」あり。

219 *合定実弐萬伍仟玖伯玖拾壱斛弐斗漆升玖合肆
220 勺
221 不動壱萬漆仟陸伯壱拾参斛玖升玖勺
222 動用捌仟参伯漆拾捌斛壱斗捌升捌合伍勺
223 振量未簸粟参伯弐拾参斛玖斗玖合漆勺 振入廿九斛四斗
224 四升六合三勺
225 定実弐伯玖拾肆斛肆斗陸升参合肆勺
226 穎稲壱拾玖萬伍仟捌伯参拾漆束捌把伍分
227 糒壱仟漆伯捌拾陸斛弐斗肆升 *養老二年以前八百八十九斛天平五六年八百九十七斛二斗四升

217禾穀　粟穀か。215稲穀と同じく国埼郡から送られて来た。国埼郡から球珠郡への粟穀の移送は67にみえる。→161穎禾

C断簡　郡部の末表示。B断簡と記載項目が重複せず、209見納・211国司借貸・213穎稲・214来納穎稲の合計が226穎稲に一致するので、欠損部をはさんでB断簡と接続。

219合定実弐萬伍仟玖伯玖拾　目録による。

227養老二年以前…天平五六年　→90糒

228 酒参拾陸斛陸斗壱升弐合 *加今年五斛
229 甕陸口 *大甕三口　中甕一口　小甕二口
230 醬壱拾弐斛伍斗
231 甕肆口 小甕

228 **加今年五斛**　↓153新醸酒
229 **大甕三口**　大古・寧遺・復元帳は、「大甕二口」に作るが誤り。

[27] 薩摩国正税帳　天平八年度

0 「（継目裏書）*薩麻国天平八年正税目録帳*従八位上行目呉原忌寸百足*」

（正集巻四十三・第十三紙）

（D断簡*）〇紙面に「薩摩国印」あり。

1 *酒捌斛漆[斗]肆升参合

2 天*平四年未償捌伯伍拾肆束伍把 死伯姓二人*　免給稲卅三束*

……（継目裏書）……

（第十四紙）

3 徴*納捌伯弐拾壱束伍把

4 都合籅*振量定稲穀漆伯参拾壱斛陸斗肆升 振*入六十六斛　五斗一升二合

5 定実陸伯陸拾伍斛壱斗弐升捌合 動*用

6 籅*振量定粟穀壱伯壱拾肆斛壱斗 振入一十斛三　斗七升二合七勺

7 定実壱伯参斛漆斗弐升漆合参勺

8 穎*稲伍萬捌伯肆拾束捌把

9 穎*粟漆伯伍拾伍束参把拾*分把之玖

10 糒*壱仟伍伯肆斛参斗壱升 養*老四年

継目裏書　四か所。便宜ここに掲示。
0目録帳　→[19]周防0
0呉原忌寸百足　他にみえず。
D断簡　出水郡の中間表示から末表示。財政規模・正倉数からみて隼人一一郡（29）以外の、高城郡か出水郡であり、A・B断簡は高城郡と推定することから。→A断簡
〔1〕本行の翻刻は大古・目録による。目録によれば、正集巻十五第十紙の右端に「斛漆[斗]肆升参合」が左文字で附着。
2天平四年未償　出挙未納。→用語〔出挙〕
2死伯姓・免給稲　→[03]摂津8債稲死百姓・免稲
3徴納　天平四年の出挙未償（2）の死者免稲（2）以外を全額徴納。
4籅振量定（87・102）→[17]隠岐2
4振入（6・21ほか）→用語〔振入〕
5動用　動用穀。当郡に不動穀は存在せず。
6籅振量定粟穀（21・89）粟穀の現在高で未振量。これを籅振量定と表示するのは本帳のみ。粟穀を振入（→用語〔振入〕）するのは本帳と[08]駿河75・[09]駿河173・[26]豊後19。
8穎稲　→用語〔稲〕
9穎粟　粟は通常穀粟（粟穀）であり、穎粟とあるのは本帳のみ。
9拾分把之（23・24・28ほか）把の1/10の単位としての「分」が未成立なので、把を一〇分したうちの幾つと表記。「拾分把之玖」は〇・九把。当薩摩帳のみにみえる表記法。→[09]駿河215束把半・[04]和泉225分々之伍
10糒・養老四年（25・93）養老四年二月隼人が反して大隅国守を殺し、三月大伴旅人を征隼人持節大将軍に任命。旅人は八月帰京（続紀）。この戦役軍備に糒を製造したか。糒→[06]尾張18

11 酒壱拾斛漆斗肆升参合
12 正*倉壱拾弐間 正倉一十間 借倉二間* 並構*木倉
13 新造壱間 構木倉 借*屋弐間
14 合*壱拾伍間 動用一間 糒納一間 穎稲納一十三間
15 大領外正六位下勲七等肥*君 病
16 少領外従八位下勲七等五百木*部 死
17 主政外少初位上勲十等大伴部*「足床」
18 主帳无位大伴部*「福足」

（A*断簡）○紙面に「薩摩国印」あり。

（正集巻四十三・第五紙）

19 斗［*八升斛別入一升］
20 定実壱仟弐伯玖拾肆斛捌斗弐升 *不勲
21 簸振量定粟穀肆伯参拾陸斛玖斗参升 振入卅九斛七斗二升九勺
22 定実参伯玖拾漆斛弐斗玖合壱勺
23 穎稲参萬漆仟陸伯漆束捌把拾分把之玖

12正倉（97・105）↓[02]大倭13。本帳は正倉に借倉を含む。
12借倉 ↓[06]尾張11借倉
12構木倉（97）校倉（↓[04]和泉269甲倉）のことか。
13借屋 ↓[06]尾張11借屋
14合壱拾五間 当年度使用の全倉屋。12正倉・13新造・借屋の合計。分注は収納物による分類。
15肥君「病」はここに署名がない理由。この人物を含めて本帳記載の郡司一三名中、八名が勲位者なのは、対隼人戦役の結果か。
16五百木部 当年中に死亡。
17大伴部足床・18大伴部福足 他にみえず。
A断簡 記事の内容からみて、国府所在の高城郡の初表示から中間表示。
19升「斗」の誤りか。他帳に比べ本帳は誤記・誤字が多い。↓20不勲・30読・65二解ほか
20不勲 不「動」の誤り（88）。倉に「動用一間」（98）あるが当郡には動用穀は存在せず。
〔28〜78〕欠損部をはさんで雑用支出。
28穎稲 内訳は三〇〇束以外は現存。欠損は賑給（53）か。賑給は通例稲穀。↓[09]駿河121給稲
29酒 雑用の内訳は完存する。
29隼人一十一郡 当薩摩国一三郡（民部式・和名抄67）のうち、出水・高城両郡を除く一一郡。隼人支配の充実のため設置された零細な郡（一〜四郷所管）で、両郡とは行財政上区別されていた。一一郡の正税帳に酒はないか（↓119）。
29当郡 高城郡。
30正月十四日 ↓[09]駿河125
30読「讀」字の誤字か通用。大古は「讀」とし「讀」と注記する。寧楽は「讀」につくる。

24 穎粟参仟参伯弐拾陸束陸把拾分把之壱
25 糯壱仟弐伯陸拾壱斛 養老四年
（継目裏書）
（第六紙）
26 塩漆斛漆斗参升玖勺
27 酒肆拾伍斛伍斗伍升漆合
28* 雑用*穎稲肆仟漆伯弐拾漆束捌把拾分把之肆
29 *酒壱拾陸斛弐斗漆升漆合 充*隼人一十一郡六斛九斗一升八合 *当郡九斛三斗五升九合
30 依例*正月十四日*読八巻*金光明経幷十巻*金光明
31 最勝王経*仏聖僧及*読僧*一十一軀合一十三
32 軀*供養料稲弐拾束伍把拾分把之肆 軀別一束五把八分
33 *当国僧合一十一軀 一十軀*三百八十四日一軀*一百一十三日　惣単参仟玖伯伍
34 拾参人供養料稲壱仟伍伯捌拾壱束弐把 僧別四把
35 春秋*釈奠料稲玖拾弐束*先聖先師幷四座
36 料稲壱束陸把 座別四把　国司以下*学生以上惣
37 *七十二人　食稲壱拾肆束肆把 人別二把　*脯参拾壱*斤
38 直稲参拾壱束 々別一斤　*鰒参拾陸斤　直稲参

30金光明経・金光明最勝王経　↓09駿河125金光明経幷最勝王経

31仏聖僧　↓02大倭252

31読僧　↓04和泉28

31一十一軀　他国は一巻一軀で合一八軀が普通だが、当国では揃わなかったか。↓33当国僧

32供養　↓02大倭252

33当国僧　当薩摩国に存在した官僧の全部か（↓31）。僧に通年で給粮しているのは当国のみ。正月十四日斎会（30）において他国のように雑餅などを給さないのは、本項があるからか。

33三百八十四日　本帳の当年度は天平七年十一月（閏十一月あり）から八年十月までと推定。

33一百一十三日　この期間だけ当国に在住か。

35釈奠　春秋に孔子らを祭る儀式であり、仏教教化と並んで儒教による教化政策の一環としておこなわれた（大学式1釈奠条ほか）。続紀大宝元年二月丁巳条が初見。中央では大学、地方では国学で実施のはずだが、本帳が初見。また正税帳では唯一例。

35先聖先師　先聖は孔子、先師は顔回。

36学生　薩摩国の等級は延喜式は中国（民部式上8西海道条）。ただし本帳で確認可能な国司は下国相当（↓41国司）。学生の定数は中国三〇人、下国二〇人（職員令80国博士医師条）。

37七十二人　郡司などが多数列席。儀式・祭典などに郡司を招集し訓育をはかったか（41）。判明する当国の郡司官制はすべて令制より多い。↓29隼人一十一郡・116河邊郡

37脯　↓20周防170耽羅方脯。以下の祭料に関しては主税上75諸国釈奠条に規定がある。

37斤　↓用語〔斤・両〕

38鰒　アワビ。現存正税帳に唯一の記載。

拾陸束 々別一斤　雑腊*壱斗伍升　直稲陸束 々別二升五合

雑菓子参斗　直稲参束 々別一斗　酒捌斗 先聖先師座別二升国司以下人別一升

元*日拝朝庭刀* 祢*国司以下少*毅以上惣陸拾捌*人

食稲壱拾参束陸把 人別二把　酒陸斗捌升 人別一升

*国司巡行部内合玖度惣単壱伯肆拾捌人 上六十三人*従八十五人

（第七紙）

食稲伍拾束漆把 上人別四把従人別三把　酒伍斗参升 目以上一十三人々別一升*史生五十八人々別八合

参*度正税出挙幷収納 一度守一人従三人幷四人七日一度史生二人従二人幷四人六日一度医師一人従一人幷

二人五日　単陸拾弐人　上弐拾肆人 守七人史生一十七人　従参拾捌人

壱度責*計帳手実 守一人目一人医師一人従六人幷九人一日　単玖人

上参人 目以上二人医師一人　従陸人

壱度検*校庸薦 医師一人従一人幷二人二日　単肆人　上弐人

医師　従弐人

壱度検校*伯姓損田 目一人従二人幷三人二日医師一人従一人幷二人五日　単壱拾陸人

上漆人 目二人医師五人　従玖人

参*度賑*給 一度医師一人従一人幷二人十九日一度史生一人従一人幷二人五日一度守一人目一人史生一人従六人幷九人一日

39腊　きたい。賦役令1調絹絁条義解に「全干物」とある。丸ごと乾した魚介類や鳥肉。

41元日拝朝庭　→09駿河123元日拝朝

41刀祢　→09駿河123

41国司　巡行記事で確認できる当年度国司は、守一人・目一人・史生二人・医師一人だけ。

41少毅以上　中団以上の軍団の存在が判明。

41陸拾捌人　→37七十二人

[43〜54]　国司巡行（→15但馬122）記事。うち43・44は人数・食料によるまとめ。

43従　→04和泉43将従

44史生　本項では医師を含む。従って45史生二人は史生と医師の可能性がある。→15但馬124

45参度正税出挙幷収納　→26豊後34

47責計帳手実　→15但馬138

49検校庸薦　→15但馬147検校庸物。薦は主計式上3諸国庸条に「薩摩国二丁席三枚」。

51検校伯姓損田　→15但馬142検校田租

53参度　続紀天平七年閏十一月十七日勅（120）、同八年七月丁亥条によるか。一度分は未詳。給与品については薬酒（77）以外未詳。穎稲（28）か。通例は稲穀だが、当郡に動用穀なし（20）。

53賑給（120）→04和泉110

55駅使　駅使の費用に正税を充てるのは不審だが（→15但馬74）、当薩摩国では延暦十九年十二月まで（類聚国史一五九）百姓水田のすべてが墾田（続紀天平二年三月辛卯条）。駅起田・駅起稲が存在しなかったことによるか。

55合頭壱拾人・55従壱拾肆人　実数。分注の日

……（継目裏書）
（第八紙）

単伍拾漆人　上弐拾漆人 目以上二人 史生廿五人　従参拾人
往来駅*使合*頭壱拾人 一人七日二人三日 四人二日四人一日　従*壱拾肆人 二人七日 三人三日
七人二日 四人一日　惣単陸拾陸人 頭廿五人 従卌一人　食稲弐拾弐束参
把 頭人別四把 従人別三把　酒弐斗参升 一十五人々別一升一十 人々別八合
往来伝*使合頭肆拾弐人 一人五十八日三人二日 *卅八一日　従玖人 三人二日 六人一日
惣単壱伯壱拾肆人 頭一百二人 従一十二人　食稲肆拾肆束
陸把 頭一人六把一百一人々別四把 従一十二人々別三把　酒捌斗弐升参合 頭一人一升 五合一十
六人々別一升八十 一人々別八合
新*任国司史生正八位上勲十二等韓*柔受郎 従一人　幷二人
起*七月廿七日尽十月廿九日合玖拾弐 日　単壱伯
捌拾肆人　食稲漆拾参束壱把 自七月廿七日至八月廿九 日合卅三日*依国司部内
巡行食法日別充七把九月十月幷二箇月 依公*二解*食法月別充廿五束　酒弐斗陸升肆合
運府甘*葛煎担夫参人 十九日　惣単伍拾漆人　食稲
壱拾漆束肆把 三人*十日人別日四把 *三人九日人別日二把

数別はのべ数で頭一一人・従一六人。したがって頭一人・従二人が二回計上。
58伝使　↓03摂津32伝。五八日滞在者や、食稲六把・酒一升五合受給者など、他国にない使者を含む。大宰府使(↓26豊後53伝使)などか。
58卅八　この下に「人」字脱。大古・寧遺は「卅八人」に作る。
62新任国司　新任国司は給与である公廨田（大宝令。養老令は職分田）の穫稲を得る当年ないし翌年秋まで、着任日から八月末日までは国司部内巡行食法(64、↓20周防96食法)、九月から翌年八月末日まで(正税帳記載は当年度内のみ)は公廨食法(↓65食法)により給粮(田令35外官新至条・同集解)。
62韓柔受郎　他にみえず。
63起七月廿七日　着任日以降の給粮。本帳での支給は十月まで。↓33三百八十四日
64国司部内巡行食法　↓20周防96食法
65二解　「廨」字の誤り。本帳を浄書した書生が「廨」字を知らず二字に書いたか。大古は「二解」に作り「廨」かと注し、寧遺は「廨」に作る。
65食法　公廨食法。公廨田穫稲数を基準とした食料支給法(↓15但馬121公廨田二町准獲稲)。国史生の公廨田六段の公定収穫高三〇〇束。一二で割ると月別二五束。三六〇で割ると日別八把(08駿河4・20周防162)、八把五分(07尾張29)。日別ではなく月別で支給は本帳のみ。
66甘葛煎　あまづらのいろり。甘葛の樹液を煮つめた甘味料。↓09駿河154味葛
67十日・九日　本帳当時の薩摩国・大宰府間の公式行程、上一〇日・下九日。主計式上74薩摩国条では上一二日・下六日。担夫食法。↓15但馬170向京日別四把・還国日別二把

68 運府*兵器料鹿皮担夫捌人　十九日　惣単壱伯伍拾
69 弐人　食稲肆拾陸束肆把　八人十日人別日四把八人九日人別日*三把
70 運府*筆料鹿皮担夫弐人　十九日　惣単参拾捌人
71 食稲壱拾壱束陸把　二人十日人別日四把二人九日人別日二把

*(B断簡)〇紙面に「薩摩国印」あり。　(正集巻四十三・第九紙)

72* 〔　　　　　〕惣単壱仟陸伯弐拾玖
73 人粮給稲陸伯肆拾束捌把　一千五百七十五人々別四把五十四人々別二把
74 *国司年料壱仟伍伯束
75 *遣唐使第二船供給穎稲漆拾伍束陸把
76 酒伍斛参斗
77 疾病人壱伯肆拾捌人給*薬酒漆斗参升弐合　卅人々別六合八十人々別五合卅八人々別四合
78 *醸酒料稲弐伯参拾捌束　得酒壱拾漆斛
79 *出挙壱萬壱伯束　*死伯姓一十一人 *免給稲一百卅五束
80 定納本玖仟玖伯陸拾伍束　利肆仟玖伯捌拾弐束伍把

68兵器料　兵器を国内で造らず材料を大宰府に送るのは、隼人への警戒か。胡禄などの兵器材料としての鹿皮は07尾張73握纏鹿韋ほかにみえる。

69三把　「二把」の誤り。

70筆料鹿皮　民部式下53年料別貢雑物条では大宰府は鹿毛筆五六〇管を貢納。

B断簡　95酒の収支等が整合するから、雑用穎稲三〇〇束を含む欠損をはさんでA断簡に接続。高城郡の中間表示から末表示まで。84～98は、出水郡1～14に相当する。

〔72〕　本行の翻刻は目録による。

74国司年料　復元帳は、当薩摩国では国司に公廨田(養老令は職分田)の代わりに年料として稲を支給したかとする。しかしこれが全額ならば公廨田穫稲相当(→65食法)としては少ない。また新任国司への給粮(62)が公廨田の存在を前提としており、それに加えての辺要国司への手当か。

75遣唐使第二船　天平五年四月出発し、天平八年八月に帰国した副使中臣名代らの帰国船(続紀)。帰途薩摩国を通過した時の接待の費用・食糧の供給か。

77薬酒　雑用の酒(29)からの支出。酒を薬として給したか。疾病者への酒糟支給→15但馬9賑給疫病者

78醸酒　当年度一六斛余を支出し(29)一七斛を醸造。→03摂津32酒

79出挙・死伯姓・免給稲　→用語〔出挙〕

81 合壱萬肆仟玖伯肆拾漆束伍把

（継目裏書）（第十紙）

82 *国司借貸肆仟玖伯束
83 *遺壱萬漆仟捌伯捌拾束拾分把之伍
84 *酒弐拾玖斛弐斗捌升
85 天平四年未償壱仟玖伯捌拾玖束伍把　死伯姓二人免給稲五十一束
86 徴納壱仟玖伯参拾捌束伍把
87 都合籖振量定稲穀壱仟肆伯弐拾肆斛参斗　振入一百廿九斛四斗八升斛別入一斗

（継目裏書）（第十一紙）

88 *定実壱仟弐伯玖拾肆斛捌斗弐升　不動
89 籖振量定粟穀肆伯参拾陸斛玖斗参升　振入卌九斛七斗二升九勺
90 定実参伯玖拾漆斛弐斗玖合壱勺
91 *穎稲参萬玖仟陸伯陸拾陸束拾分把之伍
92 *穎粟参仟参伯弐拾陸束陸把拾分把之壱
93 *糒壱仟弐伯陸拾壱斛　養老四年
94 塩漆斛漆斗参升玖勺
95 *酒肆拾陸斛弐斗捌升

82国司借貸　→26豊後64
83遺　23穎稲から28雑用穎稲・79出挙・82国司借貸を引いた額。
84酒　27酒から29酒（雑用）を引いた量。
88定実　20と同量。稲穀は年間の増減なし。
91穎稲　年度末の穎稲残高。83遺に81合（出挙収納）・82国司借貸を足した額。
92穎粟　24と同量。年間の増減なし。
93糒　25と同量。年間の増減なし。10糒・養老四年
95酒　使用残である84酒と78醸酒の合計。

96 甕壱拾漆口 大甕一口　中甕七口 小甕九口
97 正倉玖間 並構木倉　借屋壱間
98 合壱拾間 不動一間*　動用一間*　糒納一間

（正集巻四十三・第十二紙）

*（C断簡）○紙面に「薩摩国印」あり。

99 死馬皮参領*　売直稲参拾束 領別一十束
100 天平四年未償壱仟弐伯肆拾伍束伍把 死伯姓一人 免給稲五十一束
101 徴納壱仟壱伯玖拾肆束伍把
102 都合簸振量定稲穀参伯玖拾壱斛 振入卅五斛五斗 四升五合
103 定実参伯伍拾伍斛肆斗伍升伍合 動用
104 穎稲壱萬漆仟陸伯壱拾肆束玖把
105 正倉伍間 並構木倉　借屋壱間
106 合陸間 動用一間　穎稲納五間
107 大領外従六位下薩麻君福志麻呂*
108 少領外正七位下勲八等前君乎佐*

98不動・動用　→20不動
C断簡　某郡部の中間表示から末表示まで。郡司に薩麻君がいるので薩摩郡とする説があるが、未詳。
99死馬皮　→08駿河58加伝馬死皮
107薩麻君福志麻呂　他にみえず。
108前君乎佐　隼人の朝貢に関連して、天平十五年七月外従五位下、天平勝宝元年八月外従五位上、天平宝字八年正月外正五位下（続紀）。

109　主政外少初位*＊薩麻君宇志々
110　主帳外少初位上勲十二等＊肥君広龍
111　主帳外少初位下勲十等＊曽県主麻多

（E＊断簡）〇紙面に「薩摩国印」あり。　（続々修三十五帙巻六背・第十紙）

112＊　少領外従八位下勲十等＊薩麻君鷹白
113　主政外少初位上勲十等＊加士伎県主都麻理
114　主帳无位＊建部神嶋
115　主帳无位＊薩麻君須加
116　＊河邊郡
117　天平七年定正税穎稲弐仟陸伯玖拾束肆把
118　雑用壱伯捌拾漆束肆把
119　酒漆斗弐升参合　＊高城郡酒者
120　依＊天平七年＊閏十一月十七日恩　勅＊賑給＊寡惸等＊徒人

109 位　この下に「上」または「下」字脱か。
109 薩麻君宇志々　隼人の朝貢に関連して、天平宝字八年正月外従五位下の薩摩公宇志（続紀）と同一人か。
110 肥君広龍　他にみえず。
111 曽県主麻多　他にみえず。
E断簡　某郡末尾と河邊郡の初表示から中間表示まで。民部式・和名抄67の配列によれば某郡は阿多郡。
[112] 本行の翻刻は透過光写真による。
112 薩麻君鷹白　天平宝字八年正月外従五位下、神護景雲三年十一月外従五位上昇叙の薩摩公鷹白（続紀）と同一人物であろう。復元帳は「白」を翻刻していない。
113 加士伎県主都麻理　他にみえず。
114 建部神嶋　他にみえず。
115 薩麻君須加　他にみえず。
116 河邊郡　和名抄133では管二郷。当郡の書式は高城郡と同様とみるべきだが、保有穎稲は少量、稲穀・粟・塩・酒は存在せず。これは隼人一十一郡(29)に共通するか。国司巡行は実施せず、代わりに35釈奠や41元日拝朝廷などに郡司を招集したか。
119 高城郡酒者　↓29。疾病人へ支給か。↓77
120 天平七年閏十一月十七日恩勅　続紀天平七年閏十一月戊戌条に対応記事あり。本帳は天平八年帳(↓0)だが、七年十一月以降を含む。↓33三百八十四日
120 閏　大古・寧遺は「潤」に作る。
120 賑給　↓53参度・[04]和泉16
120 寡惸等徒　↓[03]摂津19鰥寡惸独
120 徒人　大古は「徒人□」、寧遺は「徒合□」に作る。

おわりに

本書の企画が動き出すことになった経緯については、鈴木靖民氏執筆の「はじめに」にも記されているが、最初にこの点について述べておくことにしたい。

今回の企画は、鈴木氏から二〇二一年一月四日に「先月、荒井秀規さんから『復元　天平諸国正税帳』（以下、復元帳と表記）の改訂版を出しませんかといわれたのだが、どうしようか」という趣旨の電話がかかってきたことにはじまる。指導教授から「どうしよう」と打診されたということは、私にとっては「やってくれないか」といわれたのと同義である。内心「困ったな」と思いながら、すぐさま荒井氏に電話をかけ、ことの顚末を聞いてみることにした。詳細については省略するが、話し合いの結果、改訂版では復元帳に附載されていた「解説」の類いは捨象して本文の注記等にとどめ、もっぱら正確なテキスト提供をめざすこと、注記のアップデートについては荒井氏と榎英一氏が担当（以下、脚注班と表記）し、本文校訂は私の職場の同僚である山﨑雅稔氏に声をかけて私と二人で担当（以下、翻刻班と表記）すること、改訂版の刊行に際しては復元帳の発行元である現代思潮社（現在は現代思潮新社）の承諾が必要なので、復元帳編者の鈴木氏にあたってもらうことなどを取りあえず決めた。なお現代思潮新社には、他社から改訂版を出すことをこころよく許可していただいた。

本文校訂といっても、翻刻班だけでできるわけはなく、当初から大学院生の協力が不可欠と考えていた。彼らには正月休みが明けた最初の授業で、次年度に正税帳の校訂をおこなってよいかを尋ねてみたが、とくに反対意見は出されなかった。彼らはおそらく、校訂作業がいかに大変なものかを知らぬまま、それこそ指導教授からいわれた

ので承諾しただけだったかもしれないが、ともかく彼らの協力・努力がなければ、今回の企画が成就することはなかったであろう。校訂作業は結局、四月から十一月までかかったが、大学院生たちの多大な労苦に謝意を表するため、彼らの氏名を紹介することをお許し願いたい。相原志保氏、市川大和氏、佐藤亮介氏、花畑佳奈氏、みなさん本当にありがとうございました。

授業での校訂作業と並行して、そこで出た疑問を解消し、本文翻刻を確定するため、一〜二ヵ月に一度の割合でオンラインによる翻刻班・脚注班合同の検討会も実施した。脚注班からは早川万年氏に加わってほしいとの希望が出たので、二〇二二年の秋ごろから脚注作成と検討会への参加を早川氏にお願いした。荒井氏と私は、校訂作業がある程度進んだ七月十四日に八木書店を訪れ、今回の企画について正式に説明し、出版を引き受けてもらえないか打診した。その過程で、「もし八木書店が引き受けてくれるなら、『正倉院古文書影印集成』（以下、影印集成と表記）を用いて正税帳の影印を別冊でつけられたらおもしろいね」ということになった。この日から「改訂版」の名が消え、「翻刻・影印」というあらたな呼称が生まれることになったのである。

以下、本書の特長をいくつか述べたい。まず右述のように、翻刻編と影印編の二分冊にして刊行したことである。本文翻刻にあたっては、大学院生が作成した原案をもとに翻刻班が中心となり、責了まで八度の確認作業をおこなったが、それでも見落としや誤読があるかもしれない。しかし、仮に翻刻編の字句に誤りがあったとしても、本書の利用者は影印編と見比べることで、みずから誤りを訂正することができるようになった。これまでも、影印集成等を活用して字句の訂正は可能であったが、重く大部な書籍をあれこれ確認しなければならず、大変な労力を必要としていた。それが今後は、二分冊となった本書を見比べればよくなったのであり、正税帳研究の省力化とともに影